CU00685475

AVANT QU'IL NE SOIT TROP TARD

DU MÊME AUTEUR

Guérir du cancer ou s'en protéger, Fayard, Paris, 2005.
Ces maladies créées par l'homme, Albin Michel, Paris, 2004.
Les Grands Défis de la politique de santé en France et en Europe, Librairie de Médicis, Paris, 2003.
Cancérologie générale, J.-B. Baillière, Paris, 1979.

Pr Dominique Belpomme

Avant qu'il ne soit trop tard

Fayard

ISBN 978-2-213-62598-0

À mon maître, Jean Bernard,
et à Pierre Potier, in memoriam.

À Lucien Israël et Jean-Marie Pelt,
qui tous deux, en fonction de leur terrain
d'expérience, m'ont mis sur la voie.

Il n'est d'autre conspiration que le silence.

Karl Popper.

La tâche de l'intellectuel est d'annoncer ce qui est.
Sa tâche n'est pas de séduire, mais d'armer.

Régis Debray.

Avertissement de l'auteur

> Le temps est la substance dont je suis fait. [...] Le temps est le fleuve qui m'emporte, mais je suis ce fleuve.
>
> Jorge Luis Borges.

Qu'on scrute le ciel, qu'on regarde la Terre, qu'on analyse les problèmes de santé, tous les clignotants scientifiques sont au rouge. La question que nous devons nous poser dès maintenant, et qui se posera inexorablement à nous dans un futur proche, n'est pas de savoir si nous disparaîtrons, puisque nous sommes à l'évidence entrés aujourd'hui dans une sixième période d'extinction biologique, mais de savoir *quand* nous disparaîtrons. La sixième extinction qui s'annonce ne concernera pas la vie en tant que telle, car les espèces élémentaires comme les bactéries subsisteront, mais elle concernera toutes les espèces complexes, et en premier lieu l'homme. Hier nous cherchions par la philosophie, et plus particulièrement par la métaphysique, à comprendre les raisons de notre existence et à résoudre le problème de notre être, de notre conscience et de notre finalité. Aujourd'hui nous n'en sommes plus là puisque c'est notre corps lui-même qui est en péril. De métaphysique, notre questionnement est devenu biologique. L'esprit n'est rien sans le corps. Cette nouvelle conception de l'homme et de son devenir, imposée par les données scientifiques actuelles, n'est donc plus seulement du domaine de la philosophie. Pour la première fois dans l'histoire de l'humanité, l'homme prend concrètement conscience de la possibilité de sa fin prochaine.

À moins que... C'est sur cet « à moins que... » que je fonde tout notre espoir, sur ce petit rien dans l'univers qui s'annonce maintenant, et qui, en réalité, bien qu'il nous concerne directement et risque de se traduire d'abord par des conséquences sociétalement désastreuses, pourrait secondairement être salutaire en participant à notre sauvetage, non que nous l'ayons voulu, mais parce que, après avoir été pillée, violée, usurpée, la nature aura décidé de reprendre ses droits. Des droits qui n'appartiennent qu'à elle. À condition qu'il ne soit pas trop tard...

Prologue

Le monde souffre du cancer, et ce cancer est l'homme.

Alan Gregg.

Ce livre est le fruit d'une réflexion scientifique longuement mûrie, au fil du temps, par mon expérience de médecin et de chercheur. Le message essentiel est qu'inéluctablement nous allons au-devant d'une crise socioéconomique et sanitaire grave, d'envergure civilisationnelle et planétaire, et qui touchera d'abord et avant tout le monde occidental. Il ne s'agit pas ici d'alarmisme, mais d'un avertissement solennel de la communauté scientifique.

Le chapitre 1 relate les raisons qui m'ont conduit, à partir de l'étude des cancers, à concevoir qu'un grand nombre de maladies sont en réalité causées par la dégradation de l'environnement. La pollution chimique en est la cause principale. Le chapitre 2 explique ce qu'est l'*Appel de Paris* – déclaration internationale sur les dangers sanitaires de la pollution chimique – et comment les scientifiques et chercheurs des différents pays, en se basant sur les travaux pionniers des naturalistes américains ayant signé la *déclaration de Wingspread* (annexe 1), en sont venus à comprendre qu'en raison de cette pollution l'enfance était en danger, et même l'espèce humaine, si nous continuons à dégrader la planète comme nous le faisons aujourd'hui. Cet Appel figure en annexe 2.

Les chapitres suivants développent les arguments scientifiques ayant motivé cet Appel. Les épidémies et pandémies infectieuses telles que le sida, la maladie de chikungunya, la grippe aviaire, etc., ne sont pas des maladies naturelles apparues spontanément. Ce sont des maladies émergentes nouvelles, liées aux modifications environnementales, causées par l'homme. C'est ce que je montre au chapitre 3, consacré à l'écologie sanitaire. Une autre approche scientifique, en miroir de la précédente, consiste à considérer en premier lieu non pas l'environnement, mais les maladies, et secondairement à les relier à leurs causes environnementales. Le chapitre 4 y est consacré, à travers le concept de santé environnementale.

Il existe une insoutenable porosité de notre corps à la pollution, avec pour conséquence la modification structurelle ou fonctionnelle de nos cellules ou de certains de nos gènes. En réalité, nous ne sommes que ce que l'environnement veut bien que nous soyons et notre santé en est la résultante. C'est la raison pour laquelle l'étude des gènes – la génétique – n'explique pas tout. Cette nouvelle conception de la médecine tranche radicalement sur celle qui prévaut aujourd'hui. Contrairement au paradigme ancien qui considérait que seule la dose fait le poison, l'émergence des maladies d'évolution chronique incite à concevoir que *ce n'est pas la dose qui fait le poison, mais sa répétition*, donc la durée d'exposition aux facteurs de risque, quelle qu'en soit la nature, chimique, physique ou même biologique. Il s'agit là d'une nouvelle donnée essentielle des recherches actuelles, et qui doit conduire à une révision complète de la toxicologie. Les normes réglementaires existantes ne nous protègent aucunement des effets toxiques à petites doses, des rayonnements, des produits chimiques ou même des micro-organismes qui peuvent contaminer l'air, l'eau, les sols et notre alimentation.

La pollution progresse et se manifeste comme un « masque invisible ». Elle est devenue diffuse, multiple, multiforme à un point tel qu'une étude épidémiologique négative ne signifie pas l'absence de risque. C'est ce qu'explique le chapitre 5.

Le fait que la plupart des nouveau-nés soient aujourd'hui contaminés par de nombreuses substances chimiques cancérigènes, mutagènes ou reprotoxiques (CMR) constitue une véritable bombe à retardement. La santé future de nos enfants est gravement compromise. Un grand nombre de maladies autres que les infections sont principalement causées par la dégradation de notre environnement : cancers, malformations congénitales, stérilité, allergies, maladies dégénératives du système nerveux central, et même l'obésité et le diabète ! Le chapitre 6 est consacré aux « maladies créées par l'homme » et présente, pour la première fois, une classification des maladies environnementales.

La nouveauté de cette approche explique qu'en l'état le *Plan cancer français*, construit à partir de l'ancien paradigme, reliant quasi exclusivement la maladie au mode de vie plutôt qu'aux facteurs environnementaux, ne peut être qu'un échec retentissant. J'en donne les raisons au chapitre 7.

En réalité, les cancers ne sont que la partie émergée de l'iceberg. Il y a plus grave. Les changements climatiques liés à l'effet de serre sont bien réels. Et, là encore, la cause en est anthropique. Le risque est non seulement la destruction des écosystèmes et d'une grande partie de la flore et de la faune, mais aussi l'induction de redoutables pandémies infectieuses, ou, pire, la mise en danger radicale de l'espèce humaine en raison de la non-satisfaction des besoins élémentaires indispensables à toute vie complexe.

Comme je l'ai souligné dans l'avertissement au début de cet ouvrage, nous sommes à l'évidence engagés dans une sixième période d'extinction biologique. Il nous faut agir d'extrême urgence. Dans dix ans, il sera trop tard (chapitre 8). L'humanité doit se dégager du piège dans lequel elle s'est enfermée (chapitre 9). Est-ce possible ? C'est la question que je pose au chapitre 10, et j'y réponds par l'affirmative.

La raréfaction du pétrole pourrait nous aider. L'apparition dans les toutes prochaines années d'un pic de production est en effet susceptible de modifier radicalement notre conception du progrès, notre mode de vie et notre système économique, et de nous conduire à une nouvelle alliance avec la nature, une alliance que le système économique actuel nous a fait rompre. La « troisième rupture » qui s'annonce sera d'ampleur inégalée, comparable, mais en sens inverse et sous une forme beaucoup plus brutale, à celles ayant conduit à la découverte de l'agriculture au néolithique et à la révolution industrielle du XIXe siècle. Cependant, bien qu'elle puisse conduire dans l'immédiat à une crise planétaire civilisationnelle grave, cette rupture pourrait nous être à terme salutaire. Parce que, en restreignant la consommation de pétrole, elle permettrait de limiter l'effet de serre. À condition que nous cessions d'utiliser le charbon ! C'est ce qu'il faut espérer.

Mais, d'ici là, il nous faut préparer l'avenir et tenter, dans notre pays, d'éviter le pire ou tout au moins d'atténuer les effets de cette crise. C'est ce que je propose au chapitre 11 grâce à un plan d'union nationale de salut public, basé sur les 164 recommandations et mesures du *Mémorandum de l'Appel de Paris* (annexe 3).

Comme on le sait, la situation partout dans le monde est devenue extrêmement critique. À cela s'ajoute le fait que, de façon encore plus sérieuse, c'est l'avenir de nos enfants qui est en jeu, et au-delà celui de l'humanité. Cet avenir est compromis si nous ne faisons rien. Aujourd'hui des voix s'élèvent dans les médias, qui rejoignent les personnalités ayant signé l'Appel de Paris. Cet Appel ne fait en réalité que poursuivre l'œuvre de pionniers tels le chancelier honoraire de l'Institut de France Édouard Bonnefous, l'universitaire agronome René Dumont ou encore l'explorateur académicien Jacques-Yves Cousteau. Tous ont dénoncé ce qui, demain, risque de devenir un crime contre l'humanité.

Le drame est que, de façon générale, beaucoup de nos femmes et hommes politiques n'entendent pas le message. Le nez dans le guidon de leurs combats politiciens quotidiens, ils n'en ont pas mesuré toute la gravité, ou, en raison d'impératifs socioéconomiques immédiats, ils paraissent ne pas y croire. Cependant, quelques-uns ont déjà compris. Nous devons avoir l'espoir que tous comprendront bientôt. C'est la raison pour laquelle je leur adresse la *lettre ouverte* qui figure en fin d'ouvrage.

Mais, sans vous, sans votre détermination citoyenne, sans le troisième pouvoir que nous représentons [1], rien ne sera possible. Le problème dépasse de très loin les clivages politiques actuels. Le cancer, les maladies, la santé, l'environnement n'ont pas de couleur politique. C'est pour nos enfants, pour l'humanité que nous, peuple de France, quelle que soit notre sensibilité politique, nous devons nous unir et relever le défi auquel nous avons à faire face. Il existe des solutions techniques exposées dans ce livre, en particulier au chapitre 11. À nous de les mettre en œuvre ! À nous de susciter l'espoir ! Aujourd'hui, ne nous trompons pas de combat, car notre avenir et celui de nos enfants en dépendent.

1. Nicanor Perlas a reçu un prix des Nations unies pour son livre *Shaping Globalization. Civil Society Cultural Power and Treefolding* (*La Société civile : le troisième pouvoir*, Éd. Yves Michel, Barret-sur-Méouge, 2003).

Chapitre 1

Le paradigme environnementaliste

> La science est une et c'est l'homme seulement qui en raison de son intelligence y établit des catégories [...]. En toute chose, je crois, le secret du succès est dans les longs efforts. Par la persévérance dans la recherche, on finit par acquérir ce que j'appelle l'instinct de vérité.
>
> Louis Pasteur.

La science est une. C'est pour cela qu'aujourd'hui, dépassant le cadre *stricto sensu* de la cancérologie, je m'aventure dans d'autres champs d'investigation, ceux de l'environnement.

Ce qui me paraît étrange, c'est le fait que ma vision de l'homme et du monde ait si rapidement changé, et que, en déclenchant mentalement un compte à rebours, ma conscience du temps se soit subitement modifiée. Lorsque, après des études de physique, chimie et sciences naturelles, je me suis orienté vers la médecine, je n'aurais jamais imaginé être un jour amené à me consacrer de façon prioritaire et urgente à des recherches dans le domaine de l'environnement. Pas plus que je n'aurais pensé investir une partie importante de mon temps à combattre les impostures sociétales visant à nous faire croire que les activités humaines ne retentissent pas sur notre état de santé et qu'au nom du progrès technologique l'homme peut tout se permettre. Il s'agit pourtant là d'une démarche logique, purement scientifique.

Guérir les enfants leucémiques

J'ai toujours considéré qu'un chercheur devait orienter ses recherches concrètement en fonction des questions posées par la société, et non pas les accomplir pour elles-mêmes, par pur intérêt ou confort intellectuel. Une telle conception des recherches est bien sûr beaucoup plus difficile à mettre en œuvre, car elle nécessite la mise au point permanente de nouvelles méthodes et techniques, mais elle s'avère souvent beaucoup plus riche.

Dans les années 1950, tous les enfants atteints de leucémie aiguë mouraient en quelques semaines, perclus de douleurs et souvent aveugles, dans un tableau d'hémorragies et d'ecchymoses généralisées. La survenue d'une maladie grave chez un enfant constitue une insulte à la vie, à la société et à la médecine, et face à cette insulte les médecins doivent se mobiliser. Jean Bernard fut l'un des premiers à le faire. Il délaissa la pédiatrie, vers laquelle il s'était initialement orienté, pour devenir le grand hématologue qu'on a connu, tout simplement parce que, pour soigner au mieux ces enfants, il fallait se spécialiser dans les maladies du sang. Autrement dit, créer et développer une nouvelle discipline médicale : l'hématologie. Nombreux étaient alors les médecins qui doutaient des résultats, parce que ceux-ci bouleversaient leur pratique et ne cadraient pas avec l'idée qu'ils se faisaient de la maladie.

Nous en sommes toujours là. À chaque fois qu'une découverte majeure, qu'un nouveau concept ne collent pas avec les opinions ambiantes et rompent avec une pratique, les préjugés se manifestent dans toute leur force et l'ensemble du corps médical les rejette. Claude Bernard l'avait compris et dénonçait déjà ce qu'il appelait l'« enkystement du corps médical[1] ».

Combattre les cancers

Les leucémies de l'enfant sont en réalité des maladies particulières, relativement rares. En 1975, le problème était de savoir si ces progrès pouvaient être appliqués de façon générale aux cancers, les leucémies aiguës n'étant qu'un reflet très lointain des autres types de cancers. Il fallait mettre au point de nouvelles méthodes de recherche et surtout faire appel à de nouveaux concepts scientifiques pour comprendre comment les cancers communs de l'adulte – de loin les plus fréquents – prennent origine dans l'organisme et s'y développent, et comment on doit les traiter. C'est la raison pour laquelle, en 1984, à l'initiative de plusieurs malades, je fondai l'*Association pour la recherche thérapeutique anticancéreuse*, l'ARTAC, afin de réunir au sein d'une même structure des chercheurs, des cancérologues cliniciens et des spécialistes de l'industrie pharmaceutique[2].

Au bout de quinze ans, je dus me rendre à l'évidence : bien que non négligeables, les résultats de nos recherches et ceux des autres équipes n'étaient pas à la hauteur de l'espoir et de l'ambition que nous avions mis dans notre

1. C. Bernard, *Introduction à l'étude de la médecine expérimentale*, Flammarion, Paris, 1984.

2. L'ARTAC a été fondée en 1984 à l'initiative d'un groupe de chercheurs, de malades et de leurs familles. C'est l'un des seuls organismes français de recherche contre le cancer, internationalement connu pour ses travaux scientifiques sur les causes environnementales de la maladie. L'ARTAC travaille avec le concours d'un réseau d'experts européens et américains dont elle coordonne les recherches. À l'origine de la mise au point de plusieurs médicaments anticancéreux, les recherches de l'ARTAC visent aussi à protéger les bien-portants en proposant des méthodes de prévention. Voir le site www.artac.info.

combat. Lorsqu'ils sont évolués, les cancers constituent ce qu'on appelle en médecine un modèle dur, en d'autres termes une maladie résistant à l'ensemble des traitements. Ce constat de semi-échec de la médecine me conduisit à redéfinir la nature et l'orientation de nos recherches.

L'environnement, *terra incognita* de la biologie

Le fait de mieux comprendre ce qu'était un cancer m'amena à réorienter nos recherches vers des travaux fondamentaux, et pour cela à modéliser les différentes étapes du processus cancéreux. Mettre en équation un phénomène biologique est toujours scientifiquement dangereux, le risque encouru étant que le modèle proposé ne reflète qu'imparfaitement la réalité, en proposant une vision réductrice [1]. Pour limiter ce risque, il était nécessaire de prendre connaissance de l'ensemble des découvertes scientifiques réalisées durant les cinquante dernières années. C'est alors que je compris que l'inclusion de l'écologie, et plus particulièrement de la socioécologie, dans la conception même de la vie et du développement des organismes vivants était un impératif biologique incontournable, et qu'on ne pouvait pas ne pas en tenir compte si on voulait interpréter correctement le phénomène cancéreux.

En distinguant l'*inné* de l'*acquis*, autrement dit les facteurs génétiques des facteurs environnementaux, les généticiens nous avaient mis sur la voie. Mais ils laissaient inexploré l'énorme chantier de l'acquis, puisque par définition la génétique a pour objectif d'étudier l'inné. En réalité, en biologie, l'environnement est une *terra incognita* très étendue. En effet, pour qu'une maladie apparaisse, il faut en règle générale l'action congruente des

1. D. Belpomme, *Guérir du cancer ou s'en protéger. Un véritable espoir à condition de changer notre approche de la maladie*, Fayard, Paris, 2005.

deux types de facteurs, ceux de nature génétique et ceux liés à l'environnement. Ce qui revient à dire que, dans la très grande majorité des cas, il ne peut y avoir de maladies sans que l'environnement intervienne. Malheureusement, du fait de la conception du « tout-génétique » qui préside actuellement à la compréhension des maladies et à l'orientation des recherches – un « tout-génétique » que la récente connaissance structurelle du génome renforce[1] –, beaucoup de jeunes chercheurs s'égarent lorsque, négligeant les facteurs environnementaux dans l'étude des maladies, ils s'engagent dans l'exploration du génome au lieu de faire appel à la *génétique inverse*[2].

Mais encore convient-il d'utiliser la génétique inverse à bon escient. En effet, l'environnement ne peut pas être réduit à tout ce qui est à l'extérieur des organismes vivants. À l'intérieur des organismes multicellulaires complexes, l'environnement comprend le fameux « milieu intérieur » de Claude Bernard et doit être envisagé sous l'angle cellulaire[3]. Dans l'organisme, les cellules ne sont pas disposées au hasard mais agencées en tissus, euxmêmes regroupés en organes. Or il en est de même dans une tumeur. Les cellules cancéreuses sont organisées en sociétés. Non seulement elles collaborent et fonctionnent entre elles, mais elles entretiennent aussi des relations particulières avec les cellules de l'organisme – celles du *stro-*

1. Le génome est l'ensemble des gènes. Les gènes sont situés dans les chromosomes des cellules. Ils sont les unités de reproduction des structures vivantes.

2. La *génétique inverse* consiste à étudier les phénomènes biologiques non pas directement à partir des gènes qui expriment et dirigent la synthèse des protéines, mais en partant de ces dernières pour ensuite envisager l'étude en amont des gènes qui les concernent.

3. C'est à la biologiste américaine Gloria Heppner que je dois ma première approche socioécologique du cancer, analysé et compris sous l'angle de son développement cellulaire dans l'organisme. G.H. Heppner, « Tumor cell societies », *J. Nat. Cancer Inst.*, 1989, 81, p. 648.

ma[1] –, de telle sorte que l'ensemble constitue un nouvel organe. En tenant compte des travaux scientifiques de Gloria Heppner, nous avons donc formulé avec le mathématicien Francis Chartier la *théorie néo-organique des cancers* pour en expliquer la genèse et la progression dans l'organisme. Cependant, comme le soulignait déjà Gloria Heppner il y a plus de vingt ans, une telle conception socioécologique du vivant, parce qu'elle contrecarre la vision darwinienne purement sélective de la biologie, est souvent difficilement acceptée par la communauté scientifique, quand elle n'est pas simplement rejetée. C'est pourtant à partir de ces travaux américains pionniers qu'est née ma première conception environnementale du cancer et, au-delà, d'un très grand nombre de maladies.

Naissance du nouveau paradigme

À la même époque, l'impasse thérapeutique dans laquelle la cancérologie se fourvoyait devenait criante : augmentation incessante du nombre de nouveaux malades aux consultations, jeunesse, voire extrême jeunesse de certains d'entre eux, absence de facteurs connus liés au mode de vie tels que le tabagisme, l'alcoolisme ou les déséquilibres de régime alimentaire pour expliquer l'origine de leur maladie, faible gain thérapeutique obtenu par les nouveaux traitements, très grande complexité des découvertes en biologie moléculaire et très grande rareté des pistes crédibles permettant d'espérer de nouveaux progrès thérapeutiques – autrement dit, absence de découvertes scientifiques convaincantes indiquant que de nouveaux progrès thérapeutiques pouvaient être faits. En

1. Le *stroma* est le tissu conjonctif pénétrant toute tumeur par sa périphérie. Il est à l'origine de la structure et de son organisation. Il comprend des vaisseaux et capillaires qui lui apportent les nutriments, l'énergie et l'oxygène. Sans stroma, les cellules cancéreuses ne pourraient survivre ni se multiplier.

1999, nous décidâmes donc de réorienter l'essentiel des activités de l'ARTAC vers la détermination des causes à l'origine des cancers et la prévention. C'est à partir de ce moment-là que mes préoccupations rejoignirent concrètement celles des écologistes.

Car, contrairement à ce qui est encore affirmé sans raison scientifique valable, le cancer n'est pas seulement une maladie liée à notre mode de vie ou au vieillissement de l'organisme, mais une maladie de l'environnement, causée par la dégradation physique, chimique ou biologique de celui-ci, que nous provoquons. J'en ai donné les raisons dans un précédent ouvrage [1]. Il s'agit sans doute là d'un tournant majeur dans la conception que nous devons avoir de la maladie, qui doit nous inciter à la mise en œuvre de véritables mesures de prévention. En réalité, cette nouvelle conception dépasse de très loin le champ limité d'un simple fait scientifique, car, au-delà du cancer, c'est l'origine d'un très grand nombre de maladies qu'il faut réinterpréter de la même façon.

À partir de 2002, la question que je me posais était en effet de savoir si, de façon générale, le cancer était une exception ou si, à l'instar de ce que nous avions mis en évidence, il existait des arguments scientifiques indiquant que de nombreuses autres maladies étaient d'origine environnementale et que leur nouvelle émergence ou leur incidence croissante pouvaient avoir été causées également par la dégradation récente de notre environnement. La réponse ne se fit pas attendre : l'hypothèse que nous avions formulée pour expliquer la genèse des cancers se trouvait vérifiée pour un grand nombre d'autres maladies.

Si on regroupe l'ensemble des données, le concept de *maladies environnementales* émerge et, au-delà, celui d'un nouveau paradigme médico-scientifique liant causalement la survenue de ces maladies aux modifications de l'environnement. Mais là est toute la difficulté, car l'évolution

1. D. Belpomme, *Guérir du cancer ou s'en protéger, op cit.*

des connaissances scientifiques ne se fait pas sans heurt. C'est ce qu'a bien montré l'épidémiologiste américain Thomas Kuhn [1].

La réticence à accepter le paradigme environnementaliste existe encore. Le temps fera son œuvre. Viendra inéluctablement le jour où ce paradigme sera reconnu par tous, alors que le combat scientifique que je mène aujourd'hui avec plusieurs de mes collègues en France, en Grande-Bretagne et aux États-Unis pour le faire admettre sera très probablement oublié. La thèse environnementaliste est beaucoup plus profonde qu'elle ne paraît. Elle déborde le cadre médico-scientifique traditionnel pour s'étendre à l'ensemble de la société, et c'est pour cela que je soutiens le combat des écologistes.

---

1. T. Kuhn, *La Structure des révolutions scientifiques*, Flammarion, Paris, 1983.

Chapitre 2

L'Appel de Paris

> Entre le passé où sont nos souvenirs et l'avenir où sont nos espérances, il y a le présent où sont nos devoirs.
>
> Henri Lacordaire.

Convaincre la communauté médico-scientifique de la validité du paradigme environnementaliste en médecine, c'est ce que nous tentons de faire, plusieurs de mes collègues et moi-même. Les résultats obtenus vont dans le bon sens. Aujourd'hui, de très nombreux savants, médecins ou chercheurs nous ont rejoints. La gravité de la dégradation de l'environnement et des maladies qui en sont la conséquence a conduit à la proclamation de l'Appel de Paris, une déclaration internationale sur les méfaits sanitaires de la pollution chimique. Ce chapitre présente l'origine de l'Appel, ce qu'il est et pourquoi de très nombreuses personnalités l'ont signé.

La déclaration de Wingspread

Au cours de ces deux derniers siècles, notre monde a considérablement changé. Il n'est plus celui qu'ont connu les habitants de l'ancienne Égypte, de la Grèce ou de la

Rome antiques, ni les Européens du Moyen Âge ou du siècle des Lumières. Nos ancêtres vivaient en alliance avec la nature. Nous avons rompu cette alliance et la rompons chaque jour un peu plus. Nous considérions autrefois la nature comme hostile ; nous l'avons désormais asservie à nos ambitions et la respectons de moins en moins. Tel est l'énorme problème, le point de rupture qui s'annonce.

Le premier avertissement international des hommes de science sur la gravité de la situation est venu des États-Unis, au travers de la *déclaration de Wingspread* de 1991 (voir annexe 1). Dans cette déclaration, vingt-deux biologistes américains indiquaient que, en raison de leur persistance dans l'environnement et de leur accumulation dans les chaînes alimentaires, les produits chimiques de synthèse libérés dans la nature – en particulier les composés organochlorés tels que les pesticides – étaient capables de dérégler le système endocrinien des animaux, donc celui de l'homme. Ces scientifiques ne furent pas écoutés, alors que leurs observations reposaient sur des faits. Ils avaient constaté que ces produits provoquaient chez les oiseaux, poissons et mammifères des anomalies du comportement sexuel s'inscrivant dans le contexte biologique d'une féminisation des mâles ou, à l'inverse, d'une masculinisation des femelles. Les données scientifiques expliquaient les effets délétères observés, en particulier l'apparition de malformations congénitales et d'une baisse de fertilité chez ces animaux, avant que les espèces concernées disparaissent définitivement.

Ce qu'est l'Appel de Paris

En 2003, je fis le rapprochement entre les maladies que nous observions chez l'homme et celles qui avaient été décrites chez les animaux par les naturalistes signataires de la déclaration de Wingspread. Par analogie, il apparut clairement que, s'il n'était pas remédié d'urgence à la pollution chimique, c'est l'espèce humaine elle-même qui, à l'instar des espèces animales, risquait à son tour de disparaître...

Il était évident que, ces vingt dernières années, dans les pays développés comme dans de nombreux autres, les politiques de santé publique avaient à faire face à l'émergence de nouveaux fléaux et que la pollution chimique pouvait en être la cause principale. Certaines des maladies étaient entièrement nouvelles, alors que d'autres, telles que les cancers, les malformations congénitales et la stérilité, bien que déjà connues, étaient d'incidence fortement croissante. Or, point fondamental, ces maladies concernaient non seulement les adultes, mais aussi les enfants.

De ce constat est né l'Appel de Paris, proclamé le 7 mai 2004 par de très nombreux scientifiques et médecins lors d'un premier colloque organisé par l'ARTAC à la Maison de l'Unesco. Il s'agit d'une déclaration internationale interpellant les pouvoirs publics sur les dangers sanitaires de la pollution chimique, dont le contenu est résumé en trois articles. Article 1 : « Le développement de nombreuses maladies actuelles est consécutif à la dégradation de l'environnement. » Article 2 : « La pollution chimique constitue une menace grave pour l'enfant et pour la survie de l'Homme. » Article 3 : « Notre santé, celle de nos enfants et celle des générations futures étant en péril, c'est l'espèce humaine qui est elle-même en danger. »

L'Appel de Paris marqua l'opinion. Il apparut excessif à certains, y compris à plusieurs médecins, alors que, pour de très nombreux scientifiques et la plupart de nos concitoyens, il ne fit que révéler ce qu'ils pensaient implicitement ou ressentaient.

Annoncer le risque d'une disparition de l'espèce humaine n'est pas une mince affaire ! On peut être taxé d'alarmisme et, à l'époque, certains détracteurs ne s'en sont pas privés. Ce n'est désormais plus le cas. Un grand nombre de scientifiques, de feu le grand naturaliste français Théodore Monod à l'astronome officiel de la couronne de

Grande-Bretagne Martin Rees, la très grande majorité des naturalistes, de très nombreux biologistes et la plupart des sociétés savantes affirment qu'effectivement notre espèce est en danger et que, si nous n'y prenons pas garde, l'humanité pourrait disparaître dans les prochains siècles [1].

« L'humanité disparaîtra, bon débarras [2] ! » écrit le philosophe et écologiste Yves Paccalet, collaborateur de feu le commandant Cousteau. « Après nous le déluge [3] ? » clament en désespoir de cause les biologistes Jean-Marie Pelt et Gilles-Éric Séralini. Pourtant, je me refuse à accepter une telle issue – du moins par la faute des hommes. C'est pourquoi je tente de convaincre ceux de mes collègues qui n'ont pas encore compris l'importance du défi que nous devons relever, et ne ménage pas mes efforts en direction des hommes politiques pour les inciter à prendre conscience de la gravité de la situation et à mettre en place d'urgence une véritable politique environnementale.

Mais il y a hélas le poids du passé, un passé qui à lui seul ne peut nous éclairer sur l'avenir tant celui-ci apparaît insolite et semble trancher sur ce que nous avons déjà connu. Il y a aussi le poids des idées reçues, qui, en raison

---

1. T. Monod, *Sortie de secours*, Seghers, Paris, 1991, publié aussi sous le titre *Et si l'aventure humaine devait échouer*, Grasset, Paris, 2000 ; T. Colborn, D. Dumanoski et J.P. Myers, *L'Homme en voie de disparition ?*, Terre vivante, Mens, 1997 ; J.-Y. Cousteau, *L'Homme, la Pieuvre et l'Orchidée*, Robert Laffont/Plon, Paris, 1997 ; J.-P. Dupuy, *Pour un catastrophisme éclairé*, Seuil, Paris, 2002 ; H. Reeves, *Mal de Terre*, Seuil, Paris, 2003 ; F.J. Broswimmer, *Écocide, une brève histoire de l'extinction en masse des espèces*, Parangon, Paris, 2003 ; P.J. Dubois, *Vers l'ultime extinction*, La Martinière, Paris, 2004 ; M. Rees, *Notre dernier siècle ?*, J.-C. Lattès, Paris, 2004 ; T. Flannery, *Les Faiseurs de pluie*, Héloïse d'Ormesson, Paris, 2006 ; L. d'Este, *La Fin annoncée d'Homo sapiens sapiens*, Ellébore/Sang de la Terre, Paris, 2007.

2. Y. Paccalet, *L'humanité disparaîtra, bon débarras !*, Arthaud, Paris, 2006.

3. J.-M. Pelt et G.-É. Séralini, *Après nous le déluge ?*, Flammarion/Fayard, Paris, 2006.

du lent façonnage de notre esprit au cours des millénaires et plus particulièrement durant ces derniers siècles, nous conduit à penser d'une certaine façon et non d'une autre. Il y a enfin le poids des lobbies, des habitudes et de notre quotidien. Un quotidien qui ne nous incite guère à agir, car le désastre à venir n'est pas encore perceptible de façon flagrante, bien que nombre de signes soient déjà prémonitoires et révélateurs de ce qui nous attend. Pour en savoir plus sur notre devenir, il ne faut donc pas seulement sonder le passé, mais les hommes et ceux des scientifiques qui ont concrètement et réellement construit notre présent par leurs découvertes, afin d'engager avec eux une réflexion qui nous permette d'appréhender notre avenir dans les meilleures conditions.

Le nouveau regard de la science et de la médecine

Au cours des dernières années, plusieurs hommes ont influencé ma pensée, mais c'est en particulier à deux d'entre eux que je veux rendre hommage, parce que, en me léguant leur expérience de la science et de la médecine, ils m'ont conforté dans mon analyse et ont guidé mes pas dans la recherche de solutions. Ces deux hommes sont mon maître Jean Bernard et mon ami Pierre Potier. Je parlerai plus longuement de ce dernier à la fin du chapitre.

Jean Bernard a dominé la médecine du XXe siècle. Il a été l'un des plus grands médecins et incontestablement le plus grand chef d'école que notre médecine ait connu depuis de très nombreuses années. Ce qui m'a toujours séduit chez lui, c'est sa formidable ouverture d'esprit. Lorsque je lui ai parlé de mon hypothèse selon laquelle trois quarts des cancers sont causés par la dégradation de l'environnement, il a aussitôt acquiescé : « J'ai toujours pensé que les leucémies sont des maladies de l'environnement. Les virus sont probables, le benzène, comme nous l'avons montré à Saint-Louis, est certain, de même que, bien sûr, les rayonnements. Il n'y a aucune raison de penser que cela n'est pas le cas pour un grand nombre de cancers. » Tout était dit ou presque. Ce qui me surprit le plus, c'est que son jugement sans équivoque coïncidait exactement avec ce que la littérature internationale révélait.

En avril 2004, Jean Bernard, ancien président du Conseil national d'éthique, membre des trois académies – l'Académie française, celle qu'il plaçait au-dessus des autres, l'Académie des sciences, dont il avait été l'un des présidents, et l'Académie de médecine, dont il parlait peu, sauf pour reconnaître le travail méritoire de son secrétaire perpétuel Jacques-Louis Binet –, signa l'Appel de Paris, malgré ses 97 ans ! Pourquoi rappeler cela ? Parce que, avant de disparaître, il m'a conforté dans l'idée que je me faisais de l'évolution de la médecine. Et parce que, bien qu'il ait invoqué à plusieurs reprises le combat thérapeutique qu'il avait mené à l'hôpital Saint-Louis pour guérir les enfants leucémiques, il pensait effectivement que notre médecine devait changer totalement de direction pour s'orienter résolument vers la prévention.

Où l'affaire se complique

Changer de concept en science, et plus particulièrement en médecine, est difficile. Changer de cadre de pensée – de paradigme – l'est encore plus, car ce ne sont pas seulement les idées, mais la façon de raisonner et les pratiques qu'il faut changer.

L'Appel de Paris était une mise en garde solennelle, médicale et scientifique à l'adresse de la communauté internationale, et en particulier des pouvoirs publics, face à l'augmentation anormale du nombre de maladies telles que les cancers, les malformations congénitales, la stérilité, certaines dégénérescences du système nerveux et les allergies.

Les foudres vinrent principalement de l'industrie chimique, car l'Appel allait contre leurs intérêts économiques et financiers. Elles vinrent aussi de certains scientifiques, en particulier de quelques chimistes. Lors d'une conférence que je donnai à l'Académie des sciences, une vive polémique s'engagea autour de mes propos, certains de mes collègues affirmant que les données scientifiques sur lesquelles je m'appuyais étaient fausses. Une lettre circula indiquant aux très nombreux scientifiques et médecins ayant signé l'Appel de Paris qu'on les avait trompés et donc qu'ils devaient retirer leur signature. Bien évidemment, aucun ne le fit.

Cerner la vérité nécessite d'évaluer toutes les facettes d'un objet scientifique. Pour comprendre un problème dans sa globalité, il convient de dépasser le cadre réducteur de son propre champ d'expérience et de tenir compte de l'ensemble des données, y compris et surtout celles qui sont situées en dehors de ce champ. C'est là toute la difficulté.

Dans le débat actuel, la clé est que les médecins sont en bout de chaîne. Ce sont eux qui, en dernier ressort, examinent les malades, et par conséquent ils sont les premiers à percevoir la facture sanitaire qu'il nous faut payer à cause de la pollution. La chimie française est certes l'une des meilleures au monde. Notre pays peut s'enorgueillir d'avoir donné naissance à des chercheurs aussi talentueux que Jean-Marie Lehn ou Yves Chauvin, tous deux Prix Nobel de chimie. Mais nos collègues chimistes doivent réaliser que, du point de vue biologique et médical, la ligne jaune du tolérable a été franchie. Ce ne sont bien sûr pas les chimistes eux-mêmes qui sont en cause, mais le système productiviste qui prévaut aujourd'hui.

L'Appel de Paris, on s'en aperçoit si on le lit attentivement, n'a pas été dirigé contre les chimistes ni la chimie. Bien au contraire. Il n'a d'autre objectif que d'indiquer qu'il faut tenir compte de la toxicité potentielle des substances et produits chimiques mis sur le marché, et de conseiller aux chimistes de s'orienter vers ce qu'on appelle la « chimie verte ».

Dialoguer pour convaincre

La chimie verte a été promue en 1991 par l'Agence de protection environnementale des États-Unis, l'US-EPA[1]. La méthode consiste à concevoir des produits ou des procédés chimiques avec l'objectif de réduire ou d'éliminer l'utilisation ou la synthèse des substances dangereuses. Cette définition a été précisée en 1998 par deux très grands chimistes américains, Paul Anastas et John Warner, qui ont contribué à baser le concept sur 12 principes[2].

Aujourd'hui, on ne peut que constater l'essor de la chimie verte dans le monde, non seulement aux États-Unis, mais aussi en Europe du Nord, notamment au Danemark, où de très nombreuses entreprises se sont reconverties dans ce domaine[3], et en Grande-Bretagne, où, sous l'égide du chimiste James Clark, un important réseau de chimie verte a été créé[4].

Les chimistes et surtout les industriels de la chimie doivent comprendre que, s'ils ne prennent pas dès maintenant le tournant d'une chimie propre, respectueuse de l'environnement, ils perdront, pour les premiers, tout crédit scientifique et, pour les seconds, de nombreuses parts

---

1. www.epa.gov/greenchemistry/.
2. P.T. Anastas et J.C. Warner, *Green Chemistry. Theory and Practice*, Oxford University Press, New York, 1998. Voir aussi le Mémorandum de l'Appel de Paris, « Environnement et santé durable : 164 mesures élaborées par 68 experts internationaux », présenté le 9 novembre 2006 à l'Unesco lors du IIe colloque international de l'Appel de Paris intitulé « Environnement et santé durable : une expertise internationale ».
3. The Ecological Council, *Hazardous Chemicals Can Be Substituted*, www.ecocouncil.dk/download/subst_uk.pdf.
4. www.chemsoc.org/networks/gcn/industry.htm#consumer.

de marché. Car le marché du XXIe siècle sera celui de l'environnement et non celui des produits polluants. Le processus en cours n'en est qu'à ses débuts. Nous ne pourrons pas poursuivre la mise sur le marché de produits toxiques, cancérigènes, mutagènes et reprotoxiques (CMR) altérant notre santé et celle de nos enfants.

Donner du temps au temps... mais le temps presse !

Pierre Potier, médaille d'or du CNRS et membre de l'Académie des sciences, a non seulement été un grand scientifique et un grand chercheur, mais aussi – et c'est plus rare – un grand découvreur. Selon lui, les molécules étaient l'essence même du monde et le « Bon Dieu », évidemment chimiste, ne pouvait être que le grand architecte « moléculaire » de l'univers. Il fallait donc retrouver par intuition la logique que ce grand architecte avait utilisée pour construire le monde.

La cancérologie doit beaucoup à Pierre Potier. En sollicitant ma collaboration pour ses travaux de recherche, il espérait peut-être faire encore plus pour les malades atteints de cancer. Lorsque je le vis quelque temps avant son décès, le 3 février 2006, j'évoquai avec lui ma très grande déception face à l'accueil critique réservé par la communauté des chimistes à l'Appel de Paris, un Appel qu'il avait lui-même lu et approuvé, mais sans s'y associer officiellement. Il me dit : « Un jour ou l'autre, les critiques céderont. Donnez du temps au temps. »

Quand les critiques cèdent et que les signatures affluent

Pierre Potier ne s'était pas trompé. Avec le temps, les critiques à l'encontre de l'Appel de Paris se sont évanouies, et celles qui subsistent encore ne sont plus entendues, alors que le nombre de signatures ne cesse d'augmenter. De nombreuses personnalités, environ 1 500 ONG et près de 200 000 citoyens européens ont signé l'Appel à ce jour. Nous espérons que, le plus tôt possible, un million de signatures pourront être récoltées dans toute l'Europe. Grâce à l'action de Louis-Jean Calloc'h, ancien secrétaire général du Conseil national de l'ordre des médecins, récemment devenu vice-président du Comité permanent des médecins européens, le CPME, l'ensemble des conseils de l'ordre des médecins et d'autres organisations de médecins représentant les 25 États membres de l'Union européenne ont également signé l'Appel, soit, à travers eux, 2 millions de médecins (voir l'annexe 2). Cet Appel est un tournant historique. Il est le prélude à une autre façon de concevoir les sciences de la vie et d'envisager la médecine. C'est ce qu'avaient entrevu Jean Bernard et Pierre Potier, et ce que comprennent aujourd'hui un nombre croissant de scientifiques et de médecins.

Chapitre 3

L'écologie sanitaire

> Qu'il me suffise d'avoir essayé de faire comprendre le but vers lequel tendent toutes mes recherches actuelles. C'est la poursuite, à l'aide d'une expérience rigoureuse du rôle physiologique, immense selon moi, des infiniment petits dans l'économie générale de la nature.
>
> Louis Pasteur.

Les maladies liées à la pollution chimique ne sont pas les seules à être en recrudescence. Le sida et son extension pandémique, les ravages causés par le virus Ebola en Afrique, l'épidémie de Sras [1] en provenance d'Asie, l'épidémie de chikungunya sur l'île de la Réunion, les risques actuels de pandémie liés à la grippe aviaire sont des épisodes sanitaires récents qui, bien qu'on en parle moins, sont toujours d'actualité.

Il s'agit de maladies qu'on qualifie d'« émergentes » parce qu'elles sont totalement nouvelles, parce que l'agent causal n'avait pas été identifié avant qu'on les observe ou parce que, bien que décrites chez l'animal, elles ne

1. Acronyme de syndrome respiratoire aigu sévère. L'affection, causée par un *coronavirus*, a débuté en Chine, a touché environ 5 000 personnes et fait environ 300 morts.

s'étaient pas encore manifestées chez l'homme[1]. Leur survenue ne doit pas masquer la « réémergence » de maladies plus anciennement connues telles que le paludisme ou la tuberculose, qui constituent toujours des fléaux majeurs dans le monde.

Comment naissent et se propagent les maladies infectieuses, et comment les juguler ? Telles sont les questions posées aux sociétés modernes. Le rôle de l'environnement ne fait ici pas de doute, puisque ces maladies sont causées par des micro-organismes. Mais l'interrogation demeure concernant la responsabilité des activités humaines dans leur apparition.

Pour y répondre, il faut aborder l'étude des relations entre santé et environnement. Or il y a deux façons de le faire. L'une considère de prime abord la dégradation de l'environnement et tente d'en estimer les conséquences sur la santé : c'est ce que j'appelle l'*écologie sanitaire*[2]. L'autre, partant des maladies, essaie d'en déterminer les causes à partir de l'étude des facteurs de risque environnementaux : c'est ce que font les médecins et professionnels de santé lorsqu'ils se réfèrent au concept de *santé environnementale*. Les deux approches, bien que complémentaires, sont en réalité très différentes. Alors que l'écologie sanitaire est du ressort des spécialistes en écologie, la santé environnementale relève essentiellement des médecins. Mais, il faut bien le reconnaître, ni l'une ni l'autre de ces deux démarches méthodologiques n'est suffisamment développée : la première parce que les spécialistes en écologie ne sont pas formés en médecine, le sont insuffisamment en biologie, et par conséquent limitent l'analyse des dommages environnementaux à la perte de biodiversité sans référence aux maladies ; la seconde parce que la très

1. M.M. Fassi Fehri, *Les Maladies émergentes*, Scriptura, Paris, 2001.

2. J'ai donné une première définition de l'écologie sanitaire dans *Les Grands Défis de la politique de santé en France et en Europe*, Librairie de Médicis, Paris, 2003.

grande majorité des médecins et autres professionnels de santé n'ont aucune connaissance des disciplines environnementales. Il s'agit là d'une insuffisance que devrait combler l'écologie sanitaire.

Le nouveau regard de l'écologie scientifique

L'environnement ne se limite pas à la flore et à la faune. Il inclut de façon prépondérante les microbes. C'est à partir d'eux qu'il convient de fonder l'écologie sanitaire. C'est ce qu'ont fait sans le savoir les savants du XIXe siècle. Louis Pasteur, parce qu'il n'était pas médecin et adaptait ses recherches aux problèmes généraux posés par la société – au lieu de les cibler exclusivement sur les maladies humaines, il les faisait porter sur tout ce qui concernait la vie (flore et faune comprises) –, a sans doute été l'un des pionniers de cette nouvelle discipline. La définition de l'écologie sanitaire implique donc que les études ne soient pas directement axées sur les maladies humaines pour en déterminer la cause, mais sur l'environnement microbien, végétal ou animal dans lequel elles surviennent.

Ainsi, l'écologie sanitaire n'est pas *stricto sensu* du domaine de la médecine. Elle relève en revanche de la microbiologie, de la parasitologie, de l'entomologie – l'étude des insectes –, et de façon plus générale de la biologie, des sciences naturelles et de la climatologie.

L'origine microbienne des maladies

Du temps de Pasteur, et malgré l'utilisation du microscope, on ne savait pas exactement ce qu'étaient les microbes, comment ils se reproduisaient et dans quelle mesure ils étaient à l'origine des maladies. Des débats animés eurent lieu entre les savants de l'époque pour savoir si les « animalcules », qu'on décelait depuis le début du

XVIIIe siècle grâce à l'utilisation des premiers microscopes[1], étaient d'origine animale ou végétale. À tel point qu'en 1878, lors d'une séance à l'Académie des sciences, pour clore une discussion interminable et ne pas prendre parti sur leur origine, le chirurgien strasbourgeois Charles Emmanuel Sédillot en vint à proposer le terme de *microbe*[2].

Mais créer un mot ne résout pas les problèmes. D'où venaient les microbes ? On connaît le combat scientifique acharné de Pasteur contre Félix Pouchet, alors directeur du Muséum d'histoire naturelle de Rouen et fervent défenseur du concept de génération spontanée. Cette dernière était d'autant plus ancrée dans les esprits que les deux théories médicales de l'époque, la théorie des *miasmes* et celle des *contages*, visaient à expliquer l'origine des maladies sans en tenir compte[3].

Ni les miasmes ni les virus tels qu'on les définissait alors n'étaient en réalité la cause des maladies observées. En fait, l'ancien monde médical devait être entièrement révisé.

Un médecin français remarquable, Casimir Joseph Davaine, fut le premier à s'opposer aux théories décrites précédemment en rapportant que la « maladie connue sous le nom de sang de rate » était liée à l'existence de bactéries dans

1. Le naturaliste hollandais Antonie Van Leeuwenhoek a construit le premier microscope. Il a rassemblé ses observations dans un traité fameux : *Opera omnia sive Arcana naturae ope exactissimorum miscrocopiorum detecta* (1715-1722).

2. C.E. Sédillot, *De l'influence des découvertes de M. Pasteur sur le progrès de la chirurgie*, Compte rendu de l'Académie des sciences 1878, 86, p. 634.

3. La théorie des *miasmes* faisait des émanations délétères en provenance des milieux insalubres la cause principale des maladies peu évolutives, alors que la théorie des *contages* visait à expliquer la genèse des épidémies par des « virus » : des substances chimiques qu'on pensait élaborées par le corps malade et capables de se transmettre de proche en proche par contact. Il ne s'agissait donc pas des virus tels qu'on les définit aujourd'hui en tant que micro-organismes (voir la note 1 p. 43).

le sang [1]. Ainsi Pasteur, lorsqu'il exposa sa théorie des germes en 1878, lui rendit-il un hommage mérité [2]. Les microbes furent rapidement rendus responsables des maladies, alors que le plus souvent on ne les voyait pas, et leurs effets élevés au rang de nouveau paradigme.

Pourquoi rappeler cette histoire ? Parce que aujourd'hui les difficultés auxquelles se heurtent les chercheurs lorsqu'ils visent à mettre en évidence les causes environnementales de nos maladies sont très comparables à celles que les scientifiques de la fin du XIXe siècle rencontrèrent. Comme les microbes, les rayonnements et produits chimiques toxiques présents dans notre environnement sont invisibles. Et pourtant, nombre de nos maladies sont causées par eux, même si la preuve directe d'un lien de cause à effet est souvent difficile à établir et à faire admettre.

L'imposante diversité des microbes

À partir de 1889, bien que les microbes ne fussent que très rarement visibles, les recherches se poursuivirent dans le cadre de ce nouveau paradigme associant chaque maladie à un microbe spécifique. Une fois ce dernier fixé et les moyens d'investigation définis, les découvertes se succédèrent à un rythme très rapide : mise en évidence du bacille du charbon (anthrax) par Casimir Joseph Davaine, du bacille de la tuberculose et du vibrion cholérique par Robert Koch (1882), du bacille de la diphtérie par son élève, Friedrich Loeffler (1884)... Il apparaissait donc que les maladies infectieuses étaient dues à des bactéries. Celles-ci, puisqu'elles n'étaient pas produites par l'organisme, ne pouvaient provenir que de l'environnement.

1. C.J. Davaine, *Recherche sur les infusoires du sang dans la maladie connue sous le nom de sang de rate*, Compte rendu à l'Académie des sciences, 27 juillet 1863.
2. L. Pasteur, *La Théorie des germes et ses applications à la médecine et à la chirurgie*, Compte rendu à l'Académie des sciences, 29 avril 1878.

C'est le même type d'argument déductif que j'utilise aujourd'hui pour affirmer que de très nombreux cancers sont principalement causés par l'environnement[1].

Quelques années plus tard, la surprise fut grande lorsque Alphonse Laveran découvrit qu'un hématozoaire, le *plasmodium*, était à l'origine du paludisme[2]. Ce n'était plus d'une bactérie qu'il s'agissait mais d'un parasite monocellulaire, autrement dit d'une véritable cellule[3]. En 1900, le médecin cubain Carlos Juan Finlay démontra que la fièvre jaune se transmettait par les moustiques. Neuf ans plus tard, on dut à Charles Nicolle la mise en évidence de la transmission du typhus par les poux[4]. Ces découvertes, réalisées en un laps de temps très court, furent capitales : elles révélaient que les agents infectieux n'étaient pas seulement des bactéries mais aussi des parasites, et qu'ils pouvaient être transmis par des insectes, ce qui signifiait que leur origine était environnementale. Cependant, les causes précises de certaines affections telles que la rage ou la fièvre jaune restaient inexpliquées. On pouvait certes transmettre la maladie à l'animal en utilisant des liquides « ultrafiltrés », mais aucun germe n'était visible au microscope ordinaire. Il fallut attendre la première moitié du XXe siècle pour visualiser au microscope électronique ce qu'on

1. Les arguments *déductifs* sont en eux-mêmes insuffisants. Il faut leur associer des arguments *inductifs*. D. Belpomme, *Guérir du cancer ou s'en protéger*, *op. cit.*

2. Les hématozoaires sont des parasites monocellulaires des protistes, colonisant le sang. Le *plasmodium* est un hématozoaire responsable du paludisme. Il en existe quatre variétés. L'homme est devenu l'hôte-réservoir du parasite, la transmission se faisant par un moustique, l'*anophèle*.

3. Les protistes sont des organismes monocellulaires. On en distingue deux variétés : les *procaryotes* sont dépourvus de noyau et ne possèdent qu'un seul chromosome – il s'agit essentiellement des bactéries ; les *eucaryotes* sont pourvus d'un noyau et de plusieurs chromosomes – les levures et le plasmodium en font partie.

4. C. Nicolle, *Transmission expérimentale du typhus exanthématique par le pou du corps*, Compte rendu de l'Académie des sciences, septembre 1909.

appelait alors des « ultravirus », définir l'existence des virus[1], les caractériser – il s'agit de micro-organismes beaucoup plus petits que les bactéries – et finalement formuler le concept de maladies virales.

Les dons mortels de nos frères les animaux

Les microbes pathogènes – ceux qui induisent les maladies – ont été (et sont toujours) considérés comme des produits de la *sélection naturelle*, autrement dit des micro-organismes sélectionnés selon leur capacité reproductive dans des lieux propices, essentiellement les organismes vivants complexes[2]. Ces derniers constituent en effet un milieu de croissance et de propagation idéal pour les bactéries, virus et parasites.

Il ne s'agit pas ici d'envisager la genèse du caractère pathogène des germes de façon finaliste, mais de montrer que l'un des principes fondamentaux de la vie, quelle que soit l'espèce concernée, est ce que j'appelle l'*extension de niche*[3] – ce qui signifie qu'elle est reproduction, adaptation, croissance et propagation –, et que l'extension de niche ne concerne pas seulement les plantes et les animaux, mais surtout et principalement les bactéries. En

1. Il ne s'agit pas des virus tels qu'on les concevait dans la théorie des contages, c'est-à-dire des substances chimiques. Les virus sont en réalité des micro-organismes infectieux pathogènes de très petites dimensions (de 10 à 300 nanomètres), possédant un acide nucléique, l'acide désoxyribonucléique (ADN) ou l'acide ribonucléique (ARN), et incapables de se multiplier en dehors d'une cellule.

2. Il s'agit des organismes multicellulaires qu'on appelle « métazoaires » en ce qui concerne les animaux, et dont on admet qu'ils sont d'autant plus enclins à être la proie des microbes qu'ils sont d'ordre hiérarchiquement plus élevé du point de vue évolutif.

3. Ce principe ne rend compte que d'un aspect de la vie. D'autres principes la régissent. La vie est aussi différenciation et diversification. La perte de ces deux propriétés caractérise les cellules cancéreuses. D. Belpomme, *Guérir du cancer ou s'en protéger*, *op. cit.*

fait, l'explication sélective précédente serait incomplète si elle n'était assortie d'un deuxième paramètre essentiel : la *promiscuité* des organismes vivants susceptibles d'être infectés. En effet, sans cette promiscuité, comment concevoir du point de vue microbien une possible extension de niche ? Faisant suite au concept pastorien – exprimé par la formule « à chaque maladie son microbe » –, la promiscuité des individus a donc été le deuxième facteur invoqué pour expliquer la propagation des infections. Ainsi, l'idée selon laquelle les microbes sont *directement* la cause de nos maladies a été et est toujours acceptée comme une évidence par l'ensemble des médecins.

Or, à la lueur des découvertes récentes, cette idée doit être entièrement révisée. L'existence des maladies infectieuses doit être considérée non seulement du point de vue du malade qui en est atteint – ce que fait principalement la médecine depuis l'ère pastorienne –, mais aussi du point de vue des microbes, ou plus exactement de leur évolution au cours du temps. Il faut en effet tenir compte de la très longue histoire des relations qui se sont nouées entre les microbes et nous. Car, entre eux et nous, il y a les animaux, et en particulier ceux que nous avons domestiqués depuis la période du néolithique, autrement dit depuis environ dix mille ans.

C'est ce qu'envisage l'écologie sanitaire en faisant la distinction entre la genèse initiale des maladies et leur propagation. Pour expliquer l'apparition des maladies chez l'homme, la question centrale est de savoir d'où proviennent les microbes, comment ils deviennent pathogènes et, pour le devenir, quel organisme les a sélectionnés. Il n'y a théoriquement que deux réponses possibles : soit c'est nous qui les avons sélectionnés, soit ce sont les animaux. Et la réponse qui l'emporte aujourd'hui, sans être exclusive, concerne à l'évidence les animaux. Il apparaît en effet de plus en plus clairement que, historiquement, la plupart de nos maladies infectieuses ont été provoquées par la sélection chez nos frères les animaux de germes devenus pathogènes. Il s'agit là sans doute d'un concept majeur qu'occulte encore le trop grand cloisonnement des médecines vétérinaire et humaine.

Les arguments scientifiques sont de trois ordres : paléopathologique, historique et biologique.

Contrairement à une idée reçue, les maladies infectieuses n'ont pas toujours existé. Les hommes préhistoriques d'avant le néolithique – des nomades chasseurs-cueilleurs – mouraient sans doute très jeunes, mais rien n'indique que leur mort ait été causée par l'apparition de maladies infectieuses. Les difficultés d'approvisionnement en nourriture, le risque d'empoisonnement par les plantes, la faim, la soif, la malnutrition, l'insécurité, bref, un environnement naturel qui n'avait rien d'un éden semblent avoir été des causes suffisantes. Simultanément, la dilution des microbes dans l'environnement, leur caractère probablement non spontanément pathogène, et surtout l'absence de promiscuité du fait du nomadisme des populations et de leurs faibles effectifs, limités à quelques hordes de plusieurs centaines d'individus, en migration permanente dans une nature intacte, laissent supposer que les maladies infectieuses n'avaient aucune chance d'émerger et encore moins de se propager. C'est la thèse du physiologiste américain Jared Diamond[1], à laquelle je souscris. Pour lui et pour différents paléontologues spécialisés en anthropologie médicale, les premiers cas de maladies infectieuses seraient en réalité apparus au néolithique. La sédentarisation des populations liée à la découverte de l'agriculture et de l'élevage en serait la cause principale. Elle aurait permis une double promiscuité : celle des microbes avec les animaux d'élevage, et donc leur sélection pathogène chez eux, et celle de ces animaux avec l'homme, d'où l'éclosion des premières maladies infectieuses.

Il y a aussi des arguments historiques. L'essor des civilisations, avec pour conséquence la naissance des concentrations urbaines et le développement des transports, a bien sûr aggravé la promiscuité et par conséquent favorisé non seule-

1. J. Diamond, *De l'inégalité parmi les sociétés. Essai sur l'homme et l'environnement dans l'histoire*, Gallimard, Paris, 2000, et *Le Troisième Chimpanzé. Essai sur l'évolution et l'avenir de l'animal humain*, Gallimard, Paris, 2000.

ment l'émergence des épidémies, mais aussi leur diffusion. Ainsi, comme l'indique le tableau 1, les maladies infectieuses ont-elles touché l'humanité progressivement au cours du temps.

TABLEAU 1
Date présumée d'apparition de quelques maladies infectieuses chez l'homme*

Variole	1 600 ans av. J.-C.
Oreillons	400 ans av. J.-C.
Lèpre, diphtérie	200 ans ap. J.-C.
Syphilis	1500
Poliomyélite	1840
Maladie de Chagas	1900
Dengue hémorragique	1950
Sida	1960
Légionellose	1970
Maladie de Lyme	1970

Source : ARTAC
* Les dates indiquées sont des approximations. Elles ne concernent que les maladies pour lesquelles on a des raisons de penser qu'elles n'existaient pas antérieurement.

À l'appui de la thèse précédente viennent s'ajouter les découvertes récentes indiquant que les germes qui sont la cause de la plupart de nos maladies présentent des caractéristiques biologiques et de promiscuité communes avec ceux induisant les maladies animales.

Pour comprendre le passage de la maladie de l'animal à l'homme, on peut distinguer trois étapes successives : la genèse de la maladie chez l'animal et son extension épidémique sous la forme d'une épizootie[1] ; l'adaptation du germe à l'écosystème[2]

1. Une *épizootie* est une maladie qui frappe simultanément un grand nombre d'animaux de même espèce ou d'espèces différentes.
2. Selon la définition d'Ellenberg (1973), on entend par *écosystème* l'ensemble des structures relationnelles qui lient les organismes vivants

auquel il appartient et sa transmission à l'homme ; enfin, l'adaptation du germe à l'homme, l'apparition de la maladie et son extension épidémiologique. Ce qui revient à dire que le microbe a dû s'adapter à l'animal avant de s'adapter dans un second temps à l'homme, tout cela avant que la maladie apparaisse comme purement humaine. C'est probablement ce que nous avons observé il y a plusieurs siècles avec la rougeole, la coqueluche, la grippe et la tuberculose, il y a plus d'un siècle avec la poliomyélite, hier avec le sida, et ce que nous risquons d'observer demain avec la grippe aviaire[1] (tableau 2). Une maladie que nous jugeons comme apparaissant *de novo* chez l'homme résulte donc très probablement d'une longue histoire ayant mis à contribution certains animaux, surtout ceux que nous avons domestiqués, et l'ensemble des écosystèmes dans lesquels ils ont évolué. Les épizooties ne durent en effet qu'un temps. En raison de la sélection liée à la mortalité animale et à l'acquisition d'une immunité anti-infectieuse chez les animaux survivants, elles s'éteignent progressivement, laissant place à des animaux « sains porteurs du germe pathogène[2] ». Le germe, bien que non virulent chez les animaux « porteurs de germes », peut le redevenir à la moindre occasion. D'où la notion d'« hôtes-réservoirs » : ces derniers, témoignant du passé infectieux de ces animaux, sont comme une épée de Damoclès suspendue au-dessus de nos têtes. En rompant l'ancienne alliance avec la nature, en artificialisant ses activités à l'extrême, l'homme a redéclenché l'hostilité de la nature à son égard.

---

entre eux et à leur environnement inorganique. De façon plus simple, on définit aujourd'hui un *écosystème* comme l'ensemble des organismes vivants et des matériaux inertes qui interagissent dans un environnement naturel.

1. J.-P. Derenne et F. Bricaire, *Pandémie, la grande menace. Grippe aviaire : 500 000 morts en France ?*, Fayard, Paris, 2005.

2. Les animaux étant immunisés contre le microbe pathogène n'ont pas la maladie. Mais, comme ils abritent le microbe, ils sont capables de le transmettre à d'autres animaux non immunisés, qui peuvent acquérir la maladie. Les animaux comme les hommes peuvent donc être des « porteurs sains de germes pathogènes ».

TABLEAU 2
Les maladies d'origine animale*

Maladie humaine	**Animal porteur de l'agent pathogène**
Brucellose	Bovidés, chèvres
Coqueluche	Cochons, chiens
Dengue	Singes
Grippe	Oiseaux (oies, canards, poulets) et cochons
Creutzfeldt-Jakob	Moutons, bovidés
Leptospirose	Chiens, rats
Maladie du sommeil**, maladie de Chagas**	Équidés, bovidés
Maladie de Lyme	Cervidés
Paludisme	Oiseaux
Peste	Rats
Poliomyélite	Lapins, petits rongeurs
Psittacose	Oiseaux (poulets, perroquets)
Rage	Renards, chiens
Rougeole	Bovidés (peste bovine)
Sida	Singes
Tuberculose***	Bovidés, animaux sauvages
Tularémie	Lapins sauvages, rongeurs
Typhus	Rats, écureuils
Variole	Bovidés (vaccine)

Source : ARTAC

* Le tétanos est une exception. Le bacille provient du sol et met en cause les végétaux.

** La maladie du sommeil et la maladie de Chagas sont causées par des parasites appelés trypanosomes. Elles surviennent l'une en Afrique – il s'agit de la maladie du sommeil (transmise par la mouche tsé-tsé) –, l'autre en Amérique du Sud, surtout au Brésil – il s'agit de la maladie de Chagas (transmise par un insecte hémato-phage du genre *Triatoma*).

*** *Mycobacterium bovis* a été décelé dans la momie d'un Indien du Pérou mort il y a mille ans.

La responsabilité humaine dans la survenue des épidémies

Que les microbes à l'origine de nos maladies proviennent ou non des animaux, qu'ils soient des bactéries, des virus ou des parasites, la question posée est celle de l'acquisition de virulence – leur pathogénicité.

Un premier élément de réponse est venu des travaux d'Émile Roux, un élève de Pasteur, lorsqu'il isola la toxine diphtérique en 1888. Les bactéries sont toxiques parce qu'elles synthétisent des toxines. Cette explication est-elle suffisante ? Certainement pas. L'innoculum, c'est-à-dire le nombre de bactéries « attaquant » l'organisme, intervient aussi. Plus la croissance des bactéries est rapide, plus ce nombre est grand et plus le risque de débordement du système immunitaire, et donc la probabilité de maladie, sont élevés. Aborder le problème de la pathogénicité des bactéries seulement du point de vue toxicologique n'est donc pas suffisant. En outre, dans l'appréciation de l'évolutivité des maladies infectieuses, une erreur souvent commise est de ne pas distinguer les phénomènes intervenant dans leur genèse de ceux relevant de leur propagation.

En fait, pour qu'il y ait une épizootie, il faut bien qu'il y ait eu un premier animal malade et une cause à sa maladie. Or, pour qu'un premier animal soit touché, il n'y a théoriquement que deux types de facteurs envisageables : ceux en provenance du germe et ceux en provenance de l'animal lui-même. Qu'un germe spontanément pathogène ait été sélectionné au cours du temps est une possibilité. Cette idée est reflétée par le fait que certains virus, comme celui de la grippe, mutent très facilement. Mais ce n'est pas le cas pour tous les micro-organismes, ni même pour tous les virus. Le plus souvent, les mutations[1] sont provoquées par différents facteurs physico-

1. De façon schématique, les mutations sont définies par l'altération de certains gènes. Lorsqu'on évoque la « mutation » d'un virus, d'une bactérie ou d'une cellule, celle-ci consiste en l'altération d'un ou plusieurs

chimiques. Or ceux-ci sont aujourd'hui de plus en plus nombreux dans notre environnement pollué. Les cellules *eucaryotes*[1] ont une aptitude à muter mille fois supérieure à celle des bactéries et on peut dire que, en général, plus un micro-organisme est complexe, plus sa capacité à muter est grande. Ce qui signifie en clair que les parasites mono- ou multicellulaires ont une tendance à muter beaucoup plus importante que les bactéries.

La complexité n'est cependant pas le seul facteur en jeu pour estimer l'aptitude des micro-organismes à muter. Il faut également tenir compte de leur capacité de reproduction dans l'organisme et de la taille de l'échantillon qu'ils représentent. La probabilité de muter pour un organisme est d'autant plus grande que le nombre d'individus est élevé et qu'ils se divisent rapidement. Or ces deux éléments dépendent étroitement du type d'organisme dans lequel ils se trouvent. Normalement, des relations très complexes de mutualisme ou de commensalisme[2], impliquant le système immunitaire, existent entre les microbes et l'organisme qu'ils colonisent. Toute rupture d'équilibre, liée principalement à une baisse des défenses immunitaires de l'organisme, quelle qu'en soit la cause – mauvaise alimentation, contamination par des facteurs immunosuppresseurs, stress lié au contingentement des élevages, etc. –, peut entraîner la prolifération de certains

---

gènes. Certaines mutations apparaissent comme spontanées alors que, plus fréquemment, elles sont provoquées par des agents mutagènes.

1. Il s'agit des cellules pourvues d'un noyau qui constituent notre organisme et celui de tous les végétaux et animaux. Les cellules eucaryotes se distinguent des procaryotes telles que les bactéries. Voir la note 3 p. 42.

2. Ces relations sont de nature écologique. Dans le *commensalisme*, l'association entre deux espèces se fait à l'avantage d'une seule. Dans le cas des relations hôte-bactéries, les bénéficiaires peuvent être une ou plusieurs espèces de bactéries *ou* l'organisme. Dans le *mutualisme*, les deux espèces tirent avantage de l'association en jouant des rôles complémentaires et réciproquement favorables (les bactéries *et* l'organisme sont bénéficiaires).

micro-organismes et par conséquent leur mutation. Un tel mécanisme, conséquence des activités humaines, peut donc rendre compte de la survenue de la maladie chez un petit nombre d'animaux, à partir duquel l'épizootie s'est propagée. Le vétérinaire pastorien Mohamed Mahi Fassi Fehri, au cours de ses recherches à l'Institut agronomique et vétérinaire de Rabat, concevait ainsi les choses lorsqu'il reliait l'essor des maladies émergentes aux dérives des rapports de l'homme avec la nature[1]. C'est ce qui a dû se produire au tout début de la genèse de la grippe aviaire. Plutôt que d'incriminer sans preuve scientifique une contamination par les oiseaux sauvages, sans doute eût-il mieux valu analyser les conditions d'élevage des volailles et tenter d'évaluer dans quelle mesure les activités humaines ont pu intervenir.

Les savants du XIXe siècle avaient bien compris l'action de nombreux facteurs collatéraux dans l'acquisition par les micro-organismes de leur caractère pathogène et dans le déclenchement des infections, puisqu'ils déclaraient que « la découverte de la cause [l'agent pathogène] n'induit pas le remède ». Le germe n'est pas tout, le terrain est primordial, disait Pasteur. Mais nous avons oublié ce précepte, qui n'est autre que la théorie biologique du *seed and soil* – de la graine et du sol – appliquée aux maladies. Aujourd'hui, nous dégradons notre environnement de multiples façons et c'est à cause de cette dégradation qu'émergent de nouvelles maladies infectieuses et que se propagent de nouvelles épidémies, de même que germe une graine et que croît une plante dans un sol approprié.

Comment la perte de biodiversité induit nos maladies

Un moustique, comme pour le paludisme, la fièvre jaune, la dengue, la fièvre à virus West Nile ou l'épidémie

1. M.M. Fassi Fehri, *Les Maladies émergentes*, *op. cit.*

de chikungunya ; une puce, comme pour la peste ; un pou, comme pour le typhus (aujourd'hui disparu) ; une tique, comme pour la maladie de Lyme ; un rongeur, comme pour la leptospirose ; ou même le chien, comme pour certaines formes de leishmaniose : voilà autant de vecteurs ou d'hôtes-réservoirs contribuant à la diffusion ou à la réémergence de ces maladies.

Comme l'indique la figure 1, animaux domestiques ou sauvages, hôtes-réservoirs, vecteurs, prédateurs, hommes malades ou porteurs sains de germes appartiennent à autant d'écosystèmes. Caractériser les écosystèmes, étudier leur fonctionnement et établir leurs différentes articulations pour comprendre comment leur dégradation peut être à l'origine des maladies infectieuses est une tâche difficile, que trop peu de chercheurs ont entreprise. Les modéliser est une première approche possible. Mais le risque de réductionnisme est ici très grand tant ces écosystèmes sont complexes. Les causes des maladies sont multiples et pour chacune d'entre elles il peut y avoir de nombreux effets. En outre, causes et effets n'interagissent pas toujours de façon linéaire, mais souvent de façon circulaire.

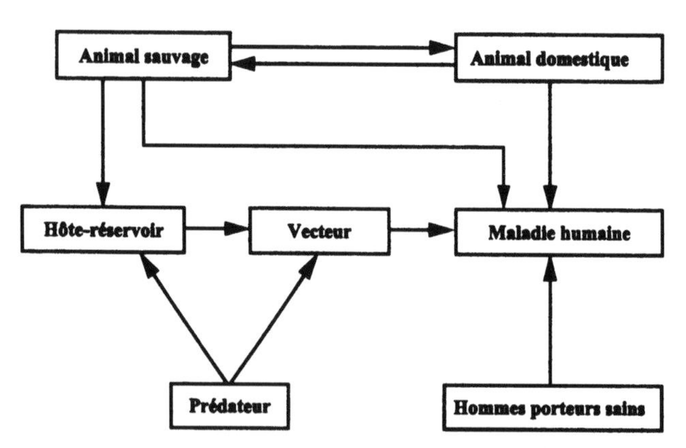

Figure 1. Comment la genèse des maladies infectieuses met en jeu de nombreux écosystèmes.
Source : ARTAC.

Pour comprendre comment la dégradation des écosystèmes intervient dans la genèse des maladies, trois facteurs principaux sont à considérer : (1) la rupture d'équilibre écologique des espèces entre elles, avec pour conséquence la multiplication des hôtes-réservoirs et/ou des vecteurs de transmission, au détriment de ceux qui n'en sont pas ; (2) la densité des populations d'individus concernés (qu'il s'agisse des animaux ou des hommes) et leur susceptibilité aux maladies ; (3) l'induction de résistances aux différents traitements mis en œuvre, concernant non seulement l'agent infectieux lui-même, mais aussi les hôtes-réservoirs et les vecteurs animaux.

Il est clair que ces trois facteurs ont pour cause commune les activités humaines, à savoir l'empoisonnement des animaux sauvages par les pesticides, la destruction de leur habitat, l'artificialisation extrême des conditions d'élevage des animaux domestiques et les densités de population qui en résultent, l'utilisation *larga manu* des antibiotiques en médecine humaine et vétérinaire, sans compter les problèmes de densité de population et de transmission des maladies chez l'homme liés aux concentrations urbaines et aux transports de masse caractéristiques du développement de nos sociétés modernes.

Le respect des écosystèmes naturels est capital, car la biodiversité s'oppose à la *genèse des maladies* en réduisant la probabilité que l'agent pathogène rencontre ses différentes cibles, qu'il s'agisse de l'hôte-réservoir, du vecteur ou de l'homme. Elle s'y oppose aussi en diminuant la densité des individus réceptifs à la maladie, que celle-ci concerne les animaux ou la population humaine. L'adaptation darwinienne par sélection rend compte de l'émergence progressive de la spécificité de l'agent pathogène à sa cible. Or plus la cible est diluée dans l'environnement, autrement dit plus la biodiversité est importante, plus la probabilité que l'agent pathogène la rencontre et s'y adapte est faible. Il s'agit là d'un principe général, valable non seulement pour les animaux, mais aussi pour les plantes. C'est ce qu'ont bien compris les adeptes de l'agriculture biologique lorsque, pour limiter le risque de contamination de leur récolte par des insectes ou des parasites nuisibles, ils proposent d'ensemencer les champs avec des graines de différentes espèces.

La biodiversité s'oppose aussi à la *propagation des maladies*. L'extension de toute épidémie repose sur cinq paramètres : la virulence du microbe, sa contagiosité, la densité des populations cibles, leur sensibilité au microbe et les facteurs de diffusion. D'où la notion de *seuil critique* : au-dessous d'un certain nombre d'individus touchés par la maladie, l'épidémie n'a pas lieu. Pour qu'elle émerge, il faut la conjonction des facteurs précédents, et en particulier que la densité des populations cibles (plantes, animaux et hommes) soit suffisante, que ces populations soient sensibles à l'agent pathogène et que des facteurs de diffusion – climatiques ou autres – existent. L'expérience acquise au cours des derniers siècles le montre. La vaccination d'un nombre déterminé d'individus (on peut le calculer) limite la propagation d'une épidémie en créant autour du foyer pathogène une zone de population – animale ou humaine – non réceptive à la maladie. Dans ce cas, la vaccination, parce qu'elle renforce les défenses immunitaires d'un nombre important d'individus, s'oppose à la sélection darwinienne, et par conséquent contrecarre dans une certaine mesure les effets liés à la perte de biodiversité.

Altération des écosystèmes et risque de pandémies : les hommes sont-ils devenus fous ?

La biodiversité doit être envisagée sous son double aspect : celui de la diversité des espèces, et celui de la diversité des gènes au sein d'une même espèce. Tout nivellement, toute homogénéisation à ces deux niveaux ne peuvent conduire qu'à l'émergence de maladies en raison de l'adaptation darwinienne des micro-organismes par sélection naturelle. Dans une population, qu'il s'agisse de plantes, d'animaux ou d'hommes, certains individus sont spontanément susceptibles de faire une maladie donnée et d'autres pas. Cette différence reflète la diversité génétique naturelle. Toute manipulation génétique, toute sélection extrême visant à amoindrir cette diversité risquent donc d'accroître le pourcentage d'individus sensibles aux maladies en raison de l'adaptation darwinienne. Il en est de même pour les écosystèmes. Une perte de biodiversité, en modifiant ou en détruisant les équilibres écologiques naturels, autrement dit en favorisant la reproduction et la croissance des hôtes-réservoirs et/ou des vecteurs naturels des agents pathogènes, ou encore en détruisant leurs prédateurs, ne peut qu'entraîner l'émergence de maladies nouvelles et la persistance ou la réémergence de maladies anciennes sous la forme de *pandémies*[1].

Il s'agit ici des écosystèmes naturels, mais tout autant des agroécosystèmes. Pour ces derniers, on peut même concevoir que la sélection effectuée artificiellement par l'homme depuis le néolithique, qui a consisté à homogénéiser génétiquement les populations d'animaux par la création de nouvelles espèces domestiques à partir d'espèces sauvages, n'a fait en réalité que favoriser l'adaptation à ces animaux des agents pathogènes pour l'homme. Or que faisons-nous aujourd'hui ? Non seulement nous détruisons l'ensemble des écosystèmes naturels par la déforestation, la construction de villes, d'autoroutes et de barrages, le comblement des mares et l'assèchement des zones humides, la pratique de cultures et d'élevages intensifs, la stérilisation des sols, la destruction de la flore et de la faune sauvages du fait de l'utilisation outrancière de

1. Une *pandémie* est la propagation plus ou moins étendue d'une infection à presque tous les habitants d'une région du monde, parfois au monde entier.

pesticides, la pollution hydrique et atmosphérique par de multiples substances chimiques et le réchauffement climatique lié à l'effet de serre, mais encore nous cherchons à modifier par *transgenèse*[1] les espèces que nous avons sélectionnées en rompant les barrières génétiques qui les protègent et nous visons à modifier les lois mêmes de la reproduction naturelle. Nous créons des plantes transgéniques en bombardant les génomes naturels à l'aide de « canons à gènes » pour y introduire artificiellement les nouveaux gènes qui nous paraissent utiles pour notre développement industriel, nous créons des animaux comme la brebis Dolly en nous servant d'œufs artificiels, fabriqués pour moitié à partir de cellules non sexuelles[2], et qui plus est nous promouvons de tels OGM en accréditant l'idée selon laquelle ils pourraient être demain la solution à tous nos problèmes. Les hommes sont-ils devenus fous ? Je le pense, et de plus en plus. Tout cela ne peut, ne pourra conduire qu'à notre perte. À moins que...

---

1. La *transgenèse* est l'introduction d'un gène dans un génome (l'ensemble des gènes dans une cellule). Il s'agit en fait de la réalisation d'une véritable manipulation génétique s'apparentant à une *mutagenèse* artificielle (la création de mutations).

2. L'organisme est composé de deux parties : le *germen*, qui comprend les cellules sexuelles (ovules chez la femme, spermatozoïdes chez l'homme), et le *soma*, qui correspond à toutes les autres cellules. Normalement, les cellules *somatiques* n'interviennent que dans la structuration et le fonctionnement de l'organisme, pas dans la reproduction, qui est le fait de la rencontre d'une cellule sexuelle mâle (un spermatozoïde) et d'une cellule sexuelle femelle (un ovule). La fécondation d'un ovule de la mère de Dolly avec une autre de ses cellules somatiques (une cellule de sa glande mammaire) est donc une entorse aux lois naturelles, un véritable inceste au plan biologique. Cf. D. Belpomme, *Les Grands Défis de la politique de santé en France et en Europe*, *op. cit.*

Chapitre 4

La santé environnementale

> Pour approfondir la médecine, il faut considérer d'abord les saisons, connaître la qualité des eaux, des vents, étudier les divers états du sol et le genre de vie des habitants.
>
> Hippocrate.

C'est à partir de l'œuvre d'Hippocrate qu'est née notre conception corporelle des maladies. Mais, simultanément, en affirmant que le médecin doit étudier la nature pour combattre les maladies, Hippocrate a aussi été l'un des premiers à se préoccuper de leurs causes environnementales. Au XIXe siècle, les deux courants de pensée coexistent. Pasteur met en exergue le rôle de l'environnement microbien à l'origine des maladies, alors que Claude Bernard, en promouvant le concept de « milieu intérieur », réhabilite l'idée selon laquelle les maladies sont liées à des troubles humoraux. Pour lui, il faut étudier expérimentalement le fonctionnement de notre corps pour comprendre la genèse et le développement des maladies, et non pas en rechercher les causes dans le milieu extérieur. Bien qu'ils se soient l'un et l'autre farouchement opposés aux théories vitalistes de l'époque, les deux savants avaient donc des conceptions qui différaient radicalement. À Pasteur la *médecine environnementale*, à

Claude Bernard la *médecine expérimentale* – qui est aujourd'hui devenue la base de notre médecine moderne[1]. En réalité, celle-ci a toujours privilégié la médecine du corps au détriment de celle de l'environnement. Or, du point de vue sociétal, les deux concepts n'ont pas la même signification. La médecine expérimentale fait de la santé un domaine réservé aux seuls médecins et chercheurs – ce qui permet aux décideurs politiques de se dédouaner des problèmes de santé –, alors que la médecine environnementale, en pointant l'environnement comme la cause primordiale des maladies, s'adresse à la société tout entière et donc plus particulièrement à ces décideurs, en leur demandant de mettre ou de remettre en question certaines activités humaines. Aujourd'hui, compte tenu de la gravité des problèmes de santé, on ne voit plus comment nos hommes politiques pourraient continuer à nier l'évidence : un grand nombre de nos maladies sont liées à l'environnement. D'où le concept de santé environnementale que j'ai tenté de définir en 2003[2] et que j'envisage dans ce chapitre.

Un lien causal qui a valeur de loi

Nous avons certes l'idée implicite d'un lien entre la santé et l'environnement, mais beaucoup d'entre nous ne savent pas exactement à quoi il correspond du point de vue biologique, ni ce qu'est la santé par rapport à l'environnement. Notre santé, en effet, n'est pas seulement liée au bon fonctionnement de notre corps et à la nature de nos gènes[3]. Elle est aussi tributaire de la qualité de notre

1. C. Bernard, *Introduction à l'étude de la médecine expérimentale*, *op. cit.*

2. D. Belpomme, *Les Grands Défis de la politique de santé en France et en Europe*, *op. cit.*

3. Les gènes sont des sortes de petits microprocesseurs disposés linéairement le long de l'acide désoxyribonucléique (ADN) des chromosomes. Chez l'homme, on en dénombre environ 30 000. Ils assu-

environnement et de ses variations. C'est là une observation capitale qui a valeur de loi. Notre organisme est naturellement en relation permanente avec l'environnement du point de vue matériel et énergétique, comportemental et écologique. Toute variation brutale du milieu extérieur en deçà ou au-delà de certains seuils rend la vie impossible, car l'organisme n'est capable de s'adapter que dans des limites très étroites et de façon progressive, sur un laps de temps suffisamment long. En outre, notre corps n'est pas imperméable à l'environnement. Les micro-organismes et les polluants physicochimiques interagissent avec nos cellules et même nos gènes et sont à l'origine de maladies. Malheureusement, notre médecine contemporaine a totalement oublié le rôle de l'environnement dans la genèse des maladies et l'idéologie dominante actuelle tend à l'occulter. Pourtant, la prise en considération de ce rôle est essentielle si l'on veut comprendre l'origine des maladies et les prévenir.

Les relations naturelles à l'environnement

Dans le livre *Ces maladies créées par l'homme*[1], j'ai tenté de définir les trois types de relations naturelles liant causalement notre organisme à son environnement. Celles-ci sont *substantielles* (matérielles et énergétiques), *comportementales* (neurosensorielles et cognitives) et *écologiques.*

Les relations substantielles

Les relations substantielles sont celles qui permettent à l'organisme la satisfaction de ses besoins élémentaires.

rent et contrôlent la naissance, la vie et la mort de chacune de nos cellules. En outre, les gènes sont les unités de reproduction des structures vivantes. Leur présence dans les cellules sexuelles permet à l'organisme de se reproduire selon les lois de l'hérédité.

1. D. Belpomme, *Ces maladies créées par l'homme*, Albin Michel, Paris, 2004.

Toute vie est impossible sans consommation de matière et d'énergie. C'est là la première loi de la biologie, qui distingue fondamentalement les organismes vivants de la matière inerte et qui conduit à les considérer, du point de vue thermodynamique, comme des *systèmes ouverts*, dissipant l'énergie qu'ils consomment sous forme de chaleur[1]. Mais il est une seconde loi, tout aussi essentielle, qui énonce que tout organisme vivant ne peut se construire, s'organiser, fonctionner et évoluer que si les échanges de matière et d'énergie se situent loin de l'équilibre thermodynamique[2]. La vie dépend donc étroitement des conditions physicochimiques du milieu extérieur. Ainsi, il ne saurait y avoir de vie sans eau, sans aliments nutritifs et sans énergie, et, pour les animaux, y compris l'homme, sans oxygène.

Les relations comportementales

Les relations neurosensorielles sont spécifiques du règne animal. Grâce aux organes des sens, elles mettent les animaux directement en prise sur leur environnement. Elles sont d'autant plus élaborées que l'organisme est complexe, puisqu'elles impliquent l'existence d'un système nerveux. Pour les espèces évoluées, les sensations doivent être distinguées des perceptions. La sensation est immédiate, alors que la perception nécessite non seulement la sensation, mais aussi des capacités cognitives particulières[3] pour l'interpréter. Ces capacités cognitives

1. La *thermodynamique* est la branche de la physique qui étudie les échanges de chaleur et leur transformation en travail. Les organismes vivants peuvent être assimilés au plan énergétique à des *structures dissipatives*, structures chimiques qui transforment et libèrent l'énergie sous forme de chaleur.

2. I. Prigogine et I. Stengers, *La Nouvelle Alliance*, Gallimard, Paris, 1979 ; I. Prigogine, *La Fin des certitudes*, Odile Jacob, Paris, 2001.

3. D. Andler (dir.), *Introduction aux sciences cognitives*, Gallimard, Paris, 1992.

entrent dans le cadre de ce que les philosophes appellent la raison, et de ce qu'Emmanuel Kant définit plus spécifiquement par l'« entendement ». Au plan de l'entendement, l'homme est bien sûr l'espèce la plus aboutie, car son cerveau est le plus complexe. Ainsi, à la différence de la plupart des animaux, nous « percevons » notre environnement plutôt que nous ne le « sentons », ce qui revient à dire que nous en prenons conscience de façon compréhensive et non pas seulement instinctive. Mais, entre les différentes espèces animales, il existe en réalité un *continuum* allant du plus simple au plus complexe, de la sensation pure à la perception la plus élaborée, de l'« élan vital » le plus instinctif à l'intelligence la plus spéculative. Certains animaux perçoivent l'environnement d'une façon comparable à la nôtre. C'est le cas des grands singes, par exemple des chimpanzés et plus particulièrement des bonobos, les plus proches de nous : non seulement ils perçoivent l'environnement de façon élémentaire, mais ils adoptent aussi des comportements intelligents[1]. Ainsi, nous percevons l'environnement grâce à nos sens et adaptons notre comportement en conséquence.

Les relations écologiques

Les relations écologiques, inhérentes aux écosystèmes, lient chaque espèce à son *biotope*[2]. Il existe deux catégories de relations : celles des organismes vivants entre eux et celles de ces organismes avec le milieu inerte. Les unes et les autres relèvent de mécanismes différents. Le milieu interne de chaque organisme individuel est stable, régulé en constance par des mécanismes biologiques[3]. En

1. P. Picq, *La Nouvelle Histoire de l'homme*, Perrin, Paris, 2005.
2. Le biotope est le milieu physicochimique ambiant propre à chaque espèce.
3. J'ai décrit l'existence de ces mécanismes en biologie dans *Guérir du cancer ou s'en protéger*, *op. cit.* La cybernétique est la science des circuits informationnels, de la gouvernance des transferts d'infor-

revanche, l'environnement, du fait de sa double composante inerte et vivante, est tributaire de deux autres types de mécanismes de transfert de l'information : des mécanismes causalement *linéaires*, relevant des lois physicochimiques classiques, pour ce qui est du milieu inerte, et des mécanismes spécifiques, relevant des lois de l'écologie, pour ce qui est de la *biosphère*[1]. Il s'agit là d'une différence fondamentale qui n'a pas encore été appréciée à sa juste valeur par les théoriciens spécialisés dans l'étude des systèmes[2]. En effet, les lois de l'écologie rendent compte du fait que la flore et la faune forment un tout en cohérence relationnelle étroite avec la matière inerte, d'où la notion d'*écosphère*.

Aussi, les lois gouvernant les relations entre individus ou espèces de la flore et de la faune et entre ces dernières et le milieu inerte sont beaucoup plus complexes qu'on ne le pense habituellement. En outre, elles sont de nature écologique[3] et non pas cybernétique au sens où la biologie l'entend[4]. D'autre part, l'existence de nombreux

---

mation et de leur régulation par rétroaction négative ou amplification par rétroaction positive.

1. Depuis les travaux du géologue autrichien H.E. Suess (1875), certains considèrent que la biosphère inclut non seulement les organismes vivants, mais aussi la terre, l'eau et l'air. Je me range ici à la définition de la biodiversité qu'a donnée en 1924 le géologue russe Vladimir Ivanovitch Vernadski. Il semble préférable de distinguer l'*écosphère* de la *biosphère*, de restreindre la définition de la biosphère aux seuls organismes vivants et d'inclure la biosphère dans l'écosphère, cette dernière comprenant en outre l'habitat (terre, eau, air).

2. L. von Bertalanfly, *Théorie générale des systèmes*, Dunod, Paris, 1993 ; J.E. Lovelock, *La Terre est un être vivant*, Éditions du Rocher, Paris, 1990.

3. Citons la loi d'exclusion compétitive de Gause, les relations de couples ago-antagonistes (Bernard Weil), les relations proies-prédateurs, etc.

4. En biologie, les mécanismes d'amplification ou de régulation cybernétique nécessitent l'existence de récepteurs et de facteurs hormonaux se combinant spécifiquement à eux. Cela n'est que rarement observé dans le cas des relations de type écologique.

transferts de gènes entre les bactéries et le fait qu'elles aient été les premiers organismes vivants apparus sur terre conduisent à les considérer aujourd'hui de façon singulière au sein de l'évolution. Ce qui revient à dire que, s'il n'existe aucun transfert de gènes possible d'une espèce complexe à l'autre, disons entre une souris et un éléphant, tel n'est pas le cas entre deux espèces de bactéries comme un streptocoque et un colibacille. L'hypothèse actuelle est que les bactéries constitueraient un « génome commun unique », une sorte de socle fondamental ayant permis la vie sur terre dans le passé et l'assurant aujourd'hui [1]. Puisque pour les bactéries il ne semble pas y avoir de barrières d'espèces aussi étanches que pour les organismes de la flore et de la faune, les lois relationnelles qui les régissent, témoignant d'une plasticité génétique exceptionnelle, apparaissent comme uniques. Ces lois, de nature génétique, diffèrent donc fondamentalement des lois écologiques régissant l'ensemble de la flore et de la faune. On mesure ici la complexité et la diversité formidables du vivant, qu'aucun scientifique, fût-il le plus savant, ne sera jamais capable de comprendre et d'appréhender à leur juste valeur. Or c'est cet environnement-là qui nous est consubstantiel, qui nous permet de vivre, et que nous polluons et détruisons.

L'insoutenable perméabilité de notre corps à la pollution

Les trois types de relations à l'environnement que je viens de décrire existent spontanément dans la nature. Celles que j'ai qualifiées d'écologiques obéissent à des lois spécifiques fixant le comportement des organismes de la flore et de la faune entre eux. À l'exception des rapports

1. L.G. Mathieu et S. Sonea, *A Powerful Bacterial World*, Elsevier Science Ltd, 1995. Si on considérait l'ensemble des bactéries comme un génome géant, celui-ci pourrait contenir plusieurs millions de gènes.

qu'entretiennent les bactéries entre elles, ces relations respectent les gènes. Toute altération structurelle d'un gène est appelée « mutation [1] ». En ce qui concerne la flore et la faune, donc nous-mêmes, seuls certains virus [2] – lorsque les modifications de l'environnement les conduisent à se multiplier – sont susceptibles d'interagir avec les gènes. On a longtemps considéré que les virus étaient l'exception et que de façon générale la matière inerte n'interagissait pas avec les gènes. Ainsi, comme l'a exposé Charles Darwin dans sa théorie de l'évolution [3], l'émergence de toute nouvelle espèce est conçue à partir de petites variations endogènes survenant de façon indépendante chez certains individus d'une même espèce, sans que des interactions directes avec le milieu inerte interviennent. Durant les millions d'années au cours desquels les espèces sont apparues, le seul hasard aurait été à l'origine de ces variations, ce qui le fait considérer comme le moteur de l'évolution [4]. En fait, sans remettre en question l'interprétation darwinienne de l'évolution, on sait aujourd'hui qu'il n'en est pas toujours ainsi. Dans certaines conditions, la nature inerte interagit avec nos cellules et nos gènes et y provoque des altérations. C'est ce qui se passe en cas de pollution physique ou chimique. Cependant, qu'il s'agisse d'infections par certains virus ou de pollution physicochi-

1. Toute mutation correspond au minimum à l'altération structurelle d'un gène, à celle d'une fraction importante d'un chromosome, voire au maximum à l'apport ou à la disparition d'un chromosome entier. Les mutations peuvent donc s'étendre à plusieurs gènes.

2. Les virus sont des agents infectieux, constitués d'une enveloppe et d'une coque contenant un acide nucléique, ADN ou ARN. Ils sont invisibles au microscope ordinaire. On les a longtemps considérés comme des agents intermédiaires entre la matière vivante et la matière inerte, car ils sont susceptibles, comme les minéraux, de cristalliser et sont incapables de se multiplier par eux-mêmes (pour cela, il faut qu'ils pénètrent dans une cellule ou une bactérie). Voir aussi la note 1, p. 43.

3. C. Darwin, *L'Origine des espèces*, Flammarion, Paris, 1992.

4. F. Jacob, *Le Jeu des possibles*, LGF, Paris, 1986.

mique, l'altération des cellules ou des gènes ne conduit pas à des modifications évolutives de l'espèce, mais à l'apparition de maladies.

Lorsque le milieu inerte retentit sur l'organisme, il peut le faire sous la forme de *mutations*. Les altérations produites sont irréversibles et conditionnent l'émergence de maladies particulièrement graves telles que les cancers, certaines malformations congénitales et certaines stérilités. C'est l'effet que produisent les rayonnements et certaines substances chimiques que nous avons déversées inconsidérément durant ces cinquante dernières années dans l'environnement, appelées « CMR » : cancérigènes, mutagènes et reprotoxiques. C'est aussi l'effet de certains virus[1].

Toutefois, l'altération des gènes peut être aussi de nature purement fonctionnelle. Dans ce cas, ce n'est pas la structure même du gène qui est modifiée, mais son fonctionnement. Il ne s'agit alors plus de mutations mais d'*anomalies épigénétiques*[2]. Les substances chimiques en cause, dont certaines sont également classées CMR[3], perturbent le fonctionnement cellulaire sans provoquer de mutations. À la différence des mutations, les altérations

1. Tous les virus ne sont pas mutagènes. La plupart d'entre eux, comme les bactéries, se multiplient dans les cellules qu'ils infectent sans y provoquer de mutations ; le plus souvent, les cellules meurent. On parle alors de virus cytotoxiques. C'est le cas notamment des virus de la grippe, de la rubéole, de la rougeole, etc. Cependant, d'autres virus sont capables de s'intégrer dans le génome des cellules (l'ensemble de nos gènes) et d'y provoquer des mutations.

2. Le terme « épigénétique » doit être distingué du terme « épigénique ». Ce dernier se réfère à ce qu'on appelle l'« épigenèse ». L'épigenèse est le mode de développement d'un organe ou d'un organisme par division et différenciation cellulaires. L'« épigénétique » concerne le mode de fonctionnement des gènes. Elle ne conditionne pas les lois de la génétique, et par conséquent s'en distingue.

3. Toutes les substances CMR ne sont pas mutagènes. Certaines agissent en perturbant le fonctionnement des gènes. C'est le cas de certains cancérigènes appelés « promoteurs » et de certains « perturbateurs endocriniens », toxiques pour la reproduction.

épigénétiques sont en principe instables et donc réversibles. Elles peuvent cependant être à l'origine de maladies lorsque les effets organiques ou métaboliques qu'elles induisent sont eux-mêmes irréversibles. Les principales substances chimiques produisant cet effet sont celles qu'on appelle des « perturbateurs endocriniens ». Il en existe de très nombreux : la plupart des pesticides et aussi d'autres substances organochlorées telles que les dioxines, les furanes, les polychlorobiphényles (PCB) et les phtalates. Ceux-ci, en se combinant à des récepteurs cellulaires, induisent le dysfonctionnement de certains gènes. Lorsqu'un tel dysfonctionnement a lieu pendant la grossesse, il peut perturber définitivement le développement du fœtus et entraîner l'apparition de malformations congénitales et, ultérieurement, de stérilité. Lorsque le dysfonctionnement cellulaire est encore plus important, il peut induire l'apparition de mutations et être à l'origine de cancers.

Nous sommes ce que l'environnement veut bien que nous soyons

Aux trois types de relations naturelles de l'organisme à l'environnement il convient donc d'en ajouter un quatrième, le plus souvent artificiel, consistant en l'interaction de nos cellules et de nos gènes avec l'environnement. L'erreur profonde de notre médecine contemporaine est de penser que notre santé n'est inscrite que dans nos gènes, qu'elle ne dépend que d'eux, que ces derniers, considérés comme les gardiens de l'espèce et de notre santé, sont immuables et donc très peu tributaires des modifications de notre environnement. L'expérience de chaque jour contredit cette conception réductrice. Notre organisme doit être considéré comme résultant non seulement d'une autostructuration autonome ayant eu lieu au cours de l'ontogenèse embryonnaire, programmée et conditionnée par ce que Jacques Monod appelle le *projet téléonomique*[1], mais aussi comme sensible et perméable à l'environnement quand nous le modifions. Or, tant que nous considérions que cette sensibilité et cette perméabilité à l'environnement ne relevaient que de relations naturelles entre les organismes vivants – essentiellement entre les micro-organismes et nous –, le concept qui prévalait, à l'ère pastorienne notamment, était que la seule influence que notre environnement avait sur notre santé consistait en l'apparition d'infections (au sens large du terme). On sait aujourd'hui qu'il en est tout autrement. Non seulement notre organisme est vulnérable aux infections parasitaires, bactériennes ou virales – aujourd'hui aux prions –, mais il est en permanente interaction physicochimique avec le milieu dans lequel il est placé. Ainsi notre corps est-il constamment sollicité par notre environnement non seulement au plan microbien, mais aussi au plan physicochimique, et cela non seulement à l'échelon de nos cellules, mais aussi à celui de nos gènes. L'air que nous respirons, les aliments que nous ingérons, les rayonnements que notre peau et nos tissus absorbent sont des déterminants macrobiologiques essentiels de notre état de santé et, au-delà, sur une échelle de temps plus grande, du devenir de notre espèce. Du point de vue de notre corps, l'« inné » a donc toujours un rôle – il s'agit de facteurs héréditaires qui nous sont propres –, mais l'« acquis » lié à l'action de l'environnement sur nous a aussi une part prépondérante. En effet, nos gènes de susceptibilité génétique – c'est-à-dire les gènes dont nous héritons à la naissance et qui font que notre organisme est plus ou moins résistant aux maladies – ne sont le plus souvent que des gènes qui nous rendent plus ou moins susceptibles aux facteurs environnementaux. Pour expliquer l'émergence des maladies, l'« inné » et l'« acquis » n'entrent donc pas seuls en ligne de compte ; il y a aussi

1. J. Monod, *Le Hasard et la Nécessité*, Seuil, Paris, 1970.

l'action congruente de l'un par rapport à l'autre. En réalité, en raison de notre constitution génétique, nous ne sommes que ce que l'environnement veut bien que nous soyons, et notre santé en est la résultante.

La génétique n'explique pas tout

Notre médecine moderne s'est orientée et s'oriente toujours vers la génétique – l'étude des gènes –, et croit fermement que grâce à l'étude du génome – l'ensemble des gènes – elle pourra un jour comprendre la nature des maladies et mettre au point de nouveaux traitements qui, selon elle, permettront la guérison de tous les malades ou du moins de la plupart d'entre eux. Bien évidemment, elle se trompe, car les causes de nos maladies ne sont pas dans notre corps, mais dans l'environnement, et la génétique ne pourra pas, sauf dans quelques très rares cas, parvenir à la mise au point de nouveaux traitements.

À l'appui de cette thèse, l'exemple des cancers est caricatural. Parce qu'à elles seules les lésions des gènes responsables de la maladie ne permettent pas d'en expliquer l'origine, le cancer est l'un des meilleurs modèles d'étude pour comprendre pourquoi un grand nombre de nos maladies ne sont pas d'origine génétique, mais environnementale. Chez un malade atteint de cancer, deux catégories de gènes entrent en jeu : ceux permettant la croissance et le développement du cancer dans l'organisme, qu'on appelle « gènes du cancer », et ceux de l'organisme qu'on appelle « gènes de susceptibilité » et qui, lorsqu'ils sont présents, favorisent l'apparition de la maladie, en d'autres termes le processus de cancérisation. Les gènes du cancer sont le plus souvent des gènes mutés. Il s'agit de gènes dont l'altération est acquise, non héréditaire, et dont les actions qu'ils programment ont lieu *en aval* du processus de cancérisation en assurant la croissance et le développement de la tumeur dans l'organisme.

À l'inverse, les gènes de susceptibilité, lorsque l'organisme les possède, sont innés, héréditaires, et programment des actions situées *en amont* de ce processus en favorisant les toutes premières étapes de son déclenchement.

Il s'agit sans doute là d'une différence subtile, difficile à comprendre pour le non-spécialiste, mais elle joue un rôle capital car elle conditionne les deux approches conceptuelles des recherches en cancérologie : celle à visée curatrice, qui à partir de l'étude des gènes du cancer tente de mettre au point de nouveaux traitements, et celle à visée préventive, qui à partir de l'étude des gènes de susceptibilité essaie de comprendre quelles sont les causes de la maladie, pourquoi l'incidence des cancers est aujourd'hui croissante et comment on pourrait la faire régresser.

Les lésions responsables du cancer – les gènes du cancer – sont situées *dans les cellules cancéreuses*. C'est donc dans le génome de ces cellules qu'on cherche à comprendre la maladie, et non en dehors. C'est ce que font la plupart des chercheurs aujourd'hui. Ils tentent d'inventorier les gènes du cancer et de comprendre comment ces gènes sont à l'origine de la transformation des cellules normales en cellules cancéreuses, comment, en se multipliant, ces cellules donnent naissance à une tumeur et comment celle-ci se développe dans l'organisme. L'objectif était louable il y a vingt-cinq ans, et j'y ai moi-même contribué. Aujourd'hui il a atteint ses limites et conduit à une fausse piste. On connaît maintenant dans les grandes lignes la façon dont se développe et progresse un cancer. En fait, on a découvert l'extrême complexité des désordres moléculaires au niveau du génome ainsi que leur très grande disparité d'un type de cancer à l'autre, et même pour un type donné ou d'un malade à l'autre. Complexité et disparité, voilà les deux grands murs auxquels se heurtent aujourd'hui les chercheurs, rendant illusoire, sauf cas particuliers très rares, toute tentative thérapeutique basée sur la génétique. En outre, comprendre le déroulement de la maladie dans l'organisme n'est pas comprendre ce qui la provoque. Les causes du cancer relèvent en réalité de deux types de facteurs : les gènes de susceptibilité et l'environnement. Or les gènes de susceptibilité sont à rechercher non pas particulièrement dans les cellules cancéreuses mais *dans les cellules normales*, autrement dit dans la très grande majorité des cellules de l'organisme. C'est là toute la différence, une différence capitale pour concevoir l'orientation des recherches.

Dans toute population d'individus, il existe deux catégories de gènes héréditaires de susceptibilité. Certains d'entre eux, très pénétrants[1], se transmettent de façon directe, de parents à enfants ou de grands-parents (au sens large) à enfants. Le caractère héréditaire se remarque car il est familial. Les cancers sont le plus souvent de même type et peuvent être associés à une autre maladie héréditaire. Cette forme de cancer est très rare. Elle concerne moins de 0,5 % des malades.

D'autres gènes héréditaires de susceptibilité, mais variables d'un individu à l'autre, sont beaucoup moins pénétrants. Ils font partie de ce qu'on appelle les *gènes de polymorphisme*. Présents chez chacun d'entre nous sous des formes et à des degrés divers, ces gènes expliquent pourquoi certaines personnes sont plus vulnérables que d'autres à telle ou telle maladie. De tels gènes sont appelés « gènes polymorphes de susceptibilité ». C'est ce qu'a bien montré le Prix Nobel de médecine français Jean Dausset quand il a découvert le système HLA[2]. Nous sommes tous génétiquement très différents les uns des autres : nous l'avons été dès le premier homme et nous le serons jusqu'au dernier. Dans le cas du cancer, on admet qu'environ 30 % d'entre nous présentent une susceptibilité

1. Ils obéissent aux fameuses lois formulées en 1865 par le célèbre moine autrichien Gregori Mendel.

2. Human Leucocyte Antigen (système antigénique des globules blancs chez l'homme). J. Bernard et J. Dausset, *La Mosaïque humaine*, Calmann-Lévy, Paris, 2000.

forte en raison de la présence de tels gènes polymorphes de susceptibilité. Ici, l'hérédité ne se remarque pas, car la ségrégation des gènes au cours des générations est beaucoup plus aléatoire, ce qui explique que la susceptibilité au cancer puisse ne pas se voir. Or ces gènes de polymorphisme particuliers ne font en réalité qu'activer les facteurs cancérigènes présents dans l'environnement. Cette observation est primordiale. Elle dépasse le cadre *stricto sensu* du cancer pour s'appliquer à de nombreuses autres maladies. L'opinion courante veut que l'atavisme ait un rôle prédominant et que nous développions la ou les maladies que nous héritons de notre ascendance. Cela n'est que partiellement vrai. Dans deux cas sur trois, la maladie survient *de novo*, car elle est principalement, sinon exclusivement, liée à l'environnement. Il apparaît donc clairement que la génétique n'explique pas tout, que les facteurs héréditaires ne font le plus souvent que *favoriser* l'émergence des maladies, et que les véritables facteurs qui les provoquent sont environnementaux.

La recherche des causes

Les disciplines biologiques autres que la génétique qui ont fondé la médecine moderne – la physiologie, la microbiologie, la toxicologie et l'épidémiologie – tentent de trouver l'origine de nos maladies. Elles le font essentiellement en inventoriant les causes les plus immédiates, c'est-à-dire celles qui sont directement liées à un agent pathogène ou à la façon dont nous vivons. En effet, il est souvent difficile de remonter plus en amont, de rechercher la cause de la cause, en d'autres termes les facteurs à l'origine de tel ou tel agent pathogène ou comportement lié au mode de vie. L'idée qui prévaut toujours en médecine est que les causes des maladies sont liées à notre corps.

J'ai rappelé le combat de Pasteur pour convaincre la société savante de son époque qu'il n'en était pas ainsi.

C'était alors l'environnement microbien qui était concerné. Aujourd'hui, ce n'est plus le cas. Ce n'est plus seulement l'environnement naturel qui est à l'origine des maladies, mais essentiellement sa dégradation physique, chimique et biologique. Aux causes naturelles se sont substituées progressivement, pendant le dernier siècle, des causes artificielles. Alors qu'à l'époque de Pasteur le problème relevait purement du domaine de la santé et de la médecine, il est aujourd'hui sociétal, puisqu'il remet en cause la validité même des activités humaines. De local et médical, il est devenu mondial et civilisationnel, donc politique. C'est ce nouveau défi que les médecins et chercheurs doivent contribuer à relever.

Ce n'est pas la dose qui fait le poison, mais sa répétition

Certains de nos concitoyens, et même certains scientifiques, doutent encore que la pollution physicochimique puisse être à l'origine d'un grand nombre de nos maladies. La raison avancée est que, délivrés à l'organisme à petite dose, un rayonnement ou une substance chimique agiraient par un mécanisme d'action indéterminé. Autre argument : tant qu'on n'a pas de preuve épidémiologique irréfutable, on ne peut rien dire et il vaut mieux attendre. Ces détracteurs commettent une double erreur. Une erreur scientifique, car il est aujourd'hui clairement démontré que les faibles doses peuvent induire des maladies chroniques. Et une erreur de santé publique, car attendre, c'est se préparer au pire, au plan humain comme au plan financier.

Paracelse pensait que la dose faisait le poison, autrement dit que toute substance chimique administrée au-delà d'une certaine dose était toxique, alors qu'en deçà elle ne l'était pas et pouvait même être bénéfique. Connue depuis l'Antiquité, la mithridatisation[1] apportait

1. Il s'agit de l'accoutumance à un poison d'origine minérale ou végétale, provoquée par l'administration de doses faibles, progressive-

dans une certaine mesure de l'eau à son moulin. Claude Bernard, lorsqu'il étudia les curares, en vint à peu près à la même conclusion. Ce que pensaient Paracelse et Claude Bernard demeure vrai : au-delà d'une certaine concentration dans l'organisme, toute molécule est toxique. C'est la raison pour laquelle, qu'il s'agisse de la qualité de l'eau, de l'air ou des sols ou encore de la prise de médicaments, nos normes réglementaires font appel à la notion de *dose seuil* à ne pas dépasser. Le problème est que dans ce cas on parle de toxicité aiguë, non de toxicité chronique, et qu'en se référant à la seule notion de toxicité aiguë on ne tient compte ni du type de substance considéré, ni de la répétition des doses (lorsqu'elles sont faibles) – donc de la durée d'exposition à la substance –, ni enfin de l'état de réceptivité de l'organisme. La toxicologie classique mérite d'être entièrement révisée. S'il faut garder à l'esprit les lois de la toxicité aiguë, il faut tenir compte beaucoup plus qu'on ne le fait aujourd'hui de celles gouvernant la toxicité chronique. Il est clair qu'en matière de pollution environnementale la plupart des maladies induites ne relèvent pas de la toxicité aiguë mais de la toxicité chronique. Dans ces cas, ce n'est pas la dose qui fait le poison, mais sa répétition. Le concept est relativement nouveau et ne concerne pas seulement les substances chimiques, mais aussi les rayonnements.

Nos normes réglementaires sont donc certainement excellentes pour nous protéger des intoxications aiguës, mais elles sont incapables, en cas d'exposition prolongée à de faibles ou très faibles doses, d'éviter l'apparition des maladies chroniques. En cas d'exposition chronique, c'est en effet moins la dose quotidienne qu'il faut considérer que le facteur temps. Plus la durée d'exposition est grande, plus la probabilité de développer une maladie

ment croissantes, ce qui permet à l'organisme de se prémunir contre le risque d'empoisonnement par des doses beaucoup plus fortes. La mithridatisation est connue depuis l'Antiquité.

chronique, et en particulier un cancer, est élevée. Cela vaut quelle que soit la dose quotidienne délivrée à l'organisme : elle peut être minime, voire infinitésimale, à la limite du seuil de détection des appareils de mesure les plus performants. Ainsi ces normes ne peuvent-elles pas nous rassurer totalement. Elles n'empêchent pas l'émergence de nouvelles maladies ni l'augmentation d'incidence de certaines autres. Ce constat impose une véritable révolution conceptuelle dans le domaine médical.

Une bombe à retardement : les nouveau-nés contaminés

Les problèmes de dose ne sont pas les seuls à devoir être envisagés. Il faut aussi tenir compte de la très grande vulnérabilité de l'enfant, et plus particulièrement de l'embryon et du fœtus, à toutes les agressions en provenance du milieu extérieur, qu'elles soient physiques, chimiques ou biologiques. Pendant la grossesse, l'embryon et le fœtus sont très fragiles en raison de l'existence de périodes critiques gouvernant la multiplication et la différenciation des cellules, l'organisation et la croissance des tissus, et aussi en raison de l'immaturité des systèmes de détoxification biologique visant à les protéger de la pollution. Il en résulte la possibilité, à la naissance, de malformations congénitales [1] – celles-ci n'étant que la partie visible de l'iceberg –, et ultérieurement l'apparition d'autres maladies. Après la naissance, l'enfant est encore très vulnérable, car, proportionnellement au poids de son corps, il inhale beaucoup plus d'air et ingère beaucoup plus d'eau qu'un adulte. Sa vulnérabilité est aussi renforcée en raison de sa proximité avec le sol, là où s'accumulent la plupart des polluants chimiques, et de l'immaturité persistante,

1. C. Sultan, F. Paris, B. Terouanne, P. Balaguer, V. Georget, N. Poujol, C. Jeandel, S. Lumbroso et J.C. Nicolas, « Disorders linked to insufficient androgen action in male children », *Hum. Reprod. Update*, mai-juin 2001, 7(3), p. 314-322.

au moins jusqu'à l'âge de 8 ans, de ses systèmes neurologique, endocrinien et immunitaire[1].

Compte tenu de la pollution actuelle, la plupart des nouveau-nés sont aujourd'hui contaminés par de très nombreux polluants chimiques CMR[2] auxquels la mère a été exposée avant et pendant sa grossesse. C'est ce que révèlent les analyses de sang du cordon ombilical. Ainsi, dans l'étude de l'Environmental Working Group[3], sur 413 polluants chimiques recherchés, 287 ont été décelés – en moyenne 200 par nouveau-né – alors que 180 sont cancérogènes, 217 neurotoxiques, et que 208 induisent des problèmes de malformations congénitales ou des avortements chez les animaux de laboratoire. On ne sait pas encore avec certitude ce qui résultera de l'exposition pré- ou postnatale à des mélanges aussi complexes de substances chimiques toxiques, mais on a de bonnes raisons de craindre le pire. Cette contamination peut constituer une véritable bombe à retardement ! Les substances décelées concernent des métaux dits lourds tels que le mercure, le cadmium ou le plomb, ou des polluants organiques persistants (POP) tels que des hydrocarbures aromatiques polycycliques (HAP), des polychlorobiphényles (PCB), des polybromodiphényléthers (PBDE) ou encore des pesticides organochlorés ou organophosphorés... La raison de la présence de ces polluants chez les nouveau-nés a été clairement identifiée : ils passent la

---

1. *Children's Health and Environment : A Review of Evidence. A Joint Report from the European Environment Agency and the WHO Regional Office for Europe*, 2002. Disponible sur : www.euro.who.int/document/e75518.pdf.

2. R.M. Sharpe et D.S. Irvine, « How strong is the evidence of a link between environmental chemicals and adverse effects on human reproductive health ? », *BMJ*, 21 février 2004, 328(7437), p. 447-451.

3. Environmental Working Group, *Body Burden – The Pollution in Newborns : A Benchmark Investigation of Industrial Chemicals, Pollutants and Pesticides in Umbilical Cord Blood*, 14 juillet 2005. Disponible sur : www.ewg.org/reports/bodyburden2/execsumm.php.

barrière placentaire[1], donc contaminent l'embryon et le fœtus. Il est par ailleurs clairement établi que ces substances peuvent perturber la croissance et le développement de ces derniers, causer des malformations congénitales et ultérieurement être à l'origine de stérilité, de cancers, de maladies du système nerveux ou de déficits immunitaires. Il en résulte que les nouveau-nés d'aujourd'hui sont susceptibles de voir se développer au cours de leur vie ces différentes pathologies. Comme le souligne l'Appel de Paris, l'enfance est désormais en danger.

La facture à payer

La vie telle que nous la concevons comprend trois niveaux : notre corps, la société dans laquelle nous vivons et la nature, composée de la faune, de la flore et des bactéries. En ce sens, la santé environnementale est un concept holistique sur lequel doit s'appuyer fondamentalement toute politique de santé publique. Ce concept déborde largement le cadre de l'exercice médical traditionnel, centré sur le malade et sa maladie, car c'est l'individu malade *de* son environnement, *dans* son environnement, qu'il faut considérer.

Les « maladies de civilisation », comme les appelait René Dubos[2], sont la facture qu'il nous faut payer pour les modifications que nous infligeons à notre environnement. Celles-ci ne sont pas seulement d'ordre médical ou écologique, elles concernent l'humanité, et au-delà le devenir même de notre espèce. S'il est absurde de

1. R.M. Whyatt, D.B. Barr, D.E. Camann, P.L. Kinney, J.R. Barr, H.F. Andrews, L.A. Hoepner, R. Garfinkel, Y. Hazi, A. Reyes, J. Ramirez, Y. Cosme et F.P. Perera, « Contemporary-use pesticides in personal air samples during pregnancy and blood samples at delivery among urban minority mothers and newborns », *Environ. Health Perspect.*, mai 2003, 111(5), p. 749-756.

2. R. Dubos, *Les Dieux de l'écologie*, Fayard, Paris, 1973.

condamner sans discernement les progrès techniques, car ils peuvent nous procurer certains bienfaits, il est tout aussi absurde de renier nos origines profondes et de les sacrifier au nom de ces progrès. Les civilisations qui nous ont précédés, beaucoup plus proches de la nature que ne l'est la nôtre aujourd'hui, possédaient certaines vertus que nous avons oubliées. Les « peuples racines [1] », qui existent encore sur notre planète, font partie de l'humanité au même titre que les civilisations aujourd'hui disparues et que la nôtre, dominante et prédatrice. Leur disparition progressive, de même que celle des espèces de la flore et de la faune, quelle qu'en soit la cause, ne peut préluder qu'à notre propre disparition prochaine. Nous devons le savoir et en tenir compte. La médecine actuelle aurait tort, au nom de la science et des techniques modernes qui en découlent, de ne pas se souvenir de l'apport de ces peuples racines, tout en veillant à séparer le bon grain de l'ivraie. Ce qu'il faut condamner, c'est l'excès des applications techniques et la vision purement réductrice de la médecine à laquelle elles contribuent. Les maladies d'aujourd'hui ont en effet une origine environnementale commune ; il serait scientifiquement absurde et moralement indigne de ne les attribuer qu'à des modifications individuelles, génétiques ou comportementales.

1. J'emprunte l'expression à É. Julien, *Le Chemin des neuf mondes*, Albin Michel, Paris, 2001.

Chapitre 5

Le masque invisible

> Le scepticisme envers ce qui n'est pas prouvé peut facilement se transformer en interdiction de penser.
>
> Theodor Adorno.

Elle avance masquée. Elle est là, dans l'air, l'eau, les sols, notre corps, celui de nos enfants, de nos nouveau-nés. Elle est là, insidieuse, diffuse, multiforme, menaçante. On ne la voit pas, bien qu'elle se manifeste déjà par ses effets sanitaires et écologiques. « Elle », c'est la pollution. Depuis une soixantaine d'années, nous n'avons cessé de polluer notre environnement, à tel point que nous faisons maintenant face à une pollution physique, chimique et biologique qui, partout dans le monde, sous une forme ou sous une autre, altère l'état de santé des populations. La facture est déjà lourde, mais elle le sera encore plus à l'avenir. En effet, en raison de la période de latence existant entre l'exposition aux polluants et les premières manifestations cliniques, les maladies environnementales que nous observons aujourd'hui témoignent de la pollution qui existait il y a dix ou quinze ans. Étant donné que nombre de polluants sont rémanents et que la pollution est globalement croissante dans de nombreux pays, les maladies de demain ne pourront être qu'encore plus nombreuses et toucher un nombre encore plus grand de sujets. On ne doit pas se faire d'illusions : l'incidence et la gravité des maladies liées à la pollution ne feront que croître dans les années à venir. Ce chapitre est consacré à la description des différents types de pollution.

La pollution physique

La pollution physique est celle générée par les rayonnements. Il en existe trois types : la radioactivité, les rayonnements ultraviolets et ce qu'on appelle les radiations électromagnétiques pulsées (REMP).

De Tchernobyl en Tchernobyls [1]

Depuis la dernière guerre mondiale, plusieurs centaines d'explosions nucléaires ont été provoquées dans le monde afin de mettre au point l'arme atomique, surtout dans l'hémisphère Nord et pour un grand nombre d'entre elles à ciel ouvert. La période des éléments radioactifs libérés est de quelques jours à plusieurs dizaines d'années, un peu plus de trente ans pour le césium 137. Par ailleurs, on a dénombré plusieurs accidents – il est vrai relativement rares – dans les centrales nucléaires. Celui de Tchernobyl, il y a vingt ans, est encore dans toutes les mémoires [2]. La façon dont les pouvoirs publics, en France comme ailleurs, ont géré la crise a été marquée par un total manque de transparence et par des mensonges à l'adresse des populations. Dans notre pays, il faut rendre hommage aux experts de la CRIIRAD, en particulier au

1. Titre du livre du Prix Nobel de physique français G. Charpak, cosigné avec R.L. Garwin et V. Journé, *De Tchernobyl en Tchernobyls*, Odile Jacob, Paris, 2005.

2. J.-M. Jacquemin, *Tchernobyl, 20 ans après. Cachez ce nuage que je ne saurais voir*, Guy Tresdaniel, Paris, 2006 ; G. Ackerman, G. Grandazzi et F. Lemarchand, *Les Silences de Tchernobyl. L'avenir contaminé*, Autrement, Paris, 2006.

géologue André Paris, pour l'énorme travail scientifique accompli avec rigueur et en toute indépendance dans le but de rétablir la vérité [1]. Pour ce qui est de l'Ukraine, de la Russie et de la Biélorussie, on ne peut pas passer sous silence l'importance de la contamination ni les mensonges d'État auxquels elle a donné lieu. La Biélorussie a aussi connu l'affaire Youri Bandazhevsky. Ce médecin a été calomnié, arrêté et emprisonné en 1999 parce que les résultats de ses travaux sur les conséquences sanitaires de Tchernobyl ne coïncidaient pas avec le discours officiel. Ils montraient en effet que la contamination de l'organisme par de faibles doses de césium 137 pouvait être à l'origine de malformations congénitales et de cancers chez l'enfant. Il convient de rendre hommage à tous ceux qui travaillent sans relâche à la réhabilitation de ce médecin courageux, et en particulier à la philosophe et sociologue Maryvonne David-Jougneau, présidente du comité Bandazhevsky pour la France, qui finalement pose la vraie question : celle de la dissidence face au totalitarisme des institutions [2].

Les éléments radioactifs, en se combinant aux poussières atmosphériques, voyagent à plusieurs milliers de kilomètres de l'épicentre de toute explosion nucléaire atmosphérique. Le nuage radioactif de Tchernobyl ne s'est bien sûr pas arrêté à nos frontières. En fait, il aurait fait deux fois et demi le tour de la Terre ! Les particules radioactives finissent toujours, un jour ou l'autre, par retomber sur terre. Elles la contaminent donc de façon hétérogène. Leur dispersion au gré des perturbations météorologiques ou climatiques et de l'irrégularité des sols est aléatoire. D'où l'extrême difficulté à se faire une opinion exacte sur le degré de contamination de la pla-

1. CRIIRAD et A. Paris, *Contamination radioactive : atlas France et Europe*, Éd. Yves Michel, Barret-sur-Méouge, 2002.

2. M. David-Jougneau, *Le Dissident et l'Institution*, L'Harmattan, Paris, 1989.

nète, une mesure réalisée à tel endroit pouvant être négative alors que, réalisée à tel autre, elle peut être positive.

Nul doute cependant que, depuis cinquante ans, est venue s'ajouter à la radioactivité naturelle – il s'agit essentiellement de celle générée par le radon[1] – une radioactivité artificielle, dont les estimations officielles nous affirment qu'elle serait minime, voire négligeable, mais dont on peut se demander si, en raison des difficultés que nous venons d'évoquer, elle ne serait pas plus importante qu'on ne le prétend.

Depuis les travaux pionniers du physicien allemand Roentgen ainsi que, en France, de Marie Curie et de Becquerel, tous trois Prix Nobel, on sait que l'exposition à des rayons X et à la radioactivité est cancérigène. Après les explosions nucléaires d'Hiroshima et de Nagasaki en 1945, des études japonaises très précises ont révélé que les premiers cancers à apparaître étaient des leucémies et des lymphomes – des tumeurs des ganglions –, que d'autres cancers, tels ceux du corps thyroïde, survenaient plus tard, et que d'autres encore, tels les cancers du sein ou les sarcomes – des tumeurs du tissu conjonctif –, pouvaient se manifester encore plus tard, parfois même après dix ou vingt ans.

Les conséquences sanitaires de la radioactivité sont difficiles à évaluer, même pour les spécialistes les plus avertis. S'il est admis que la radioactivité artificielle a pu occasionner durant ces cinquante dernières années quelques centaines de milliers de morts par cancers (sans compter les malformations génétiques induites et les problèmes de stérilité), en réalité nous n'en connaissons pas le nombre exact. Certains l'estiment à la hausse, alors que les orga-

1. Le radon est un gaz naturel inerte et radioactif dépourvu d'odeur, de couleur et de goût. Il fait partie de la chaîne de désintégration de l'uranium, élément qu'on trouve en quantité variable dans les sols, surtout dans les roches granitiques (Bretagne, Massif central, Ardennes). Parce qu'il peut se dégager des matériaux de construction, on le retrouve dans l'air de certaines habitations.

nismes institutionnels accréditent l'idée selon laquelle il serait à revoir à la baisse et que finalement le risque nucléaire serait faible, voire quasiment nul. En revanche, ce que nous savons avec certitude, c'est qu'il y a un risque et que ce risque est diffus et multiple. Ce n'est pas parce qu'il est difficilement quantifiable qu'il n'existe pas. C'est ce que j'ai voulu exprimer par la *parabole du fruit pourri* [1] : ce n'est pas parce qu'on ne voit pas encore les zones de pourriture dans un fruit mûr que ce fruit ne pourrira pas.

Au plan sanitaire, on sait que les rayonnements ionisants à faible dose peuvent interagir avec d'autres facteurs environnementaux, être mutagènes, cancérigènes et toxiques pour la reproduction (CMR), et par conséquent être à l'origine de cancers, de malformations congénitales et de stérilité. En outre, en raison de l'immunosuppression induite, ces rayonnements peuvent être à l'origine d'infections et même majorer le risque de cancers induits par les virus. Les extrapolations du Prix Nobel français Georges Charpak, basées sur des données purement physiques, sont donc probablement sous-estimées. En réalité, le problème est sociétal : en matière de nucléaire, étant donné que les autorités institutionnelles ont menti et mentent encore, plus personne ne les croit et cela se retourne contre elles lorsqu'elles envisagent de prendre des décisions.

Ultraviolets solaires et destruction de l'ozone stratosphérique

Dans ce domaine, le problème est théoriquement plus simple, mais potentiellement beaucoup plus grave. Les ultraviolets solaires sont des rayonnements non ionisants. Ils sont cependant doués de propriétés CMR, comme les rayonnements de la radioactivité. On sait depuis de nombreuses années que les ultraviolets sont à l'origine de cancers de la peau, en particulier de mélanomes – des « tumeurs noires » provenant souvent de la dégénéres-

1. D. Belpomme, *Ces maladies créées par l'homme*, *op. cit.*

cence d'un grain de beauté. On croyait que seule l'exposition solaire prolongée, par exemple pendant les vacances d'été, pouvait être à l'origine de ces cancers. En réalité, elle n'est qu'un facteur parmi d'autres. On sait désormais que la couche d'ozone stratosphérique, qui normalement nous protège des ultraviolets solaires, a diminué, et qu'il y a par conséquent augmentation de la quantité d'ultraviolets reçus par la peau, ce qui accroît le risque de cancer[1].

Les effets aggravés des ultraviolets ne concernent pas seulement les hommes, ils touchent aussi l'ensemble de la flore et de la faune. C'est ce qu'observent de nombreux naturalistes. Les ultraviolets sont très toxiques pour les organismes vivants. Au-delà d'une certaine dose, toute vie sur terre serait impossible. Or la diminution de la couche d'ozone résulte des activités humaines. Causée par la réactivité du chlore et surtout du brome avec l'ozone de la stratosphère, elle est liée à l'utilisation du chlore ainsi que probablement du brome et à la commercialisation de leurs dérivés organiques. En vertu du protocole de Montréal, un certain nombre de dérivés organochlorés, dont les chlorofluorocarbones (CFC), ont été retirés du marché, mais les mesures prises restent très insuffisantes[2] : on commercialise toujours des « substances appauvrissant la couche d'ozone » (SACO), qu'elles soient chlorées ou bromées. En fait, nul ne sait avec certitude si le trou dans la couche d'ozone est ou non en voie de réparation. Beaucoup pensent qu'il continue à s'aggraver[3].

1. G. Kelfkens, F.R. de Gruijl et J.C. Van der Leun, « Ozone depletion and increase in annual carcinogenic ultraviolet dose », *Photochem. Photobiol.*, 1990, 52, p. 819-823 ; E.C. De Fabo, « Arctic stratospheric ozone depletion and increased UV B radiation : potential impacts to human health », *Int. J. Circumpolar. Health*, 2005, 64, p. 509-522.

2. www.unep.org/org/ozone.

3. F.J. Broswimmer, *Écocide*, *op. cit.*

Rayonnements électromagnétiques pulsés

Les rayonnements électromagnétiques pulsés (REMP) sont à l'origine de différentes manifestations neurosensorielles, de possibles anomalies de la reproduction et d'un nombre limité de cancers en cas d'exposition prolongée. De tels effets sanitaires ont été dénoncés il y a de nombreuses années [1]. Cependant, aujourd'hui, il s'agit de faits en voie de reconnaissance scientifique, bien qu'ils aillent à l'encontre des avis émis par les industriels ou les pouvoirs publics. Il est ainsi clairement démontré qu'habiter à moins de six cents mètres d'une ligne à haute tension augmente significativement le risque de leucémie chez l'enfant [2]. De même, il semble que l'utilisation prolongée de téléphones portables ou sans fil peut être à l'origine de tumeurs du cerveau [3], bien que, dans ce dernier cas, une étude récente n'ait pu confirmer un tel lien de causalité [4].

L'explication des effets biologiques des REMP n'est cependant pas claire. Les REMP altéreraient l'ADN des cellules en y provoquant des mutations ou des anomalies épigénétiques [5]. Pour les lignes à haute tension, le mécanisme pourrait impliquer aussi l'ionisation des particules

---

1. P. Lannoye *et al.*, *La Pollution électromagnétique et la santé*, Frison-Roche, Paris, 1994.
2. G. Draper, T. Vincent, M.E. Kroll et J. Swanson, « Childhood cancer in relation to distance from high voltage power lines in England and Wales : a case-control study », *BMJ*, 4 juin 2005, 330(7503), p. 1290-1295.
3. L. Hardell, M. Carlberg et K. Hansson Mild, « Pooled analysis of two case-control studies on use of cellular and cordless telephones and the risk for malignant brain tumours diagnosed in 1997-2003 », *Int. Arch. Occup. Environ. Health*, septembre 2006, 79(8), p. 630-639.
4. J. Schüz, R. Jacobsen, J.H. Olsen *et al.*, « Cellular telephone use and cancer risk : update of a nationwide Danish cohort », *J. Natl. Cancer Inst.*, 2006, 98, p. 1707-1713. En fait, il apparaît clairement que le résultat négatif de cette étude est lié à l'existence de biais métholologiques, dont la durée d'utilisation des portables.
5. Voir le chapitre 4.

en suspension dans l'air [1]. En ce qui concerne les portables ou les téléphones sans fil, le rapport publié par le National Radiological Protection Board britannique (NRPB) souligne que les enfants de moins de 8 ans sont particulièrement vulnérables : « Leur boîte crânienne n'est pas encore complètement formée, leur système nerveux pas complètement développé, et les radiations pénètrent plus loin dans leur cerveau [2]. » Des mesures préventives de protection sont donc à prendre [3]. C'est ce qu'ont déjà fait plusieurs pays d'Europe.

Le panorama scientifique que je viens de dresser révèle l'existence d'interactions entre la pollution physique et la pollution chimique : relations entre ultraviolets et ozone stratosphérique, rôle des poussières atmosphériques dans le transport des éléments radioactifs, ionisation de ces mêmes poussières sous l'effet des REMP...

La pollution chimique

Au cours de ces cinquante dernières années, nous avons pollué l'environnement par plusieurs millions de substances chimiques. Quatre facteurs principaux sont à l'origine de cette pollution : la mise sur le marché de très nombreux produits toxiques, le développement considérable de l'industrie, l'industrialisation de l'agriculture et l'accroissement excessif des transports routier, aérien et maritime.

---

1. A.P. Fews, D.L. Henshaw, R.J. Wilding et P.A. Keitch, « Corona ions from powerlines and increased exposure to pollutant aerosols », *International Journal of Radiation Biology*, 1999, 75(12), p. 1523-1531 ; A.P. Fews, D.L. Henshaw, R.J. Wilding, P.A. Keitch et J.J. Close, « Increased exposure to pollutant aerosols under high voltage powerlines », *International Journal of Radiation Biology*, 1999, 75(12), p. 1505-1521.

2. Mobile Phone and Health 2004, Report by the board of NPRB : http://www.sante.bouyguestelecom.fr/btdocs/385.pdf.

3. D. Belpomme, *Guérir du cancer ou s'en protéger*, *op. cit.*

Selon les données de la Commission européenne, nous avons mis sur le marché environ 100 000 substances chimiques sans contrôle toxicologique suffisant[1]. Or, sur ces 100 000 substances, un certain nombre ont des propriétés CMR. En fait, nous ne connaissons pas le nombre exact de molécules CMR actuellement sur le marché. On admet que, sur les 30 000 substances chimiques aujourd'hui commercialisées, environ 5 000 ont été partiellement étudiées pour leurs propriétés toxiques et seulement moins d'un millier pour leur effet cancérigène.

À cela s'ajoute le fait que la pollution chimique résulte aussi de très nombreuses industries : les plus préoccupantes sont celles utilisant la combustion des produits fossiles (charbon, gaz, pétrole) et celles dont les activités concernent la pétrochimie, la chimie d'extraction ou de synthèse, la métallurgie, l'électronique et l'incinération des déchets. Il s'agit d'un ensemble d'activités très diverses touchant un grand nombre de secteurs.

La pollution chimique consécutive à l'industrialisation de l'agriculture et de l'élevage n'est pas moins préoccupante. Elle provient de l'utilisation excessive d'intrants agricoles, engrais chimiques et pesticides, qui sont des polluants très toxiques du point de vue sanitaire.

Enfin, la pollution est aussi liée au relargage incessant dans l'atmosphère des poussières et produits de combustion en provenance des transports routier, aérien et maritime. Le danger est considérable en raison des dommages sanitaires générés et de la diffusion à très longue distance de ces produits, qui interviennent aussi dans l'aggravation de l'effet de serre.

Toutes ces activités polluent sans discontinuer l'air que nous respirons, mais aussi l'eau et les sols, donc finalement notre alimentation.

---

1. Livre blanc de la Commission du 27 février 2001 relatif à la stratégie pour la future politique dans le domaine des substances chimiques [COM(2001) 88 final].

L'énorme problème est la rémanence dans l'environnement de la plupart de ces polluants et leur bioaccumulation dans les organismes vivants. Certaines substances, chimiquement stables, ne se dégradent dans les milieux inertes que très lentement. En outre, plusieurs d'entre elles interagissent dans ces milieux ou même dans les organismes qu'elles contaminent et y provoquer ce qu'on appelle des « effets cocktail[1] ». Certains métaux dits lourds, dont le mercure, le cadmium, le chrome hexavalent et le plomb, sont très toxiques pour l'organisme, y compris lorsqu'ils le contaminent à petite dose. À l'exception du mercure, les métaux dits lourds ne sont pas bioaccumulables. En revanche, nombre de substances organiques le sont en raison de leur lipophilie et de leur affinité pour les graisses. Elles peuvent donc contaminer l'ensemble de la chaîne alimentaire, s'accumuler dans les tissus graisseux de l'organisme et y provoquer, après relargage sanguin, un cancer, une diminution de la fertilité[2], une maladie dégénérative du système nerveux[3] ou encore

1. C.V. Haward et J.A. Newby, « Could the increase in cancer incidence be related to recent environmental changes ? », *in* P. Nicolopoulou-Stamati, L. Hens, V.C. Howard et N. Van Larebeke (dir.), *Cancer as an Environmental Disease*, Series : Environmental Science and Technology Library, vol. 20, 2004, p. 39-56. De même, l'interaction de deux ou plusieurs molécules peut être source de l'amplification toxique de l'une d'entre elles ou de leur mélange. On l'observe avec le glyphosate dans le Roundup. S. Richard, S. Moslemi, H. Sipahutar, N. Benachour et G.-É. Seralini, « Differential effects of glyphosate and Roundup on human placental cells and aromatase », *Environ. Health Perspect.*, juin 2005, 113(6), p. 716-720.

2. N.E. Skakkebaek, E. Rajpert-De Meyts et K.M. Main, « Testicular dysgenesis syndrome : an increasingly common developmental disorder with environmental aspects », *Hum. Reprod.*, mai 2001, 16(5), p. 972-978.

3. O. Kofman, A. Berger, A. Massarwa, A. Friedman et A.A. Jaffar, « Motor inhibition and learning impairments in school-aged children following exposure to organophosphate pesticides in infancy », *Pediatr. Res.*, juillet 2006, 60(1), p. 88-92 ; P. Grandjean et P.J. Landrigan, « Developmental neurotoxicity of industrial chemicals », *The Lancet*, décembre 2006, 368 (9553), p. 2167-2178.

des désordres immunitaires, eux-mêmes à l'origine d'infections, de cancers ou d'allergies. Enfin, en modifiant le tissu graisseux, certaines de ces substances pourraient être à l'origine de prise de poids ou d'obésité[1].

Les voies de contamination respiratoire et alimentaire sont les premières concernées par la pollution chimique, mais d'autres voies sont possibles : la voie cutanée en cas d'utilisation de produits cosmétiques, ou la voie sanguine en cas de contamination du fœtus par le sang de la mère pendant la grossesse, ou même en cas de contamination par des substances toxiques au cours de perfusions médicales.

Produits toxiques mis sur le marché

Les produits mis sur le marché peuvent contenir différentes substances chimiques toxiques. Comme le souligne le Mémorandum de l'Appel de Paris[2], au moins six substances ou groupes de substances chimiques dangereuses doivent impérativement être retirés du marché. Il s'agit de certains *aldéhydes*, dont le formaldéhyde ; de plusieurs *phtalates*, dont le di(2-ethlylhexyl)phtalate (DEHP) et le dibutylphtalate (DBP) ; de plusieurs *éthers de glycol*, dont l'éthylène glycol monométhyl éther (EGME), l'éthylène glycol monobutyl éther (EGBE), le diéthylène glycol diméthyl éther (DEGDME), le triéthylène glycol monométhyl éther (TEGME), le propylène glycol monométhyl éther (PGME), et tous les acétates de ces éthers de glycol ; du *bisphénol A*, utilisé pour durcir les plastiques et dans les vernis des boîtes de conserve ; du *mercure*, surtout de ses dérivés éthyliques ou méthyliques ; ainsi que du *brome*

1. P. Irigaray, V. Ogier, S. Jacquenet, V. Notet, P. Sibille, L. Mejean, B.E. Bihain et F.T. Yen, « Benzo[a]pyrene impairs beta-adrenergic stimulation of adipose tissue lipolysis and causes weight gain in mice. A novel molecular mechanism of toxicity for a common food pollutant », *FEBS J.*, avril 2006, 273(7), p. 1362-1372.
2. Mémorandum de l'Appel de Paris, *op. cit.*

et de certains de ses dérivés organiques autres que les polybromobiphényles (PBB) et polybromodiphényl éthers (PBDE), qui en principe sont déjà interdits par l'Union européenne. La plupart de ces substances ont des propriétés CMR clairement mises en évidence, ce qui les rend indésirables du point de vue sanitaire. En outre, certaines d'entre elles, comme le brome, ont des propriétés SACO.

Ces substances se retrouvent dans de nombreux produits : vernis, peintures, colles, bois d'intérieur traités, plastiques, retardateurs de flamme, équipements électriques ou électroniques, produits cosmétiques, produits d'usage courant. Elles doivent en être retirées et être remplacées par d'autres non toxiques, en vertu du principe de substitution que propose le projet de règlement européen REACH [1].

Tel est le cas des peintures au plomb qui, bien que l'Union européenne ait interdit leur usage lorsqu'elles contenaient des sels particulièrement toxiques [2], sont encore employées par certains professionnels. Tel est également le cas des colles et vernis au formaldéhyde, des bois traités par les pentachlorophénols, le xylène et différents arséniates ou chromates, des retardateurs de flamme bromés utilisés dans de nombreux produits manufacturés, en particulier dans les appareils électriques et électroniques, et qui, bien que le PBDE et le PBB aient été interdits par l'Union européenne, pourraient contribuer à l'émission de brome dans l'atmosphère en cas d'incinération [3]. Il en est de même des plastiques à base de polych-

1. REACH est l'acronyme pour Registration, Evaluation and Authorization of CHemicals (enregistrement, évaluation et autorisation des produits chimiques).

2. Selon l'OMS, les chromates et arséniates de plomb ainsi que le formaldéhyde sont des cancérigènes certains, classés dans le groupe 1 par le Centre international de recherche sur le cancer de Lyon (CIRC).

3. Ce qui justifie l'interdiction d'incinérer tous les matériels contenant des retardateurs de flamme bromés. Voir les chapitres 8 et 11.

lorure de vinyle (PVC) : pour être assouplis, ils contiennent un phtalate plastifiant hautement toxique pour la reproduction, le DEHP, dont on a pu vérifier que, lorsqu'il était libéré à partir des poches en plastique et cathéters médicaux utilisés pour perfuser les femmes enceintes, les nouveau-nés ou les enfants, il contaminait directement leur sang. Si rien n'est fait, allons-nous vivre une nouvelle affaire du sang contaminé ?

La liste est longue et ne fera que s'allonger si on n'y met pas bon ordre. Tous ces produits doivent être retirés du marché et remplacés par d'autres ne contenant pas de substances CMR. Comme l'ont montré diverses expériences européennes, des alternatives existent, et elles sont nombreuses.

Polluants de l'air extérieur

Le rôle de la pollution de l'air extérieur, surtout dans les grandes villes, est certain mais difficile à quantifier. Les hydrocarbures aromatiques polycycliques (HAP) issus de la combustion incomplète des produits fossiles sont hautement mutagènes, donc très cancérigènes. Ces HAP, les mêmes que ceux présents dans la fumée et les goudrons des cigarettes, se retrouvent dans les gaz d'échappement des voitures et dans les fumées d'usine. Contrairement à ce que clament encore certains médecins non avertis, il n'y a donc aucune raison de penser que seul le tabagisme aurait un rôle dans la genèse des cancers. Les poussières en suspension dans l'air que nous respirons, et qui proviennent aussi de la combustion de produits fossiles, interviennent également car elles sont les vecteurs des HAP et favorisent leur pénétration dans l'organisme [1].

Outre les HAP et les poussières atmosphériques, de nombreuses autres substances peuvent polluer l'air, de

1. Les HAP se lient par des liaisons de Van der Waals aux micro- et macroparticules de l'air, qui donc les véhiculent.

façon plus ou moins importante selon les zones ou régions concernées : les *métaux dits lourds*, tels que ceux énumérés précédemment, en provenance de la combustion de produits fossiles, de la métallurgie et de différentes industries chimiques ; les *composés organiques volatils* (COV) ; les *oxydes organiques*, tels que le dioxyde de soufre (SO_2), les oxydes d'azote (NO_x) et le monoxyde de carbone (CO) en provenance de l'industrie, de l'agriculture ou du trafic routier, aérien ou maritime ; les *gaz naturels en excès* tels que le dioxyde de carbone (CO_2), le méthane (CH_4), le protoxyde d'azote (N_2O), auxquels il faut ajouter l'ammoniac (NH_3) – lesquels, selon les cas, résultent de l'utilisation d'énergie fossile, de l'agriculture intensive ou du trafic ; les *hydrocarbures* et autres *substances organo-halogénées* ou *soufrées* ; enfin les *polluants organiques persistants* (POP), tels que les pesticides en zone agricole et les dioxines, furanes et polychlorobiphényles (PCB) au voisinage des incinérateurs.

Non seulement la plupart de ces polluants ont des effets toxiques aigus directs, mais nombre d'entre eux, dont les métaux dits lourds et la plupart des substances organiques, ont des propriétés CMR et sont par conséquent potentiellement à l'origine de cancers, de malformations congénitales et de stérilité.

À cela s'ajoute le fait que certains polluants, comme le dioxyde de carbone, le méthane, le protoxyde d'azote et l'ozone, sont des gaz à effet de serre (GES) provoquant la détérioration progressive de notre climat, et que d'autres encore, tels les produits organochlorés ou organobromés volatils, contribuent à la destruction de l'ozone stratosphérique.

Considérant les effets à très long terme de ces deux dernières catégories de polluants, nous devons nous préparer à des lendemains sanitaires extrêmement préoccupants. Il est clair que sans couche d'ozone stratosphérique, sans une température suffisamment clémente et sans un climat suffisamment stable, toute vie sur terre serait impossible.

Polluants de l'air intérieur

Les effets sanitaires de la pollution de l'air intérieur dans les lieux où nous travaillons et vivons, bien qu'encore imparfaitement connus, sont probablement très importants. Rappelons avant tout que c'est à l'intérieur des lieux d'habitation et de travail que les citadins passent 80 % à 90 % de leur temps, et que l'Organisation mondiale de la santé (OMS) a érigé au rang de principe fondamental le droit de tout être humain à respirer un air intérieur sain [1].

L'une des pollutions de l'air intérieur les mieux connues est le tabagisme passif. Son rôle néfaste a été mis en évidence chez les femmes enceintes et les enfants. Lutter contre le tabagisme, surtout en lieu clos, reste donc une priorité de santé publique. Mais le tabagisme passif n'est pas la seule pollution en cause.

La contamination par les fibres d'amiante, à l'origine de cancers du poumon et de la plèvre – les mésothéliomes –, ne peut plus être négligée. On sait depuis un siècle que l'amiante est cancérigène, et pourtant il a fallu attendre 1996 pour que l'Europe – après quel combat ! – prenne les décisions qui s'imposaient. Encore tout n'est-il pas réglé. Le Canada continue d'extraire de ses mines l'un des minerais d'amiante les plus toxiques au monde et de l'exporter. Dans notre pays, le désamiantage des bâtiments n'en est qu'à ses débuts. Le problème est même de savoir si le déflocage de l'amiante est la solution idéale ou si, pour des raisons de coût et de sécurité, on n'aurait pas intérêt, comme le suggère le Mémorandum de l'Appel de Paris, à lui substituer une procédure d'encoffrement consistant en un recouvrement de protection par une enveloppe étanche afin d'éviter aux fibres d'amiante de polluer l'air intérieur.

1. *The Right to Healthy Indoor Air. Report on a WHO Meeting*, Bilthoven, Pays-Bas, 15-17 mai 2000.

En lieu clos non aéré, une multitude de substances chimiques peuvent s'accumuler sous forme de gaz ou de poussières et provoquer différents types d'effets toxiques aigus ou chroniques. C'est ce que révèlent les analyses effectuées en laboratoire spécialisé à partir de prélèvements réalisés sur site, grâce par exemple aux systèmes d'« ambulances vertes » au Luxembourg, en Belgique, en Allemagne ou en Suède. Si les autorités publiques ont mis un siècle à admettre que l'amiante était cancérigène et à prendre les mesures nécessaires, on ne pourra pas attendre un siècle pour chacune des centaines, voire des milliers de substances chimiques polluant nos lieux de vie.

On trouve dans les lieux clos les poussières et éventuellement les HAP en provenance de l'air extérieur, et cela à des concentrations beaucoup plus importantes – parfois 10 à 20 fois plus élevées –, donc plus toxiques, que dans l'air extérieur. On y trouve aussi de très nombreux composés organiques volatils (COV), tels le benzène ou le toluène, des quantités importantes de formaldéhyde (si l'aménagement du lieu a nécessité l'usage de colles ou de vernis contenant cette substance) et de nombreux autres composés métalliques ou organiques. Enfin, on peut y déceler aussi des biocides à usage domestique, des pesticides utilisés pour les plantes d'intérieur et les animaux domestiques, ainsi que certains produits ménagers d'usage courant dont on soupçonne le rôle toxique [1]. En l'absence d'aération, ces substances s'accumulent dans l'air intérieur sans qu'on s'en aperçoive. Certaines d'entre elles ont été classées comme cancérigènes par l'OMS.

1. F. Menegaux, A. Baruchel, Y. Bertrand, B. Lescœur, G. Leverger, B. Nelken, D. Sommelet, D. Hemon et J. Clavel, « Household exposure to pesticides and risk of childhood acute leukaemia », *Occup. Environ. Med.*, février 2006, 63(2), p. 131-134 ; C.E. Mapp, V. Pozzato, V. Pavoni et G. Gritti, « Severe asthma and ARDS triggered by acute short-term exposure to commonly used cleaning detergents », *Eur. Respir. J.*, septembre 2000, 16(3), p. 570-572.

Le point capital ici est qu'un grand nombre de ces polluants provient moins de l'air extérieur que des matériaux de revêtement intérieur, des mobiliers (surtout lorsqu'ils sont usagés), des tissus d'ameublement et linoplastiques, autrement dit de produits en vente libre sur le marché et qui, sous l'effet de l'usure ou de la chaleur, les émettent sous la forme de poussières ou de vapeurs toxiques. D'où la nécessité de prendre des mesures de prévention ou de précaution.

Les liens entre ces différents polluants et l'apparition des maladies qui pourraient en être la conséquence commencent à être précisés. Le risque de leucémie chez l'enfant est multiplié par trois ou quatre s'il habite à proximité d'un garage ou d'une station-service [1] : faut-il incriminer l'accumulation de benzène, dont on connaît avec certitude le rôle leucémogène ? De même, comme cela a été démontré dans une étude récente effectuée en Alsace [2], des taux très élevés de formaldéhyde dans les crèches, écoles maternelles et écoles primaires pourraient expliquer au moins en partie l'augmentation d'incidence des cancers chez l'enfant telle qu'on l'observe dans la très grande majorité des États membres de l'Union européenne [3].

---

1. C. Steffen, M.F. Auclerc, A. Auvrignon, A. Baruchel, K. Kebaili, A. Lambilliotte, G. Leverger, D. Sommelet, E. Vilmer, D. Hemon et J. Clavel, « Acute childhood leukaemia and environmental exposure to potential sources of benzene and other hydrocarbons ; a case-control study », *Occup. Environ. Med.*, septembre 2004, 61(9), p. 773-778.

2. Une campagne de mesures de formaldéhyde dans l'air de 150 écoles et crèches a été menée à Strasbourg et dans ses environs par l'Association pour la surveillance et l'étude de la pollution atmosphérique en Alsace (ASPA) : http://rsein.ineris.fr/actualite/actu_pdf/13_NLeclerc.pdf.

3. E. Steliarova-Foucher, C. Stiller, P. Kaatsch, F. Berrino, J.W. Coebergh, B. Lacour et M. Parkin, « Geographical patterns and time trends of cancer incidence and survival among children and adolescents in Europe since the 1970s (the ACCIS project) : an epidemiological study », *Lancet*, 11-17 décembre 2004, 364(9451), p. 2097-

Bien que de nombreuses recherches restent à accomplir dans ce domaine, la mise en place de mesures de précaution s'impose dès maintenant, comme le souligne là encore le Mémorandum de l'Appel de Paris.

Contaminants alimentaires

La pollution des aliments est beaucoup plus importante qu'on ne le croit et qu'on ne le dit. Deux groupes de substances sont à considérer : les contaminants et les additifs.

Les *contaminants* résultent de l'agriculture et de l'élevage intensifs, d'une mauvaise gestion des déchets et de leur incinération. On les trouve dans les aliments, le plus souvent à petites doses. Ils comprennent les nitrates, les pesticides, les dioxines et de nombreux métaux dits lourds. Tous sont potentiellement cancérigènes. Certains professionnels de santé se veulent rassurants, affirmant que les nitrates ne sont pas cancérigènes. Or ces substances sont transformées en nitrites et en nitrosamines hautement mutagènes – donc cancérigènes – par les bactéries de notre flore colique[1]. Le rôle indirectement cancérigène des nitrates, qui n'était encore qu'une hypothèse il y a quelques années, vient d'être démontré aux États-Unis à l'aide d'études épidémiologiques : un taux élevé de nitrates dans l'eau peut être à l'origine de certains cancers, en particulier digestifs, et de lymphomes[2].

2105 ; P. Kaatsch, E. Steliarova-Foucher, E. Crocetti, C. Magnani, C. Spix et P. Zambon, « Time trends of cancer incidence in European children (1978-1997) : report from the Automated Childhood Cancer Information System Project », *Eur. J. Cancer.*, septembre 2006, 42(13), p. 1961-1971.

1. S.R. Tannenbaum, V. Young, L. Green et K. Ruiz de Luzuriaga, « Intestinal formation of nitrite and N-nitroso compounds », *IARC Sci. Publ.*, 1980, 31, p. 2819.

2. M.H. Ward, S.D. Mark, K.P. Cantor, D.D. Weisenburger, A. Correa-Villasenor et S.H. Zahm, « Drinking water nitrate and the risk of non-Hodgkin's lymphoma », *Epidemiology*, 1996, 7, p. 465-471 ; A.J. De Roos, M.H. Ward, C.F. Lynch et K.P. Cantor, « Nitrate

La plupart des pesticides utilisés en agriculture intensive sont des produits CMR très toxiques. Ils le sont surtout chez l'enfant, où ils peuvent être à l'origine de malformations congénitales[1] et plus tard de retard mental. Les premières victimes sont les agriculteurs eux-mêmes et leurs enfants. De nombreux pesticides organochlorés sont responsables de stérilité, ou du moins d'infertilité ou de baisse de la fécondité, comme le confirment aujourd'hui l'ensemble des données scientifiques dans la littérature internationale[2]. Certains d'entre eux sont à l'origine de cancers, en particulier de lymphomes ou de tumeurs cérébrales chez l'enfant ou le jeune adulte[3]. Les pesticides organophosphorés sont à l'origine d'affections dégénératives du système nerveux. Celles-ci évoquent la maladie de Parkinson lorsqu'elles surviennent chez le

---

in public water supplies and the risk of colon and rectum cancers », *Epidemiology*, 2003, 14, p. 640-649.

1. W. Hanke et J. Jurewicz, « The risk of adverse reproductive and developmental disorders due to occupational pesticide exposure : an overview of current epidemiological evidence », *Int. J. Occup. Med. Environ. Health*, 2004, 17(2), p. 223-243.

2. R.W. Bretveld, C.M. Thomas, P.T. Scheepers, G.A. Zielhuis et N. Roeleveld, « Pesticide exposure : the hormonal function of the female reproductive system disrupted ? », *Reprod. Biol. Endocrinol.*, 31 mai 2006, 4, p. 30-43 ; E. Carlsen, A. Giwercman, N. Keiding et N.E. Skakkebaek, « Evidence for decreasing quality of semen during past 50 years », *BMJ*, 12 septembre 1992, 305(6854), p. 609-613 ; C. De Vigan, B. Khoshnood, A. Lhomme, V. Vodovar, J. Goujard et F. Goffinet, « Prevalence and prenatal diagnosis of congenital malformations in the Parisian population : twenty years of surveillance by the Paris Registry of Congenital Malformations », *J. Gynecol. Obstet. Biol. Reprod.* (Paris), février 2005, 34(1 Pt 1), p. 8-16.

3. P. Reynolds, J. Von Behren, R.B. Gunier, D.E. Goldberg, A. Hertz et M.E. Harnly, « Childhood cancer and agricultural pesticide use : an ecologic study in California », *Environ. Health Perspect.*, mars 2002, 110(3), p. 319-324 ; S.H. Zahm, W.H. Ward et A. Blair, « Pesticides and cancer », *Occup. Med.*, avril-juin 1997, 12(2), p. 269-289.

sujet jeune[1], ou prennent la forme d'une véritable maladie d'Alzheimer chez le sujet âgé[2].

À cela s'ajoutent les risques d'intoxication chronique par les dioxines, dont le rôle CMR, en particulier cancérigène, est plus que suspecté[3]. Or les dioxines peuvent se retrouver à des taux très élevés dans le lait de vache, les œufs et les volailles en cas d'élevages proches des incinérateurs. Il est évident que l'incinération constitue un procédé de traitement des déchets extrêmement dangereux du point de vue sanitaire.

Additifs alimentaires

Un très grand nombre d'*additifs alimentaires* sont aussi potentiellement cancérigènes. En outre, certains d'entre eux peuvent provoquer des allergies alors que d'autres contribuent directement ou indirectement à la prise de poids. Or, comme on le sait, l'obésité et ses conséquences – diabète, cancers et maladies cardiaques – sont un véritable fléau de santé publique.

À la différence de ce qui se passe avec les contaminants, c'est intentionnellement qu'on ajoute des additifs aux aliments pour en accroître les qualités organoleptiques[4], le but ultime étant que les consommateurs les achètent en plus grande quantité. En réalité, le plus souvent, nous

---

1. A. Ascherio, H. Chen, M.G. Weisskopf, E. O'Reilly, M.L. McCullough, E.E. Calle, M.A. Schwarzschild et M.J. Thun, « Pesticide exposure and risk for Parkinson's disease », *Ann. Neurol.*, août 2006, 60(2), p. 197-203.

2. I. Baldi, P. Lebailly, B. Mohammed-Brahim, L. Letenneur, J.-F. Dartigues et P. Brochard, « Neurodegenerative diseases and exposure to pesticides in the elderly », *Am. J. Epidemiol.*, 1er mars 2003, 157(5), p. 409-414.

3. J.F. Viel, P. Arveux, J. Baverel et J.Y. Cahn, « Soft-tissue sarcoma and non-Hodgkin's lymphoma clusters around a municipal solid waste incinerator with high dioxin emission levels », *Am. J. Epidemiol.*, 1er juillet 2000, 152(1), p. 13-19.

4. Ces qualités concernent la couleur, l'odeur, le goût, la flaveur et la saveur.

sommes trompés. Tous les conservateurs nitrités administrés à petites doses sont cancérigènes lorsqu'ils sont ingérés régulièrement. Et il en est de même de plusieurs colorants azoïques pourtant toujours tolérés sur les listes officielles. Le drame est que nombre de produits en vente sur le marché, comme certains sandwichs fabriqués industriellement et vendus par exemple dans les gares, peuvent contenir plus de dix additifs ! Ils sont certes en très petite quantité, mais, comme nous l'avons vu, ce n'est pas la dose qui fait le poison, mais sa répétition. Les libertés prises par l'industrie agroalimentaire dans la manipulation de nos aliments sont inacceptables. Cela ne pourra pas durer. C'est ce que dénoncent avec fermeté de nombreux nutritionnistes[1]. Comme l'ont souligné les experts du Mémorandum de l'Appel de Paris, l'autorisation de mise sur le marché des additifs alimentaires devra suivre une procédure réglementaire aussi rigoureuse au plan toxicologique que celle utilisée pour les médicaments. D'ailleurs, une telle procédure devra concerner aussi les produits cosmétiques.

Produits cosmétiques

Récemment, le grand public s'est ému de la présence de substances toxiques, en particulier cancérigènes, dans les produits cosmétiques. Plus de 9 000 substances ont été répertoriées. La plupart n'ont jamais été testées pour leurs effets toxiques à long terme, y compris pour leurs propriétés CMR[2]. Plusieurs d'entre elles, tels le formaldéhyde, certains phtalates, certains éthers de glycol, sont à l'évidence cancérigènes ou toxiques pour la reproduction. La voie cutanée est très perméable aux substances chimiques, ce qui explique qu'elles passent dans le sang. La médecine utilise d'ailleurs cette voie dans un but théra-

1. J.-M. Cohen et P. Serog, *Savoir manger. Le guide des aliments 2006-2007*, Flammarion, Paris, 2006.
2. http://www.ewg.org/reports/skindeep2/findings/index.php.

peutique lorsqu'elle se sert de patches cutanés pour assurer la diffusion dans l'organisme de médicaments à action prolongée. La démonstration épidémiologique du rôle cancérigène ou reprotoxique de ces multiples substances est difficile, voire impossible, étant donné leur nombre et leurs associations complexes, ce qui ne signifie pas bien sûr que le risque n'existe pas. La législation européenne en ce domaine est très insuffisante. Il est évident qu'elle doit être renforcée en vertu du principe de précaution.

La dégradation biologique

Qu'ils soient d'origine physique ou chimique, un très grand nombre de polluants sont caractérisés par une propriété fondamentale, celle d'être CMR. C'est là le point central qui doit guider toute réflexion scientifique approfondie quant à l'interprétation des dégâts sanitaires actuels. Les effets CMR sont à l'origine non seulement d'un grand nombre de problèmes de santé publique, mais aussi, comme l'avaient observé les scientifiques signataires de la déclaration de Wingspread[1], de désordres écologiques conduisant à la disparition des espèces animales. Ils contribuent donc, au même titre que les activités de destruction de l'environnement, à sa dégradation biologique, avec pour conséquence la détérioration des écosystèmes et l'émergence ou la réémergence de maladies infectieuses. Dans le domaine de l'environnement, tout se tient. Notre santé est intégralement tributaire du bon état des écosystèmes. C'est ce que j'ai tenté de montrer au chapitre 3 en proposant, en complément au concept de *santé environnementale*, celui d'*écologie sanitaire*.

La pollution physicochimique est caractérisée par une deuxième propriété qui, bien que moins solidement éta-

1. Déclaration signée le 28 juillet 1991 par 22 scientifiques nord-américains. Voir annexe 1.

blie du point de vue scientifique, est probablement aussi à l'origine de la dégradation biologique de l'environnement et de l'apparition de nos maladies : l'effet immunosuppresseur des rayonnements et de certaines substances chimiques. Il est clairement démontré que, délivrés de façon continue à petite dose, les rayonnements et certaines substances chimiques sont susceptibles d'induire des désordres immunologiques, et en particulier une baisse des défenses immunitaires, chez tous les organismes vivants qu'ils polluent. Cette baisse des défenses concerne non seulement notre corps, mais aussi tous les animaux vivant à notre contact, et elle favorise la prolifération de nombreux micro-organismes. Deux exemples suffisent pour nous en convaincre. Les enfants inuit sont actuellement l'objet d'infections multiples à répétition et on suspecte le rôle immunosuppresseur de certaines substances chimiques, dont les pesticides. Ces substances, libérées dans l'air de nos régions, voyagent sur de très grandes distances grâce aux poussières atmosphériques qui les véhiculent, ce qui explique qu'elles puissent contaminer non seulement les Inuits eux-mêmes, mais l'ensemble de la chaîne alimentaire dont ils se nourrissent (poissons, phoques, oiseaux, etc.). Autre exemple : dans les pays occidentaux, les enfants, et plus particulièrement les nouveau-nés, souffrent aujourd'hui de multiples infections bronchiques, lesquelles, selon les pédiatres, s'expliquent par la pollution chimique atmosphérique. Les poussières en suspension dans l'air interviennent sans doute, mais rien n'interdit de penser que d'autres polluants, en particulier immunosuppresseurs, leur sont associés, ainsi que les infections virales ou bactériennes qui en sont la conséquence.

La preuve absolue n'existe pas. Ce qui existe, c'est ce que nous observons !

La validité scientifique des messages précédents et leur acceptation par la société méritent d'être discutées. De façon générale, les lobbies industriels nient l'existence d'une contamination de l'environnement par leurs propres produits ou activités, et surtout leur responsabilité dans l'émergence des maladies, qui pourtant en sont la conséquence directe ou indirecte. L'argument souvent utilisé est que les preuves scientifiques manquent pour relier causalement l'existence de la pollution à l'apparition des maladies. À cela, plusieurs éléments de réponse peuvent être apportés. Les sciences de la nature ne sont pas les mathématiques. Les mathématiques prouvent, démontrent, la science ne le peut pas. Les scientifiques peuvent certes recourir à un raisonnement déductif ou inductif et se référer au principe de causalité pour appuyer ce qu'ils estiment être la vérité, mais ils ne peuvent jamais prouver. Ils ne peuvent qu'observer. Et c'est ce qui compte en réalité. Aujourd'hui, nier la pollution est une absurdité. Nier qu'elle retentit sur la faune et la flore et sur notre santé est tout aussi absurde.

Il existe en fait trois approches scientifiques possibles pour relier la pollution environnementale aux effets sanitaires qu'elle provoque : la toxicologie, l'épidémiologie et la biologie. Ces trois approches doivent être utilisées de façon conjointe, car c'est à partir d'un faisceau d'arguments d'origine et de nature diverses, mais dont l'analyse conduit à un résultat convergent qu'on peut établir une nouvelle « vérité ». Dans le débat sociétal actuel, la seule considération des arguments toxicologiques est déjà très importante : les propriétés CMR et immunosuppressives des polluants permettent de les relier *causalement* aux effets sanitaires qu'ils entraînent. Les arguments biologiques sont tout aussi essentiels. Ils expliquent pourquoi et comment certaines espèces plus sensibles que d'autres disparaissent, et pourquoi et comment l'embryon, le fœtus, le nouveau-né et de façon plus générale l'enfant est plus vulnérable que l'adulte à la pollution.

Reste le problème des études épidémiologiques, dont l'objectif est de montrer l'existence d'un *lien associatif* entre tel polluant et tel effet dans un échantillon d'individus sélectionnés. C'est là que surgissent les difficultés. La pollution chimique est aussi difficilement quantifiable que celle d'origine physique. La multitude d'agents et leurs effets potentiels, leur capacité à voyager sur de très longues distances, leur très grande diffusion dans l'air, l'eau, les sols, les plantes et les animaux et la possibilité d'« effets cocktail » expliquent pourquoi il est si compliqué de réaliser des études épidémiologiques fiables, et surtout de mettre en évidence une différence significative entre les sujets à risque et des témoins qui paraissent ne pas l'être. En réalité, ces derniers peuvent avoir été, sans qu'on le sache, contaminés par d'autres polluants ayant des effets comparables à ceux qu'on cherche à étudier chez les sujets à risque.

Ainsi, comme le souligne l'Appel de Paris[1], *une étude épidémiologique négative ne signifie pas l'absence de risque.* C'est ce que doivent comprendre impérativement l'ensemble des professionnels de santé et des responsables politiques.

Pollution physique, pollution chimique : laquelle est la plus dangereuse pour notre santé ?

Cette question émane le plus souvent de spécialistes en chimie désireux de défendre leur discipline ou, à l'inverse, de militants écologistes s'opposant au nucléaire. Y répondre est essentiel afin d'orienter la prise de décision et de définir la nature des mesures à prendre. Plusieurs éléments doivent être pris en compte. L'une des premières observations est que la pollution chimique, à la différence de la pollution physique, est à l'origine de la disparition des espèces animales ou végétales. L'intense repeuplement par la faune et la flore des régions sinistrées, hautement

1. www.artac.info, rubrique Appel de Paris.

contaminées et par conséquent désertées après l'accident de Tchernobyl signifie que, sans l'homme et malgré la forte radioactivité, la nature peut reprendre ses droits. Cela ne veut pas dire, bien sûr, que les animaux qui ont repeuplé ces régions ne seront pas un jour ou l'autre atteints de cancers, de malformations congénitales ou de stérilité, mais tel ne semble pas être le cas pour le moment. La seconde observation provient de l'analyse des facteurs à l'origine des cancers et de l'estimation de leur poids respectif. Si, dans nos pays, 25 % des cancers sont liés au tabagisme, on estime que 15 % sont d'origine virale et seulement 10 % causés par les rayonnements[1]. Ce qui signifie qu'environ un cancer sur deux serait lié à la pollution chimique. Une telle estimation est bien sûr approximative et nécessite d'être validée scientifiquement. En outre, elle ne tient pas compte des malformations congénitales et des désordres génétiques à long terme potentiellement induits par les rayonnements. Mais elle a le mérite d'orienter le champ de nos réflexions et de nos décisions.

1. Il s'agit d'estimations auxquelles se réfère habituellement la communauté scientifique internationale. V.T. De Vita, S.J. Hellman et S.A. Rosenberg (dir.), *Cancer : Principles and Practice of Oncology*, Lippincott-Raven, Philadelphie, 2005.

Chapitre 6

Ces maladies créées par l'homme

> Ceux qui prétendent détenir la vérité sont ceux qui ont abandonné la poursuite du chemin vers elle. La vérité ne se possède pas, elle se cherche.
>
> Albert Jacquard.

> Une vérité ne triomphe jamais, mais ses adversaires finissent par mourir.
>
> Max Planck.

La médecine a toujours été plus à l'aise pour décrire les maladies que pour en rechercher les causes et y trouver les remèdes. Hippocrate a été le premier à comprendre que les maladies n'étaient pas envoyées par les dieux pour punir l'homme de ses fautes [1] et à affirmer que le médecin devait faire tous les efforts possibles pour que son action rejoigne celle de la nature. Mais, bien qu'il eût reconnu l'influence des airs, des eaux et des lieux ainsi que celle du climat, ce pionnier incomparable de la médecine croyait en réalité que les maladies étaient fondamentalement causées par un déséquilibre des quatre humeurs fon-

1. Hippocrate, *L'Art de la médecine*, Flammarion, Paris, 1999.

damentales qu'il avait individualisées : le sang, la bile, la lymphe et l'atrabile[1]. Bien sûr, nous n'en sommes plus là, mais notre médecine moderne voit toujours dans le mauvais fonctionnement de notre corps la cause principale de nos maladies. Cette idée doit être entièrement révisée. La très grande majorité de nos maladies sont causées par la dégradation de notre environnement et c'est nous qui les provoquons. C'est ce que j'analyse ici en définissant le concept de maladie environnementale et en l'appliquant à l'étude des maladies actuelles.

L'hypothèse environnementale en médecine

La médecine contemporaine distingue trois groupes principaux de maladies selon leur origine : les maladies infectieuses, les maladies relevant du mode de vie – celles liées aux intempérances individuelles telles que le tabagisme, l'alcoolisme ou une mauvaise alimentation – et les maladies sans cause apparente, qu'on appelle « idiopathiques ». À cela s'ajoutent les traumatismes et handicaps ainsi qu'un ensemble disparate de « maladies rares », dont certaines, comme l'hémophilie, sont héréditaires tandis que d'autres, comme un grand nombre de malformations congénitales, sont acquises pendant la grossesse[2]. Bien que chacune d'entre elles ne compte que quelques cas, les maladies rares sont très nombreuses – environ un millier, très différentes les unes des autres. Un million de nos concitoyens en seraient atteints. Ces maladies sont aussi

1. L'*atrabile* ou bile noire : Hippocrate pensait que les personnes présentant un déséquilibre des humeurs en faveur de l'atrabile étaient d'« humeur noire ». Il expliquait ainsi la survenue des cancers chez elles.

2. Les maladies congénitales sont soit héréditaires, soit acquises. Lorsqu'elles sont acquises, elles surviennent le plus souvent pendant les trois premiers mois de la vie intra-utérine et ne sont pas transmissibles à la descendance.

appelées « orphelines », tout simplement parce que, le plus souvent, on ne sait pas les traiter et que la médecine semble s'en désintéresser[1].

La catégorisation des maladies selon ces critères étiologiques est très réductrice, à tel point qu'elle en devient fausse. L'hypothèse que je formule est triple : la très grande majorité des maladies idiopathiques – les plus nombreuses – sont en réalité des maladies environnementales ; certaines des maladies qui paraissent principalement liées au mode de vie sont en fait causées elles aussi par des facteurs environnementaux ; enfin, un grand nombre de maladies orphelines sont d'origine environnementale.

Le rôle de l'environnement dans la genèse des maladies : de l'hypothèse au concept

Le débat scientifique actuel s'articule autour du fait que la génétique n'explique pas tout, puisque les gènes de susceptibilité n'ont d'autre rôle que de nous rendre plus ou moins perméables à l'action de facteurs exogènes, extérieurs à notre organisme, qu'ils soient liés à notre mode de vie ou présents dans l'environnement.

Les comportements individuels et collectifs que nous adoptons au sein de la société font partie de ce qu'on appelle le *mode de vie*. Or la distinction entre mode de vie et environnement n'est pas si claire qu'il y paraît. Pour les généticiens, dans l'apparition d'une maladie, seuls les facteurs de susceptibilité génétique et les facteurs environnementaux au sens large du terme sont à considérer : l'environnement englobe *tout ce qui est acquis*, y compris le mode de vie. Les médecins, eux, distinguent au sein de

1. Voir une classification des maladies orphelines dans D. Belpomme, *Les Grands Défis de la politique de santé en France et en Europe*, *op. cit.*

l'environnement ce qui appartient au mode de vie et ce qui n'en relève pas – l'environnement physique, chimique et biologique, au sens restrictif du terme.

La thèse médicale classique soutient qu'un nombre important de nos maladies est causé principalement, si ce n'est exclusivement, par notre mode de vie, et que, lorsqu'il n'existe aucun facteur de risque connu – autrement dit lorsqu'on est en présence d'une maladie idiopathique –, la cause serait à rechercher dans le vieillissement naturel. Ce qui signifierait que les maladies survenant à un âge avancé seraient en quelque sorte « spontanées », liées à l'usure ou au dérèglement naturel de l'organisme. Ce raisonnement ne tient pas la route au plan des données scientifiques. Si on peut concevoir la mort naturelle comme découlant d'une usure du corps globale et progressive, les maladies ont toujours besoin d'une ou plusieurs causes précises pour apparaître. Une maladie dont les facteurs de risque liés au mode de vie sont absents ou non prédominants ne peut être provoquée que par des facteurs environnementaux, physiques, chimiques ou biologiques, certes difficiles à mettre en évidence et souvent encore méconnus, mais dont l'existence est certaine.

Il en est probablement de même pour la très grande majorité des maladies orphelines, y compris lorsqu'elles apparaissent comme étant de nature héréditaire. Lorsqu'une maladie congénitale ne semble pas relever de facteurs héréditaires, la responsabilité de facteurs environnementaux ayant perturbé le bon déroulement de la grossesse est plus que probable.

Les trois déterminants fondamentaux de nos maladies

En réalité, facteurs génétiques, mode de vie et environnement sont intimement liés. Les anciens médecins ne s'y étaient pas trompés en individualisant la notion de « terrain », qu'ils définissaient comme un ensemble de paramètres regroupant les antécédents personnels et familiaux des malades et leurs conditions de vie. L'existence ou non de facteurs de susceptibilité génétique, un mode de vie plus ou moins intempérant et un environnement plus ou moins salubre sont les trois déterminants fondamentaux à l'origine de nos maladies. Ce sont eux qui font que certains individus tombent malades et d'autres pas. La différence de susceptibilité génétique est sans doute une injustice de la nature contre laquelle nous sommes largement impuissants, mais, en ce qui concerne les deux autres déterminants, nous avons les moyens d'agir et c'est là que doit se situer le combat de la médecine.

Les trois facteurs évoqués agissent en congruence, et c'est en raison de cette congruence que naissent les maladies. Il est des maladies, par exemple l'hémophilie, pour lesquelles les facteurs héréditaires sont prédominants, mais elles sont exceptionnelles. Pour d'autres, telles les maladies cardiovasculaires, ce sont les facteurs liés au mode de vie qui prédominent [1]. Pour d'autres encore, tels les maladies infectieuses, les traumatismes ou les cancers, les facteurs environnementaux priment. Ainsi doit-on définir les maladies environnementales comme des maladies non pas relevant exclusivement de facteurs environnementaux mais pour lesquelles ces facteurs sont prédominants et essentiels à leur genèse.

Les maladies environnementales

Je définis par six propriétés les maladies environnementales :

---

1. Pour ces maladies, le tabagisme, une alimentation riche en graisses animales, en sucres et en sel, la sédentarité, le stress apparaissent comme des déterminants majeurs. Mais entrent probablement aussi en ligne de compte des facteurs environnementaux non encore connus. Ceux-ci pourraient être à l'origine par exemple de la formation des plaques d'athérome, « signature pathologique » de ce qu'on appelle l'athérome, la principale maladie des artères.

• Elles sont toutes ou presque provoquées directement ou indirectement par des activités humaines collectives – il s'agit donc de maladies artificiellement induites par la société. De ce fait, les comportements individuels, bien qu'ils puissent leur être associés, demeurent au second plan.

• Elles résultent directement ou indirectement de la pollution de l'environnement, d'une modification des conditions physicochimiques du milieu extérieur et/ou de la dégradation des écosystèmes.

• Les types d'agents pathogènes en cause sont nombreux et variés : micro-organismes – parasites, bactéries, virus –, protéines infectieuses telles que les prions, rayonnements et/ou substances chimiques. Ils peuvent interagir les uns avec les autres.

• Les trois portes d'entrée principales de ces agents dans l'organisme sont respiratoire, digestive et cutanée. Pour les substances chimiques, la porte d'entrée est respiratoire et/ou digestive, mais elle peut être aussi cutanée dans le cas des produits cosmétiques. Pour les rayonnements, elle est avant tout cutanée, mais elle peut être aussi respiratoire et/ou digestive en cas de contamination par des poussières radioactives. Pour les micro-organismes, les trois portes d'entrée sont possibles. Il existe en outre trois autres portes d'entrée liées à nos comportements et à notre mode de vie : la contamination microbienne par voie génito-urinaire, et plus particulièrement vénérienne ; la contamination chimique ou microbienne lors de transfusions sanguines ou pendant la grossesse (dans ce cas, c'est la mère qui contamine le fœtus) ; la contamination sensorielle, essentiellement liée aux rayonnements lumineux ou sonores, qui concerne la vision ou l'audition.

• Les mécanismes d'action des agents pathogènes sont multiples, de même que les altérations qu'ils provoquent dans l'organisme. Celles-ci peuvent affecter le programme génétique des cellules en y induisant des mutations et/ou des désordres épigénétiques – c'est le cas des cancers. Elles peuvent aussi concerner le fonctionnement de l'un des trois systèmes – neurosensoriel, neurohormonal et immunitaire – qui mettent l'organisme en relation avec le milieu extérieur et qui en assurent la constance homéostasique [1] : c'est le cas des maladies dégénératives du système nerveux, de certaines affections neurosensorielles totalement nouvelles, d'un grand nombre d'endocrinopathies et de psychopathies et des désordres immunitaires acquis, au premier rang desquels il faut placer les allergies. Les altérations d'origine toxique sont de nature hormonale, métabolique ou inflammatoire. Les infections sont de cause, de mécanisme et d'évolution très divers. Certaines, comme le paludisme, sont persistantes, d'autres, comme la tuberculose, sont actuellement réémergentes, d'autres encore, comme le sida, sont entièrement nouvelles. Les altérations peuvent enfin concerner la non-satisfaction des besoins élémentaires de l'organisme, qu'ils soient respiratoires, nutritionnels, énergétiques ou caloriques, en raison d'une modification extrême des conditions environnementales.

• Les maladies environnementales sont souvent graves, surtout lorsqu'elles relèvent de la pollution physicochimique, en raison de la grande, voire extrême, difficulté à les traiter. C'est ce qui explique pourquoi les progrès médicaux risquent à l'avenir de se faire plus rares et pourquoi la médecine, hier en position de victoire, aujour-

1. L'homéostasie a été définie par le physiologiste américain W.B. Cannon. C'est le maintien à leur valeur normale des différentes constantes physiologiques de l'organisme. La stabilité des constantes est assurée par des mécanismes de régulation faisant intervenir le système neurohormonal endocrine. Par analogie, selon l'« hypothèse Gaïa », l'ensemble inerte constitué par la planète Terre et la biocénose constitue un « superorganisme » homéostasique en raison de l'action permanente de mécanismes de régulation. Du fait de leur rôle « tampon », il est probable que, sans les bactéries et la *bactériosphère* qu'elles constituent, les organismes complexes ne pourraient vivre de nos jours. Voir les chapitres 3 et 8.

d'hui en position de semi-victoire, sera probablement demain en situation d'échec.

Tenant compte de ces observations, je classe les maladies environnementales en sept catégories, bien que certaines d'entre elles puissent relever de plusieurs mécanismes à la fois (voir le tableau 3), et je tente de montrer à partir de différents exemples pourquoi et comment elles ont été ou sont créées par l'homme.

TABLEAU 3
Classification des maladies environnementales

I – Maladies infectieuses, persistantes, émergentes ou réémergentes
• Infections parasitaires
• Infections bactériennes
• Infections virales
• Maladies à prions
II – Maladies de type CMR
• Cancers
• Malformations congénitales
• Infertilité, stérilité
III – Maladies du système nerveux central
• Maladies dégénératives*
• Retards mentaux
• Syndromes d'hypersensibilité multiple**
• Maladies psychiatriques, y compris l'autisme***
IV – Maladies liées au stress
• Maladies neuroendocrines
• Maladies neurosensorielles
• Névroses et psychoses post-névrotiques
V – Maladies du système immunitaire
• Allergies
• Déficits immunitaires acquis
• Maladies auto-immunes

VI – Maladies toxiques, hormonales ou inflammatoires

- Toxicités aiguës ou chroniques
- Désordres hormonaux et maladies métaboliques, y compris certains types d'obésité**** et de diabète de type II
- Inflammations aiguës ou chroniques

VII – Altérations des fonctions vitales
liées à des conditions extrêmes

- Traumatismes
- États de choc aigus
- Déficits aigus, subaigus ou chroniques : anoxie, déshydratation, dénutrition, hyper- ou hypothermie

* Celles-ci comprennent en particulier les maladies de Parkinson et d'Alzheimer. La maladie de Parkinson du sujet jeune est causée par les pesticides organophosphorés. Ces pesticides sont aussi en partie responsables de la maladie d'Alzheimer.
** Les *syndromes d'hypersensibilité multiple* regroupent un certain nombre de maladies ou de syndromes totalement nouveaux causés par les rayonnements et/ou les substances chimiques : syndrome du Golfe, syndrome des bâtiments malsains, syndrome d'hypersensibilité multiple aux produits chimiques, fibromyalgies... Ces syndromes d'abord purement fonctionnels peuvent évoluer secondairement en maladies dégénératives de type démentiel.
*** L'*autisme* est en partie causé par une intoxication mercurielle du fœtus, transmise par la mère au cours de la grossesse.
**** La pollution chimique par les hydrocarbures aromatiques polycycliques peut induire certaines formes d'obésité et de diabète (voir les références bibliographiques de la note 1 p. 137).

La nouvelle vision de la médecine

Les maladies infectieuses sont celles pour lesquelles l'origine environnementale prête le moins à discussion. Elles sont en outre les premières à avoir été scientifiquement décrites, investiguées et traitées de façon efficace. Des hommes de science et des médecins y ont contribué aux XVIIIe et XIXe siècles – Edward Jenner, Ignace Philippe Semmelweis, Louis Pasteur et Joseph Lister, à l'origine des concepts d'asepsie, d'antisepsie et de vaccination – et, au cours de la dernière guerre mondiale, Alexander Fleming, découvreur du premier antibiotique[1].

Les résultats obtenus en deux siècles ont été tellement spectaculaires qu'à l'époque où je commençais mes études de médecine, il y a près de quarante ans, on pensait que grâce à ces progrès on pourrait un jour éradiquer toutes les maladies, en particulier celles d'origine infectieuse. Cette conception, largement partagée par le corps médical, était aussi celle de l'OMS, laquelle, grâce au développement de l'hygiène, à la mise en œuvre de programmes de vaccination à grande échelle et à l'élaboration de stratégies médicales ciblées, adaptées à chaque pays, croyait qu'elle viendrait à bout de la plupart des grands fléaux qui déciment l'humanité. À cette vision optimiste s'est progressivement substituée, à partir des années 1980, ou plus exactement depuis l'apparition du sida, une vision plus réaliste.

À l'exception de la variole, de la diphtérie, de la syphilis ou de la poliomyélite, qui ont été éradiquées ou sont en voie de l'être, la plupart des maladies que nous connaissons persistent dans le monde ou réémergent, malgré les efforts déployés. Tel est le cas du paludisme, de l'onchocercose et du trachome[2] pour les maladies parasitaires, de la tuberculose et du choléra pour les maladies bactériennes et de la fièvre jaune pour les maladies virales.

De plus, l'émergence récente de nombreuses autres maladies dont on ne suspectait même pas l'existence il y a encore quelques années vient noircir le tableau. Elles se répandent très rapidement à la surface de la planète sous la forme d'épidémies ou de pandémies sans que la méde-

---

1. D. Belpomme, *Ces maladies créées par l'homme*, *op. cit.*

2. L'*onchocercose* est une maladie parasitaire causée par une filaire, *Onchocerca volvulus,* transmise par un moucheron et qui peut rendre aveugle. Le *trachome* est causé par une bactérie, *Chlamydia trachomatis*, transmise par les mouches et pouvant elle aussi rendre aveugle. Ces maladies constituent les deux principales causes de cécité dans le monde.

cine réussisse à les contrôler, ou en tout cas jamais totalement. Le cas du sida est bien sûr emblématique, mais on dénombre une trentaine d'autres maladies apparues durant ces vingt dernières années, les unes d'origine bactérienne, les autres – les plus nombreuses – d'origine virale (voir le tableau 3).

Le phénomène n'est pas nouveau : l'histoire de l'humanité est jalonnée d'épidémies qui, avant les progrès de la médecine, ont fait un nombre important de victimes : pestes, lèpre au temps de Saint Louis, syphilis, choléra, tuberculose au XIXe siècle. Cependant, les épidémies d'aujourd'hui se caractérisent par le fait qu'elles sont plus nombreuses, surviennent de façon beaucoup plus rapprochée, s'étendent plus largement et rapidement – il s'agit fréquemment de pandémies – et surtout sont le plus souvent d'origine virale. Or la raison principale des inquiétudes actuelles est que les maladies infectieuses qui persistent, émergent ou réémergent dans le monde sont pour la plupart résistantes aux traitements existants. Les causes de résistance sont multiples : utilisation excessive et souvent injustifiée des antibiotiques, absence de traitements réellement efficaces à l'encontre d'un grand nombre de maladies virales ou parasitaires, manque d'hygiène, pauvreté des populations concernées, sous-alimentation, défaut d'éducation... Bref, des facteurs très divers relevant pour la plupart des activités humaines et que j'ai détaillés au chapitre 3.

Paludisme, tuberculose et sida : les trois maladies rebelles

Le paludisme, la tuberculose et le sida sont les trois maladies les plus fréquentes et comptant parmi les plus graves dans le monde. Elles sont aussi doublement représentatives des préoccupations actuelles. D'une part, les trois principaux types d'agents infectieux y sont représentés : parasites pour le paludisme, bactéries pour la tuberculose, virus pour le sida. D'autre part, elles illustrent les trois évolutions possibles : persistance pour le paludisme, réémergence pour la tuberculose, émergence pour le sida.

Paludisme : les multiples erreurs

Le paludisme, ou malaria, persiste à l'état endémique en Afrique intertropicale, en Asie du Sud et du Sud-Est et en Amérique centrale et du Sud. C'est la plus répandue des maladies transmissibles et l'une des premières causes de mortalité dans le monde. Près de 500 millions de personnes en sont atteintes et chaque année, selon l'OMS, de 1 à 3 millions de personnes en meurent, en particulier des enfants. La maladie, strictement humaine, est due à un parasite hématozoaire, le plasmodium, dont la transmission est assurée par une variété de moustique, l'anophèle[1]. Dans les années 1950, l'OMS pensait pouvoir maîtriser le paludisme grâce au DDT[2] et à une chimioprévention basée sur la quinine et d'autres antipaludéens. Dix ans plus tard, la maladie réémergeait en redoublant de vigueur.

L'échec de la lutte contre le paludisme est tristement pédagogique. Bien qu'il ne nous concerne pas directement, nous autres Européens, il met en lumière ce qu'il ne faut pas faire pour contrôler une maladie infectieuse – une leçon qui pourra être utile quand, dans la deuxième moitié du XXIe siècle, on verra apparaître ou réapparaître de telles maladies en raison du changement climatique. En matière de lutte contre le paludisme, les erreurs sont allées du désintérêt des pays riches et du manque de

1. Il existe en fait 65 espèces d'anophèles. C'est l'anophèle femelle qui, par piqûre, transmet la maladie.
2. Il s'agit du dichlorodiphényltrichloroéthane, pesticide bien connu, malheureusement rémanent et très toxique, ce qui a justifié son retrait du commerce en 1972 en Europe.

financement – d'où le relâchement ou l'interruption des programmes de prévention et la quasi-absence de recherches pour la mise au point d'un vaccin – à l'utilisation de pesticides sans restrictions et le plus souvent sans stratégie de lutte intégrée. Ce qui explique l'apparition de résistances chez les moustiques et leur pullulation actuelle. De même, le recours *larga manu* à des antipaludéens est à l'origine de l'accroissement des formes résistantes du paludisme et de leur dissémination dans de nombreux pays. Cette double résistance du moustique et du parasite fait que la maladie est toujours un réel fléau humanitaire. À cela s'ajoutent de nombreux autres facteurs de diffusion, comme la baisse des défenses immunitaires des populations exposées en raison de leur pauvreté et de leur contamination par des polluants chimiques, l'accroissement démographique, la dégradation des écosystèmes ou encore le changement climatique lié à l'effet de serre.

Que faisons-nous face à cette situation ? Le seul remède prévu par l'OMS est de revenir à l'utilisation massive du DDT, alors que celui-ci a été interdit dans nos régions en raison de ses effets toxiques [1]. Ne nous faisons pas d'illusions : cette démarche n'a aucune chance de donner les résultats escomptés. En revanche, elle sera à l'origine d'autres maladies, et c'est bien là le scandale, soulignant une fois de plus l'intervention possible de certains lobbies et l'incompréhension générale des pouvoirs publics et de certains responsables des organisations sanitaires internationales en matière de problèmes de santé publique à l'échelon du monde.

1. « Lutte antipaludique : l'OMS estime que l'utilisation de DDT à l'intérieur des habitations est sans danger pour la santé ». Disponible sur :
http://www.who.int/mediacentre/news/releases/2006/pr50/fr/index.html.

Tuberculose : la leçon d'humilité

Mycobacterium tuberculosis, le fameux bacille de Koch, est l'agent principal de la tuberculose. Son habitat est maintenant strictement humain. On estime à près de 2 milliards, soit le tiers de la population du globe, le nombre d'individus porteurs sains de la maladie. Selon l'OMS, les malades tuberculeux sont au nombre de 9 millions, dont 1,7 million meurent chaque année. En France, on compte plus de 7 000 nouveaux cas et plus de 700 décès par an. La réémergence de la maladie est liée à l'aggravation de la situation économique dans les pays pauvres et surtout à la pandémie de sida. La tuberculose est souvent la première manifestation d'une infection par le virus du sida. Le risque de la contracter est de 30 % chez les séropositifs contre 1 pour 1 000 à 1 pour 10 000 dans la population normale. Chez les personnes atteintes du sida, il s'agit une fois sur deux d'une mycobactérie atypique. Comme pour le paludisme, le problème majeur est l'incidence croissante des formes résistantes de la maladie. Bien que la médecine ait fait d'immenses progrès avec la mise au point du BCG et surtout la découverte d'antituberculeux puissants, la maladie n'est toujours pas éradiquée : une leçon d'humilité.

Sida : du chimpanzé à l'homme, par la faute des hommes

Décrit pour la première fois en 1981 aux États-Unis, le sida[1] a marqué un tournant dans la pensée médicale. Avant sa survenue, on savait que les pathologies évoluaient, que certaines maladies pouvaient apparaître et d'autres disparaître, mais on tenait ce fait pour négligeable car cela se passait sur plusieurs générations, voire sur plusieurs siècles. De mémoire d'homme, l'impression était que les maladies avaient toujours existé et qu'en les réduisant l'une après l'autre on parviendrait à les éliminer

1. Sida est l'acronyme de syndrome d'immunodéficience acquise.

toutes. Le sida a bouleversé cette vision en mettant en exergue le concept de maladie émergente.

C'est respectivement en 1983 et en 1986 qu'ont été identifiés et isolés les deux principaux virus responsables du sida, le VIH1 et le VIH2[1]. On commence à mieux cerner les circonstances à l'origine de la maladie. Le réservoir naturel du VIH1 a été identifié[2] : il s'agit d'un chimpanzé sauvage, *Pan troglodytes troglodytes*, vivant dans les régions reculées de la forêt tropicale africaine, en particulier camerounaise. L'hypothèse est que la maladie se serait transmise à l'homme par la chasse et la consommation de viande de brousse infectée. Est-ce suffisant ? Certainement pas. Cette explication ne peut rendre compte à elle seule du passage de la maladie à l'homme et de sa diffusion pandémique. D'autres facteurs sont donc intervenus, dont, du point de vue des comportements individuels, une baisse des défenses immunitaires chez certains sujets et l'existence de pratiques sexuelles à risque, et, du point de vue des activités collectives, la croissance démographique et les transferts aériens. Selon l'OMS, la séropositivité touche 39,5 millions de personnes en 2006 dans le monde et on déplore pour cette seule année la mort de 3 millions de personnes, dont 380 000 enfants. Au total, cette pandémie aurait fait 30 millions de morts depuis son apparition ! Des progrès thérapeutiques ont certes été réalisés, mais en raison de leur coût, essentiellement lié aux barrières posées par la propriété intellectuelle et aux

1. VIH est l'acronyme de virus de l'immunodéficience humaine.
2. F. Gao, E. Bailes, D.L. Robertson, Y. Chen, C.M. Rodenburg, S.F. Michael, L.B. Cummins, L.O. Arthur, M. Peeters, G.M. Shaw, P.M. Sharp et B.H. Hahn, « Origin of HIV-1 in the chimpanzee Pan troglodytes troglodytes », *Nature*, 4 février 1999, 397(6718), p. 436-444 ; N.F. Keele, F. Van Heuverswyn, Y. Li, E. Bailes, J. Takehisa, M.L. Santiago, F. Bibollet-Ruche, Y. Chen, L.V. Wain, F. Liegeois, S. Loul, E.M. Ngole, Y. Bienvenue, E. Delaporte, J.F. Brookfield, P.M. Sharp, G.M. Shaw, M. Peeters et B.H. Hahn, « Chimpanzee reservoirs of pandemic and nonpandemic HIV-1 », *Science*, 28 juillet 2006, 313(5786), p. 523-526.

brevets, la plupart des médicaments actifs manquent dans les pays pauvres. En outre, l'utilisation du préservatif dans les rapports sexuels est encore très insuffisante, et, selon Robert Gallo, codécouvreur du virus avec Luc Montagnier, la mise au point d'un vaccin s'avère très difficile [1]. L'éradication de la pandémie n'est donc, hélas, pas pour demain.

De l'épidémie de chikungunya à la grippe aviaire : les nouvelles émergences

Le sida n'est qu'un révélateur de l'impact sanitaire négatif de nos activités. Durant ces vingt dernières années, de très nombreuses autres maladies virales ont émergé, se succédant à un rythme très rapide, tel que l'humanité n'en a jamais connu : expansion épidémique foudroyante de la dengue [2], en particulier en Amérique du Sud, en Asie du Sud-Est, dans les îles du Pacifique et dans la région des Caraïbes ; apparition de nombreuses épidémies de fièvres hémorragiques virales, dont la fièvre à virus West Nile [3] en Égypte, en Israël, en Afrique du Nord et en Inde ; épidémie de Sras en Chine ; épidémie de chikungunya en Afrique et sur l'île de la Réunion ; grippe aviaire en Asie...

1. R.C. Gallo, « The end or the beginning of the drive to an HIV-preventive vaccine : a view from over 20 years », *The Lancet*, 26 novembre 2005, 366(9500), p. 1894-1898.

2. La *dengue* a été définie en 1869 par le Collège royal de médecine de Londres. Elle est provoquée par un flavivirus de la famille des *Togaviridae*. Elle évolue souvent vers la mort à la suite d'une fièvre hémorragique, surtout chez les enfants.

3. Le *virus West Nile* est également un flavivirus, isolé en 1937. La maladie est très proche de la dengue, mais rarement compliquée par des troubles cérébraux.

L'épidémie de chikungunya : un modèle pour comprendre ce qui nous attend avec le réchauffement climatique

L'épidémie de chikungunya nous a particulièrement émus parce qu'elle concernait nos compatriotes réunionnais. En fait, cette épidémie n'est que l'épiphénomène d'un problème sanitaire beaucoup plus préoccupant au plan mondial. Le chikungunya, ou chik – en swahili : « la maladie qui tord les articulations » –, a été identifié pour la première fois en 1952 en Tanzanie. Depuis, on sait que le virus a circulé en Afrique et en Asie et a été à l'origine de différentes épidémies. Ce qui s'est passé sur l'île de la Réunion traduit donc non pas l'émergence, mais la réémergence de la maladie. Le virus en cause, de la famille des *Togaviridae*, est très proche des virus à l'origine de la fièvre jaune, de la dengue et des fièvres hémorragiques épidémiques dont celle à virus West Nile, qui persistent ou se répandent partout dans le monde, essentiellement dans les zones tropicales et subtropicales d'Afrique, d'Asie ou d'Amérique du Sud. Un autre point commun à ces maladies : leur transmission par piqûres de moustiques infectieux du genre *Aedes*[1]. Lutter contre la prolifération de ces moustiques est donc essentiel. On sait qu'ils se reproduisent dans des pneus usagés et qu'ils sont sensibles au froid. Recycler les pneus usagés plutôt que de les mettre à la décharge est une mesure relativement simple à prendre, mais éviter que les hivers soient trop chauds est beaucoup plus difficile puisqu'il s'agit de lutter contre le réchauffement climatique lié à l'effet de serre. De plus, les moustiques s'adaptant au froid, le risque de pullulation et de réémergence ou d'émergence des maladies qu'ils transmettent est donc grand. Faire appel à des moyens de lutte écologique pour atténuer la prolifération des moustiques en se basant sur l'étude de leur physiologie et de leur mode de vie est un objectif

1. Il en existe plusieurs variétés : *Aedes aegyptei, Aedes africanus, Aedes mansoni...*

crucial. Malheureusement, les entomologistes manquent. De même, les chercheurs préfèrent s'orienter vers l'étude du génome plutôt que de s'occuper de mettre au point un vaccin en recourant à la génétique inverse[1]. Comme pour le paludisme, la seule solution proposée a été de pulvériser des pesticides, ce que les autorités sanitaires françaises se sont empressées de faire sans se préoccuper des conséquences. Une fois de plus, cela revient à régler le problème sur le court terme et nous promet des lendemains très douloureux.

La grippe aviaire et son risque pandémique

Tout le monde sait ce qu'est la grippe saisonnière, qui survient l'hiver. Bien qu'elle soit la cause d'environ 6 000 morts chaque année dans notre pays – surtout parmi les personnes âgées ou déjà malades, d'où la nécessité qu'elles se fassent vacciner –, dans la très grande majorité des cas cette forme commune est bénigne, n'entraînant que de la fièvre, des courbatures et surtout une très grande fatigue.

Tout autres sont les pandémies grippales. Ici, le virus n'est structurellement pas le même[2] ; il est beaucoup plus méchant. On parle de « cassure antigénique », ce qui veut dire que le virus a muté brutalement et de façon si radicale que les défenses immunitaires de l'organisme ne sont ni prêtes ni suffisamment compétentes pour lutter contre lui. D'où l'expansion très rapide de la maladie, non plus sous la forme d'une épidémie circonscrite à une région ou à un pays, comme c'est le cas pour la grippe commune, mais sous la forme d'une pandémie redoutable

---

1. Voir le chapitre 1.
2. Le virus de la grippe est un *influenza* dont il existe plusieurs sous-types, classés en H et N (H pour hémagglutinine, N pour neusaminidase). Ces deux enzymes de membrane H et N conditionnent la pénétration du virus dans les cellules. On attribue à H et N différents numéros selon la date de découverte du sous-type.

à l'origine de centaines de milliers de victimes, voire de plusieurs millions, et touchant non seulement les personnes fragilisées, mais aussi les enfants et les adultes en bonne santé. Voilà ce qu'est une pandémie grippale. Voilà ce qui peut-être nous attend. L'histoire est là pour nous le rappeler : grippe de 1918 – la fameuse grippe espagnole – à l'origine de 20 à 40 millions de morts, grippe de 1957 ou grippe asiatique, grippe de 1968 ou grippe de Hong Kong, cause elles aussi de très nombreuses victimes [1].

Aujourd'hui, la grippe aviaire n'est pas d'origine humaine. Elle nous est transmise par les oiseaux, qui en constituent le réservoir. Mais voilà : alors que les oiseaux sauvages sont des porteurs sains de la maladie, et donc habituellement ne la développent pas, nos poulets d'élevage en sont atteints ! On peut se demander pourquoi. La thèse officielle consiste à dire que les oiseaux sauvages auraient contaminé les élevages. En réalité, c'est l'élevage intensif des volailles en batterie, dans des conditions de stress et d'espace contingenté, mais aussi l'utilisation de nourriture artificielle, le dopage chimique et productiviste, très éloignés des conditions de vie naturelle des volailles, qui auraient favorisé chez elles l'apparition d'un déficit immunitaire, lequel peut être à l'origine de mutations du virus et donc d'une exacerbation de sa virulence. On peut penser que non seulement les volailles ont d'abord été malades et se sont contaminées entre elles, mais que ce sont elles qui ont transmis la maladie aux oiseaux sauvages. Ces derniers n'ont donc rien à voir avec le déclenchement de l'épidémie, lequel est dû, une fois

1. Pour la grippe espagnole, il s'agissait du sous-type H1N1, pour la grippe de 1957, du sous-type H2N2, et pour celle de 1968, du sous-type H3N2. Les grippes saisonnières banales sont dues au sous-type viral H1N1, comme la grippe espagnole. Cela signifie que le sous-type HN ne conditionne pas en lui-même la gravité de la maladie, mais seulement la pénétration cellulaire du virus, donc la contagiosité.

de plus, aux activités humaines. De nombreux arguments plaident en faveur de ce renversement d'hypothèse : l'apparition fin 2003 de foyers de grippe aviaire dans des élevages comprenant un grand nombre de volailles aux Pays-Bas, en Belgique, puis en Asie de l'Est et du Sud-Est, bien avant qu'on observe les premiers animaux sauvages touchés ; l'absence de liens entre le lieu de contamination de ces élevages et le trajet migrateur des oiseaux ; le faible nombre d'oiseaux sauvages retrouvés morts. (Cela ne signifie pas, bien sûr, qu'une fois contaminés les animaux sauvages n'ont pas participé à leur tour à l'expansion de l'épizootie.)

Le manque à gagner pour les éleveurs de volailles, en particulier en Asie, a certes été important puisque plusieurs dizaines de millions de volailles ont été abattues. Mais à qui la faute ? Et quelle sera la facture sanitaire demain ? La centaine de personnes décédées en Asie traduit la virulence du virus aviaire H5N1 chez l'homme. Pourtant, en l'état, ce virus ne peut déclencher une pandémie car il n'est pas adapté à l'homme. En revanche, son hybridation moléculaire avec un virus grippal humain banal, autrement dit la rencontre des deux virus – par exemple chez le porc, qui est un porteur sain de l'un et l'autre virus –, changerait complètement les données du problème. Le risque est là, en effet, bien que la probabilité soit faible.

Les craintes qui s'expriment, notamment de la part de l'OMS, et la volonté de prendre tant de précautions s'expliquent par trois raisons : les trois pandémies grippales qu'a connues l'humanité depuis la dernière guerre mondiale sont à chaque fois provenues d'une épizootie aviaire ; les virus de la grippe ont un génome instable et donc une capacité à muter très élevée ; enfin, le nombre de morts dû à une telle pandémie, si elle survenait, serait considérable. D'où la nécessité de mesures visant à limiter l'épizootie et surtout d'une intensification des recherches pour la mise au point d'un vaccin [1].

1. Cette mise au point pourrait être acquise dès maintenant à partir du virus aviaire H5N1, grâce à la génétique inverse. G. Neu-

Le fléau croissant qu'on nomme cancer

Je regroupe sous l'appellation CMR les maladies causées par des agents environnementaux cancérigènes, mutagènes et/ou reprotoxiques, quel qu'en soit le mécanisme d'action, qu'il soit mutagénique et/ou épigénique ou encore perturbateur du fonctionnement normal des cellules, que la conséquence en soit ou non la modification du fonctionnement du système endocrinien. De fait, les agents pathogènes concernés – rayonnements, substances chimiques CMR ou virus – peuvent agir selon l'un ou l'autre de ces différents mécanismes.

Les cancers font partie des maladies CMR. C'est à partir de leur étude qu'on peut construire le concept de maladie environnementale, tout en sachant qu'ils n'en représentent qu'un type particulier.

Les cancers constituent un fléau croissant. Dans les pays riches, la mortalité par cancer est en passe de supplanter celle par maladies cardiovasculaires, alors que dans les pays en voie de développement elle rejoindrait celle par maladies infectieuses. Ainsi, selon l'OMS, avec aujourd'hui plus de 7 millions de morts par an et demain plus de 10 millions, le cancer pourrait bien devenir la première cause de mortalité dans le monde dans le quart de siècle à venir.

Les cancers sont très variés en raison de leur localisation dans l'organisme et des tissus à partir desquels ils prennent origine et se développent. Leur mécanisme d'apparition est plurifactoriel. Le tabagisme et l'alcoolisme n'expliquent pas tout. Les agents CMR en cause consistent principalement en rayonnements, substances chimiques et virus mutagènes. À cela s'ajoute la possibilité que d'autres substances chimiques ou micro-organismes,

---

mann, K. Fujii, Y. Kino et Y. Kawaoka, « An improved reverse genetics system for influenza A virus generation and its implications for vaccine production », *Proc. Natl Acad. Sci. USA*, 15 novembre 2005, 102(46), p. 16825-16829.

comme certaines bactéries ou certains parasites, agissent en tant que cofacteurs. L'existence ou non de ces causes et cofacteurs dépend étroitement du niveau de développement socioéconomique. Dans les pays riches, ce sont les causes et cofacteurs physicochimiques qui prédominent, alors que dans les pays en voie de développement ce sont les causes et cofacteurs infectieux – virus, bactéries, parasites. Les cancers résultent de l'accumulation dans une première cellule d'un nombre critique de 3 à 6 mutations, auxquelles s'associent des anomalies épigénétiques[1]. Ce processus se déroule durant un laps de temps appelé « période de latence préclinique » qui peut aller de un à dix ans, voire plus, sans qu'il provoque la moindre manifestation clinique. C'est au cours de cette période qu'il convient de mettre en œuvre des mesures de dépistage, lorsque cela est possible.

En raison de la dégradation physique, chimique et biologique de notre environnement et des modifications apportées à notre mode de vie, l'incidence des cancers est croissante partout dans le monde. Jusqu'à ce jour, les progrès thérapeutiques n'ont pas permis d'enrayer le fléau. Dans tous les pays où existent des données épidémiologiques fiables, la mortalité globale par cancer n'a que très modestement reculé ces cinquante dernières années. Elle a même progressé dans certains pays. Seule la mise en place d'une véritable politique de prévention, ou plutôt de « précauvention », associant prévention et précaution, dans le but de réduire la pollution à sa source pourrait permettre d'en venir à bout[2].

Naissances malformées, enfants handicapés

Autre type de maladies CMR : les malformations congénitales acquises au cours de la grossesse. Notre

1. Voir le chapitre 4 pour la définition de ces termes.
2. D. Belpomme, *Guérir du cancer ou s'en protéger*, *op. cit.*

conception de l'origine des malformations a changé. Il y a cinquante ans, on pensait qu'elles avaient des causes naturelles, purement liées à la malchance – par exemple une contamination par le virus de la rubéole au cours de la grossesse. Mais, dans les années 1950, les premiers cas de malformations induites par la thalidomide[1] – un anti-inflammatoire mis sur le marché sans étude toxicologique suffisante – ont bouleversé cette vision. Loin de survenir « naturellement », un grand nombre de malformations sont provoquées par nos propres activités ou comportements. La grossesse est toujours une période à risque pour le futur enfant.

Certaines malformations congénitales, telle la trisomie 21, sont en voie de disparition en raison de la mise en œuvre de tests de dépistage efficaces et de mesures préventives. L'avortement volontaire à visée préventive pose un problème moral et éthique grave, que j'ai abordé et discuté[2]. Mais chacun peut agir selon ses croyances et ses convictions, à condition d'éviter la souffrance.

En revanche, de nombreux autres types de malformations congénitales ont vu leur incidence croître ces dernières années, bien qu'elle soit difficile à mesurer dans notre pays en raison de l'absence de données épidémiologiques précises. Certains enfants présentent à la naissance des organes anormalement développés. C'est le cas en particulier de l'appareil génito-urinaire du petit garçon, avec des testicules qui n'ont pas migré dans les bourses – on parle de *cryptorchidie* – et/ou une anomalie de la fermeture de l'urètre – qu'on appelle un *hypospadias*. Les petites filles ne sont pas épargnées. Certaines d'entre elles, en raison de phénomènes d'*hyperféminisation*, naissent avec des seins d'adolescentes.

1. Nous avons montré que la thalidomide n'interfère pas avec l'ADN et de ce fait n'est pas mutagène. Le « médicament » inhiberait la formation des vaisseaux – ce qu'on appelle l'*angiogenèse* – chez le fœtus, cette inhibition étant à l'origine des malformations observées.

2. D. Belpomme, *Ces maladies créées par l'homme*, *op. cit.*

En France, Charles Sultan a été l'un des premiers à attirer l'attention de la communauté scientifique sur ces problèmes. Selon lui, la fréquence de ces anomalies aurait été multipliée par un facteur de l'ordre de 10 à 50 au cours des vingt dernières années ! On peut incriminer de façon évidente la présence dans l'environnement de nombreux perturbateurs endocriniens, tels que les pesticides organochlorés, qui, en contaminant la mère, contaminent le fœtus et qui, parce qu'ils ont des propriétés féminisantes ou antimasculinisantes, altèrent le développement de son appareil génito-urinaire. Mais il existe de nombreuses autres causes possibles à l'origine des malformations ou maladies congénitales. Ainsi, on a montré que la pollution de l'air par des HAP pouvait réduire la croissance fœtale, mesurée par la circonférence de la tête à la naissance, et affecter le développement neuropsychologique des enfants[1]. De même, on a observé un taux augmenté non seulement de cancers, mais aussi de malformations congénitales à proximité de certaines décharges. Chez les femmes enceintes habitant à moins de trois kilomètres d'une décharge de déchets industriels, le taux de malformations congénitales pourrait être majoré de 33 %[2]. La cause en serait ici l'émanation de gaz toxiques.

---

1. F.P. Perera, V. Rauh, R.M. Whyatt, W.Y. Tsai, D. Tang, D. Diaz, L. Hoepner, D. Barr, Y.H. Tu, D. Camann et P. Kinney, « Effect of prenatal exposure to airborne polycyclic aromatic hydrocarbons on neurodevelopment in the first 3 years of life among inner-city », *Children Environ. Health Perspect.*, août 2006, 114(8), p. 1287-1292.

2. H. Dolk, M. Vrijheid, B. Armstrong, L. Abramsky, F. Bianchi, E. Garne, V. Nelen, E. Robert, J.E. Scott, D. Stone et R. Tenconi, « Risk of congenital anomalies near hazardous-waste landfill sites in Europe : the EUROHAZCON study », *Lancet*, 8 août 1998, 352(9126), p. 423-427.

Plus grave que le cancer : la stérilité

Les malformations génito-urinaires sont rarement isolées. Elles peuvent s'accompagner de troubles du développement des spermatozoïdes (la *spermatogenèse*), qui, se révélant à l'adolescence, aboutiront ultérieurement à la mise en évidence d'une infertilité ou d'une stérilité. D'ailleurs, dysgénésie testiculaire, stérilité et cancers du testicule peuvent s'associer.

L'apparition d'une infertilité ou d'une stérilité ne concerne pas seulement les enfants nés avec une malformation. Elle concerne aussi de nombreux adultes en âge de procréer, et désormais les hommes presque autant que les femmes. Baisse de fécondité, infertilité et stérilité doivent être distinguées[1]. On connaît depuis longtemps l'existence de stérilités chez les femmes, en raison de la complexité de leur appareil reproducteur et de la possibilité d'infections génitales souvent méconnues. Ce qui est nouveau, c'est la fréquence de ces stérilités dans les deux sexes, et surtout l'apparition d'un très grand nombre de cas d'infertilité ou de stérilité chez les hommes. En Europe, différentes enquêtes ont révélé qu'environ 15 % des couples en âge de procréer et désirant un enfant se révèlent inféconds. (Ces 15 % sont bien sûr à distinguer des autres 15 % de couples qui n'ont pas d'enfants parce qu'ils n'en veulent pas.) Contrairement à ce que la plupart des démographes pensent encore, la baisse de fécondité observée aujourd'hui en Europe et même dans plusieurs autres régions du monde ne vient pas seulement d'une régulation volontaire des grossesses. Elle est aussi liée à l'émergence de phénomènes d'hypofécondité, d'infertilité ou de stérilité.

---

1. La *fécondité* est définie comme le fait d'avoir au moins un enfant. La baisse de fécondité est le fait de ne pas en avoir (infécondité) ou d'en avoir peu. L'*infertilité* équivaut à l'infécondité. Cette dernière n'a pas le caractère définitif de la *stérilité*.

Quelles en sont les causes ? On sait que le tabagisme entraîne une baisse de la fertilité : chez les hommes il diminue le nombre de spermatozoïdes et altère la qualité du sperme, alors que chez les femmes il majore le risque d'avortement. Mais il est démontré que la pollution chimique intervient également. La compilation de l'ensemble des études épidémiologiques réalisées dans le monde par le Danois Niels Skakkebaek est particulièrement éloquente[1]. Chez les sujets jeunes, en région polluée, la baisse des spermatozoïdes est en moyenne de 1 % chaque année depuis la dernière guerre mondiale. Les régions rurales sont très souvent concernées. L'utilisation excessive de pesticides organochlorés en est probablement la cause principale. À cela s'ajoute la pollution par les gaz d'échappement des voitures. Ces gaz, composés de plusieurs centaines de polluants, contiennent des espèces chimiques réactives de l'oxygène (ROS) – ce qu'on appelle des « radicaux libres » – qui, en altérant l'ADN, rendent les spermatozoïdes et les ovules inaptes au processus de fécondation, ou, lorsque celle-ci a eu lieu, rendent l'œuf incapable de se développer normalement. L'accroissement de l'infertilité et de la stérilité concerne donc aussi les citadins, et de façon particulière les hommes et les femmes travaillant aux postes de péage des autoroutes[2]. La contamination par des substances CMR autres que les pesticides organochlorés, par exemple les phtalates et les PCB, suspectés d'être à l'origine d'avortements, joue probablement un rôle également.

1. E. Carlsen, A.J. Giwercman, N. Keiding et N.E. Skakkebaek, « Decline in semen quality from 1930 to 1991 », *Ugeskr. Laeger*, 16 août 1993, 155(33), p. 2530-2535 ; et « Declining semen quality and increasing incidence of testicular cancer : is there a common cause ? », *Environ. Health Perspect.*, octobre 1995, 103 suppl. 7, p. 137-139.

2. C.H. Lai, S.H. Liou, H.C. Lin, T.S. Shih, P.J. Tsai, J.S. Chen, T. Yang, J.J. Jaakkola et P.T. Strickland, « Exposure to traffic exhausts and oxidative DNA damage », *Occup. Environ. Med.*, 2005, 62, p. 216-222.

Quelles que soient les causes de ce phénomène, nul doute que la baisse de fécondité et de natalité qui en résulte constitue l'un des problèmes les plus préoccupants et sans doute un des plus graves que l'Europe aura à affronter dans les toutes prochaines années.

Parkinson, Alzheimer, autisme, retards mentaux, hypersensibilité multiple : des maladies causées par la pollution

Les maladies du système nerveux sont multiples, complexes et variées. Depuis les travaux pionniers des neurologues français Jean Martin Charcot, Joseph Babinski et, plus récemment, feu Raymond Garcin, la neurologie s'est davantage consacrée à décrire et à établir le diagnostic et le pronostic des maladies qu'à en déterminer les causes. À l'exception des affections neurologiques d'origine vasculaire ou liées à l'alcoolisme, au diabète ou à diverses intoxications ou infections, la plupart des maladies du système nerveux restent sans cause apparente. Or bien souvent les médecins ne cherchent pas plus loin : ils les décrivent comme « idiopathiques ». C'est en particulier le cas des maladies dites « dégénératives », comme la sclérose latérale amyotrophique de Charcot ou la sclérose en plaques, dont on connaît les très lourds retentissements.

Maladies dégénératives du système nerveux

La plupart des maladies dégénératives du système nerveux, bien qu'anciennement connues, sont en réalité d'origine environnementale, que le facteur en cause soit une substance chimique, un virus ou même un prion. Un exemple parmi d'autres : la reconnaissance du fait que la variante humaine de la maladie de Creutzfeldt-Jakob a été causée par un prion généré au cours de l'épisode de la « vache folle ». L'incidence croissante d'affections dégénératives du système nerveux analogues à la maladie de Parkinson mais touchant principalement les sujets jeunes est maintenant expliquée par la contamination de ces derniers par des pesticides organophosphorés, dont on a clairement montré qu'ils s'accumulaient dans le cerveau et y créaient de multiples altérations enzymatiques[1].

Autre exemple : si l'aluminium contaminant l'eau de boisson est désormais reconnu comme étant un facteur à l'origine de certaines formes de la maladie d'Alzheimer[2], des facteurs autres que le vieillissement sont certainement en cause pour expliquer l'incidence fortement croissante de cette affection. Là aussi, la contamination de l'organisme, en particulier par des pesticides organophosphorés, est probablement une explication[3].

Retards mentaux, autisme

Il a été montré, notamment aux États-Unis, que les retards mentaux survenant chez un grand nombre d'enfants peuvent être liés à une contamination non seulement par les pesticides organophosphorés, mais aussi par des HAP et d'autres substances chimiques polluant l'air, qu'elles soient d'origine industrielle ou liées au trafic routier.

L'intoxication par le plomb, le méthylmercure, les PCB, l'arsenic et le toluène est à l'origine de nombreuses affections altérant le développement normal du système nerveux chez l'embryon et l'enfant[4].

---

1. I. Baldi, P. Lebailly, B. Mohammed-Brahim, L. Letenneur, J.F. Dartigues et P. Brochard, « Neurodegenerative diseases and exposure to pesticides in the elderly », *Am. J. Epidemiol.*, mars 2003, 157(5), p. 409-414.

2. V.B. Gupta, S. Anitha, M.L. Hegde, L. Zecca, R.M. Garruto, R. Ravid, S.K. Shankar, R. Stein, P. Shanmugavelu et K.S. Jagannatha Rao, « Aluminium in Alzheimer's disease : are we still at a crossroad ? », *Cell. Mol. Life Sci.*, janvier 2005, 62(2), p. 143-158.

3. Voir note 1.

4. P. Grandjean et P.J. Landrigan, « Developmental neurotoxicity of industrial chemicals », art. cité.

L'autisme, si fréquent dans notre pays, et dont la prise en charge est si lourde, serait en partie secondaire à une intoxication par le mercure. Dans le cadre d'un contexte génétique favorisant, c'est la mère qui contaminerait le fœtus. À la fin d'une de mes conférences, une mère est venue me voir, en larmes, pour m'expliquer qu'ayant été contaminée par le mercure elle avait elle-même contaminé ses trois enfants et que tous étaient nés autistes. Si le lien n'est pas encore totalement reconnu du point de vue scientifique, la question demeure posée avec une réelle acuité[1].

Syndromes d'hypersensibilité multiple

La pollution de l'environnement est aussi à l'origine de l'émergence de maladies totalement nouvelles dont les manifestations cliniques, initialement fonctionnelles, peuvent devenir ultérieurement organiques et alors irréversibles. Ces maladies restent inconnues d'un grand nombre de médecins et n'ont pas encore été décrites correctement du point de vue médical. D'où les dénominations diverses de syndrome « d'hypersensibilité multiple aux agents chimiques[2] », de syndrome « des bâtiments malsains », de syndrome de fatigue chronique ou encore de fibromyalgie. Le point commun à ces différentes affections est qu'elles seraient déclenchées par la pollution de l'air, qu'elle soit de nature chimique (rôle de certains COV) ou

1. S. Bernard, A. Enayati, L. Redwood, H. Roger et T. Binstock, « Autism : a novel form of mercury poisoning », *Med. Hypotheses*, avril 2001, 56(4), p. 462-471 ; A.S. Holmes, M.F. Blaxill et B.E. Haley, « Reduced levels of mercury in first baby haircuts of autistic children », *Int. J. Toxicol.*, juillet-août 2003, 22(4), p. 277-285.

2. En anglais, Multiple Chemical Sensitivity Syndrom (MCS). C.S. Miller, « White paper. Chemical sensivity : history and phenomenology », *Toxicology and Industrial Health*, juillet-octobre 1994, 10(4-5), p. 253-276 ; R.E. Gots, « Multiple chemical sensitivities – public policy [Editorial] », *Journal of Toxicology, Clinical Toxicology*, 1995, 33(2), p. 111-113.

physique (rôle des REMP), et qu'elles seraient générées en raison d'une très grande sensibilité de l'organisme à la pollution. Ainsi se manifestent-elles par un important disconfort fonctionnel, avant de passer éventuellement à la chronicité. Dans ce dernier cas, l'évolution vers une maladie dégénérative du système nerveux à composante neuropsychologique ou psychiatrique est possible, et pourrait même conduire à un état démentiel ou pseudo-démentiel. En fait, le mécanisme de ces syndromes n'est pas clair : si l'implication du système nerveux central et éventuellement neuroendocrinien est hautement probable, l'hypothèse de phénomènes de type allergique ne peut être écartée.

Les maladies neuroendocrines : stress ou pollution ?

Deuxième système mettant notre organisme en relation étroite avec le milieu extérieur : l'appareil neuroendocrine, qui, lorsqu'il est perturbé, est à l'origine d'un certain nombre de maladies. La réponse biologique au stress telle que l'a décrite le physiologiste et Prix Nobel de médecine canadien Hans Selye [1] fait partie de ce que j'appelle l'*adaptation physiologique*. La réponse de l'organisme aux stress aigus est instantanée et transitoire. Elle passe par la sécrétion de certaines hormones endocrines ou facteurs humoraux, et induit différentes réactions comportementales comme l'agressivité ou à l'inverse la fuite face à un danger. Henri Laborit a parfaitement dépeint ce type de réactions chez l'animal [2]. Elles se distinguent des réponses aux stress chroniques, qui peuvent entraîner l'apparition de maladies somatiques – par exemple un cancer – ou psychiques – par exemple une névrose – en cas de stimuli répétés et contradictoires en provenance de l'environnement.

1. H. Selye, *Le Stress de la vie*, Gallimard/Lacombe, Paris, 1975.
2. H. Laborit, *Éloge de la fuite*, Gallimard, Paris, 2000.

La plupart des maladies liées au stress sont réactionnelles. Je les classe en quatre groupes : les maladies endocrines réactionnelles, en particulier celles du corps thyroïde, qui relèvent d'un dysfonctionnement de l'axe hypothalamo-hypophysaire ; les maladies neurosensorielles liées à des stress aigus ou chroniques d'origine lumineuse ou auditive ; les maladies psychosomatiques tels les classiques ulcères de stress ; la plupart des névroses et psychoses postnévrotiques, qui peuvent être associées à l'ensemble de ces maladies ou en être la conséquence, et qui en général témoignent d'un stade réactionnel plus évolué. Les relations « comportementales » interviennent dans ces maladies, mais rien n'indique que les relations « substantielles », en particulier physicochimiques, ne sont pas à l'origine d'un certain nombre d'entre elles en modifiant directement le système neuroendocrinien.

Douze millions de Français allergiques !

Le système immunitaire est le troisième appareil à mettre l'organisme en relation avec l'environnement. Ici, la pollution peut induire trois catégories de manifestations ou de maladies : l'acquisition de déficits immunitaires chroniques, celle de maladies auto-immunes [1], enfin et surtout l'apparition d'allergies.

De façon générale, tout déficit immunitaire peut être à l'origine d'infections ou de cancers. Les causes d'un tel déficit sont multiples. Il peut s'agir de virus, de substances chimiques ou de rayonnements. Certaines maladies auto-immunes telles que le lupus érythémateux et la scléroder-

1. Dans ce cas, l'agent chimique, physique ou même viral, bien qu'il soit le plus souvent méconnu, entraîne l'autoréaction du système immunitaire. Celui-ci réagit en fabriquant des anticorps dirigés contre les antigènes de l'organisme, ce qui conduit à une véritable « attaque » de l'organisme par les anticorps qu'il fabrique lui-même.

mie peuvent aussi être provoquées ou au minimum déclenchées par de tels facteurs.

En fait, le véritable problème de santé publique concerne les allergies. Qu'elles soient d'origine respiratoire, alimentaire ou cutanée, celles-ci sont de plus en plus fréquentes. En France, le nombre de sujets allergiques a plus que doublé au cours de ces vingt dernières années. Aujourd'hui, 20 % de nos concitoyens sont allergiques, soit 12 millions de personnes ! Les allergies se manifestent par différents symptômes : diarrhée, rhinite, coryza, urticaire, eczéma, pour se terminer souvent en asthme. En Europe, selon les données officielles de la Commission européenne, un enfant sur sept est asthmatique !

Quelle peut être l'explication à cette augmentation d'incidence ? Une modification du terrain « atopique[1] » des nouveau-nés, du fait par exemple de l'utilisation fréquente d'antibiotiques, comme le pensent certains immunologistes ? Cette thèse ne peut rendre compte à elle seule de l'augmentation d'incidence des allergies. Les membres de la Société française d'allergologie, que j'ai rencontrés, ont une tout autre interprétation. En matière de pollution respiratoire, en raison de leur concentration augmentée dans l'air, les poussières jouent sans doute un rôle majeur puisqu'elles sont les vecteurs de nombreux allergènes naturels ou même artificiels. Or la quantité de poussières en suspension dans l'air a nettement augmenté ces dernières années. De là à avancer l'idée qu'elles seraient en grande partie responsables de l'augmentation d'incidence des allergies respiratoires en favorisant la pénétrance des allergènes dans l'organisme et en les « présentant » différemment au système immunitaire, il n'y a qu'un pas. Un

1. L'*atopie* est l'aptitude constitutionnelle ou héréditaire à présenter des manifestations allergiques. Elle peut être liée à la production anormale d'immunoglobulines particulières, les anticorps IgE, anciennement appelés « réagines ». En fait, l'atopie demeure un grand mystère du point de vue biologique.

pas que n'hésitent pas à franchir aujourd'hui les allergologues. La pollution de l'air intérieur par de nombreuses substances chimiques artificielles ou même par des biocontaminants tels que les acariens et les moisissures est un autre facteur à considérer.

Quant au rôle de certains allergènes alimentaires dans le déclenchement des allergies, il est hautement probable. Les coupables pourraient être en particulier certains additifs naturels ou artificiels qu'on ajoute à petites doses, dès le plus jeune âge, dans les pots de bébé. Avec l'objectif de former son goût et de le préparer à mieux consommer les aliments qu'on lui vendra plus tard, lorsqu'il sera en âge de les choisir ? En fait, ces petites doses d'allergènes peuvent le sensibiliser de telle façon qu'ultérieurement, en cas d'ingestion de rappel, une allergie pourra se déclencher. En termes de santé publique, le problème n'est pas négligeable. Douze millions de Français allergiques, cela nécessite des soins, des consultations, des médicaments. Pour aboutir bien souvent à l'asthme, une maladie très invalidante.

Même l'obésité et le diabète sont en partie causés par la pollution !

Des maladies métaboliques telles que certaines formes d'obésité et de diabète semblent également induites par la pollution [1]. L'obésité et le surpoids constituent l'un des

1. H. Inadera et A. Shimomura, « Environmental chemical tributyltin augments adipocyte differentiation », *Toxicol. Lett.*, décembre 2005, 159(3), p. 226-234 ; R.B. Remillard et N.J. Bunce, « Linking dioxins to diabetes : epidemiology and biologic plausibility », *Environ. Health Perspect.*, septembre 2002, 110(9), p. 853-858 ; L. Rylander, A. Rignell-Hydbom et L. Hagmar, « A cross-sectional study of the association between persistent organochlorine pollutants and diabetes », *Environmental Health*, 29 novembre 2005, 4, 28 (disponible à l'adresse http://www.ehjournal.net/content/4/1/28) ; D.H. Lee, I.K. Lee, K. Song, M. Steffes, W. Toscano, B.A. Baker et D.R. Jr. Jacobs, « A strong dose-response relation between serum concen-

fléaux sanitaires majeurs récemment observés dans les pays riches. Aux États-Unis, 60 % de la population est obèse ou en surpoids, et en Europe au moins 30 % ; en France, 20 % des enfants sont obèses ou en surpoids. Le problème est d'autant plus sérieux que l'obésité est génératrice de diabète et de maladies cardiovasculaires. Certains pensent que tout va bien dans le meilleur des mondes – le monde occidental, bien sûr ! – car l'espérance de vie ne cesse d'augmenter. Comme a raison de le prévoir l'environnementaliste Claude Aubert[1], cela ne sera plus vrai demain, car il est probable que les complications de l'obésité mettront définitivement un terme à cette augmentation.

Plusieurs formes d'obésité et types de facteurs sont à considérer : des facteurs génétiques constitutionnels, expliquant le caractère familial de certaines obésités, une possible origine endocrinienne, le stress et l'excès alimentaire, dont l'origine est à rechercher dans la façon dont sont conçus et vendus nos aliments – trop de sel, trop de sucre, trop de farineux dans les portions congrues vendues à bas prix[2]. Les causes sont alors sociétales, liées une fois de plus aux lois du marché, favorisant les propriétés organoleptiques des aliments pour mieux vendre. Ce sont les causes classiques. Mais, de façon très inattendue, il semble que la pollution chimique puisse intervenir aussi. C'est ce qui ressort des travaux de mon collaborateur à l'ARTAC Philippe Irigaray, qui a montré que le benzo[a]pyrène, un polluant ubiquitaire, est capable d'induire une surcharge pondérale chez l'animal[3]. Dans ce cas, le rôle de ce pol-

---

trations of persistent organic pollutants and diabetes : results from the National Health and Examination Survey 1999-2002 », *Diabetes Care*, juillet 2006, 29(7), p. 1638-1644.

1. C. Aubert, *Espérance de vie. La fin des illusions*, Terre vivante, Mens, 2006.

2. J.-M. Cohen et P. Serog, *Savoir manger*, *op. cit.*

3. P. Irigaray, V. Ogier, S. Jacquenet, V. Notet, P. Sibille, L. Mejean, B.E. Bihain et F.T. Yen, « Benzo[a]pyrene impairs beta-adrenergic stimulation of adipose tissue lipolysis... », art. cité.

luant a été déterminé : il bloque la mobilisation des graisses dans l'organisme. Autrement dit, il ferme le « tonneau des Danaïdes » que constitue normalement notre organisme. Les malades, bien que mangeant normalement, grossissent.

Infections, cancers, malformations, stérilité, maladies neurologiques, allergies, obésité et même diabète... La très longue liste des maladies environnementales liées à la pollution n'est pas close. Sans même évoquer les accidents dus à des empoisonnements aigus, de nombreuses autres maladies sont causées par l'effet toxique des polluants. Tel est le cas des affections cardiorespiratoires liées à la pollution de l'air, et en particulier de la bronchiolite du nourrisson, aujourd'hui fréquente et dont le processus d'apparition est probablement très complexe.

Ces maladies, nous les provoquons de façon directe ou indirecte. Comment comprendre le déficit de la Sécurité sociale sans admettre qu'il est le prix à payer pour les avoir créées ?

Chapitre 7

L'échec du Plan cancer

> La médecine du XXIe siècle sera une médecine de prévention, de prédiction. Elle parviendra, assez souvent, à éviter l'apparition des maladies, à remettre de l'ordre dans le corps, à corriger les cellules malignes au lieu de les détruire.
>
> Jean Bernard.

Il m'en coûte d'écrire ce chapitre tant j'ai de peine à concevoir qu'on puisse mobiliser tant d'énergie, de bonnes volontés et de compétences, mettre dans un projet tant d'argent et tant d'espoir, pour aboutir à un si piètre résultat. Combien de malades et de familles déçus, combien d'équipes soignantes, d'infirmières et de médecins désenchantés face à ce qu'on annonçait comme un succès et que, pour des raisons politiques, on présente et on continuera de présenter comme une victoire, mais qui en réalité se solde déjà et se soldera de plus en plus dans les prochaines années par un échec retentissant en termes de santé publique !

Il y a, pour toute chose, un devoir de vérité. C'est ce devoir que je m'impose ici. Les faux espoirs doivent être combattus car nos lendemains risquent d'être encore plus tragiques. À quoi cela sert-il de mettre en œuvre un plan s'il se révèle inefficace ? Je veux dénoncer la tromperie scientifique, et je me sens d'autant plus autorisé à le faire que la Commission de santé publique que j'ai coordonnée avant la réélection du président de la République Jacques Chirac a été l'initiatrice de ce plan. J'analyse ici les raisons de cet échec et ce qu'il faudrait faire pour qu'il n'en soit pas ainsi.

L'exemple de l'échec américain

On se souvient du Plan cancer américain. Lorsque, le 23 décembre 1971, Richard Nixon déclare officiellement la guerre au cancer, en y mettant les moyens intellectuels et financiers qu'il convient, il croit pouvoir remporter la bataille cinq ans plus tard, à la date anniversaire du bicentenaire de l'indépendance des États-Unis. Le président américain est alors convaincu qu'avec un plan aussi richement doté il gagnera cette guerre avec autant de facilité que les Américains ont vaincu les Soviétiques deux ans plus tôt en marchant sur la Lune. Mais marcher sur la Lune n'est pas vaincre une maladie telle que le cancer : dans le domaine spatial, ce sont les lois de la physique qui sont la clé et la technologie est souveraine, alors qu'en médecine ce sont les lois de la biologie qui s'imposent et la technologie n'a qu'un rôle d'appoint. Les lois biologiques, bien qu'elles relèvent aussi de la physique et de la chimie, ne sont pas les mêmes que dans ces deux disciplines. C'est souvent ce que ne comprennent pas les scientifiques s'occupant de physique ni les hommes politiques. Ils pensent que, l'organisme vivant étant soumis au même déterminisme que la matière inerte, on pourra le contrôler de la même façon, et donc le soumettre au désir des hommes et à leurs lois. Le vivant est beaucoup plus complexe que l'inerte. L'homme ne pourra jamais vaincre la mort. En cas de maladies sérieuses, il parvient certes, parfois, à obtenir la guérison – ce qui arrive aujourd'hui plus fréquemment qu'autrefois –, mais, le plus souvent, tout ce qu'il peut faire, c'est en atténuer la gravité, prolonger la vie des malades et supprimer leurs souffrances. Pour éradiquer une maladie aussi grave que le cancer, les médecins et les décideurs politiques ne doivent pas se tromper de combat : il leur faut ternir compte des lois de la biologie. Résultat : le plan Nixon, parce qu'il avait fixé ses objectifs dans les domaines de la génétique et des nouveaux traitements et non dans celui de la prévention, s'est soldé par un échec retentissant.

Tout laisse en effet à penser qu'en raison de l'extrême complexité de la maladie la solution de santé publique ne se trouve pas dans la mise au point de nouveaux médicaments basés sur la compréhension du génome. Comme le montre la figure 2, la courbe de mortalité par cancer aux États-Unis, à la différence de celle concernant la mortalité par maladies cardiovasculaires, est immuablement plate depuis cinquante ans. Rien n'y fait. Abordé sous le seul angle des traitements, le cancer, lorsqu'il est évolué, résiste à tout : au génie intellectuel de l'homme, aux mul-

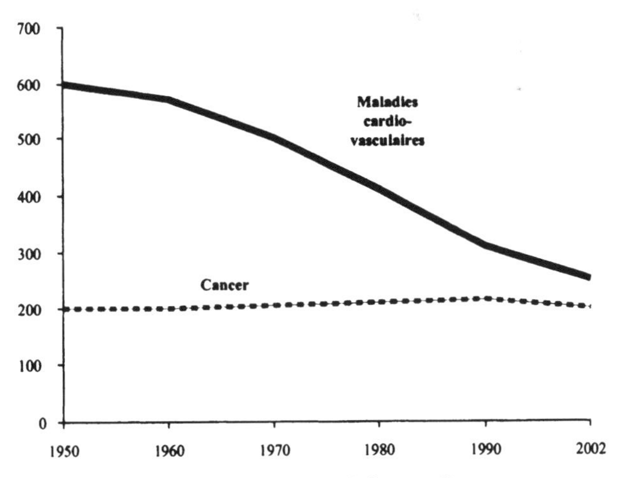

Figure 2. Absence de régression de la mortalité par cancer ces cinquante dernières années aux États-Unis.
Source : Center for Disease Control and Prevention (CDC).

tiples connaissances acquises, aux recherches, aux progrès techniques, aux investissements financiers. Il faut se rendre à l'évidence. C'est ce qu'indique la figure 3. On constate une certaine amélioration de la survie des « petits cancers » (en raison des progrès dans le diagnostic précoce et la chimiothérapie), alors que la survie ne s'est pas améliorée pour les cancers évolués métastasés. Selon un nombre croissant de chercheurs américains, dont le spécialiste de santé publique Samuel Epstein et l'épidémiologiste du cancer Richard Clapp, il faut donc repenser totalement les stratégies de lutte, et en particulier réorienter les recherches vers la prévention pour éviter l'aggravation du désastre.

Pourquoi les recherches thérapeutiques issues de la biologie ne permettront jamais d'éradiquer la maladie

En France, on compte chaque année 280 000 nouveaux malades atteints de cancers et 150 000 personnes qui en meurent. Si on regarde le côté positif des choses, il faut souligner qu'on guérit 45 % des malades. Il s'agit essentiellement des petits cancers, ceux qu'on dépiste ou qu'on diagnostique au tout début, donc qu'on peut opérer. En outre, pour les 55 % de malades qui ne guérissent pas, la qualité des traitements, le confort et même l'espérance de vie se sont nettement améliorés depuis l'introduction de l'oncologie médicale[1]. Hier isolés, et même souvent abandonnés par la médecine, ces malades sont aujourd'hui pris en charge par des équipes soignantes compétentes et motivées. Certains de mes collègues se satisfont de ce résultat, qu'ils jugent encourageant. Ils

1. D. Belpomme, *Guérir du cancer ou s'en protéger*, *op. cit.* L'oncologie médicale est la médecine cancérologique, ou cancérologie médicale.

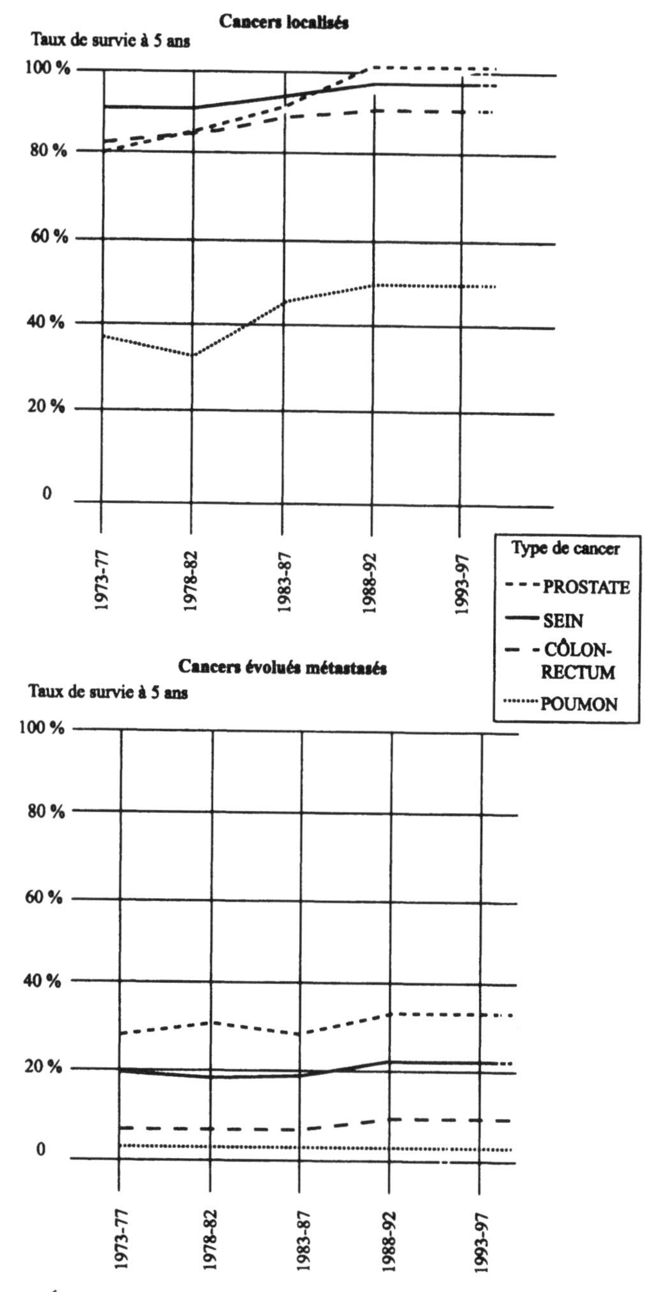

Figure 3. Évolution des taux de survie à 5 ans ces vingt-cinq dernières années des 4 cancers les plus fréquents : prostate, sein, côlon-rectum, poumon. Courbes reconstituées à partir des données américaines – SEER.

affirment que, grâce aux découvertes à venir, les progrès thérapeutiques ne s'arrêteront pas, et que demain de nouveaux médicaments permettront de guérir la plupart des malades. Ils se trompent. Cela n'est pas possible parce que la médecine est désormais parvenue au maximum de ses possibilités thérapeutiques ou qu'elle en est proche. J'en ai donné les raisons dans un ouvrage précédent[1].

Du côté négatif des choses, il y a donc les 55 % de malades qui meurent encore de leur maladie et l'impasse des recherches thérapeutiques. Ce que permettent aujourd'hui les connaissances en biologie, c'est de mieux comprendre la maladie, éventuellement de mieux la dépister, mais pas de mieux la traiter. La complexité est telle que les thérapeutiques issues de la biologie, par exemple l'immunothérapie, la thérapie génique ou même les thérapeutiques antiangiogéniques[2], ne pourront au mieux qu'apporter un petit plus, mais en aucun cas éradiquer le fléau. C'est ce que n'ont toujours pas réalisé les responsables de l'actuel Plan cancer en France. Dans ces conditions, que faire ? Une seule réponse : la prévention. Mais pas n'importe laquelle.

---

1. D. Belpomme, *Guérir du cancer ou s'en protéger*, *op. cit.* L'une des raisons principales, simple à comprendre, est que toutes les cellules cancéreuses d'une tumeur diffèrent les unes des autres au double plan *génétique* et *épigénétique* (voir le chapitre 4) et que par conséquent il est impossible, d'une part, de corriger les désordres moléculaires qui concernent toutes ces cellules et, d'autre part, de les détruire toutes par radiothérapie ou chimiothérapie, du fait de l'apparition de cellules forcément résistantes en raison de la sélection darwinienne (voir le chapitre 1).

2. Ces thérapeutiques, en bloquant la vascularisation de la tumeur, provoquent une baisse d'oxygénation et d'apports nutritionnels, induisant la mort des cellules. Mais, malheureusement, un certain nombre de ces cellules s'adaptent et résistent au traitement. L'effet thérapeutique obtenu ne peut donc être que transitoire.

Plus d'un million de morts par an ! L'échec du Plan cancer européen

En 1985, la Communauté européenne avait, elle aussi, mis en place un Plan cancer, avec trois objectifs principaux : la lutte contre les addictions – tabagisme et alcoolisme –, le dépistage, l'éducation et la formation des médecins. Croyant bien faire, elle avait espéré une réduction de la mortalité par cancer de 15 % en 2000. On connaît les résultats. La mortalité n'a que faiblement régressé, alors que simultanément, l'incidence de la maladie ayant fortement augmenté, le nombre de morts par cancer exprimé en *valeur absolue* n'a fait que croître [1]. En Europe, c'est plus d'un million de morts par cancer qu'on déplore chaque année, soit chaque jour près de 3 000 morts. Ce qui signifie, en clair, que la politique de lutte contre les facteurs classiques d'intempérance tels le tabagisme, l'alcoolisme ou une mauvaise alimentation, même mise en œuvre de façon efficace – ce qui n'est hélas toujours pas le cas dans de très nombreux pays –, ne peut à elle seule résoudre le problème. Il faut lui adjoindre, impérativement, la lutte contre la pollution environnementale pour espérer obtenir quelque succès dans le cadre de ce que j'appelle la « précauvention », c'est-à-dire l'association de mesures de précaution et de mesures de prévention [2]. On l'a dit, le problème n'est plus seulement médical mais sociétal. Or, bien que la France continue d'affirmer son intention de combattre la pollution, elle n'a pas de politique environnementale ni de Plan cancer à la hauteur du défi à relever – c'est-à-dire un plan qui considère à leur juste valeur les causes environnementales de la maladie et les mesures à prendre pour y faire face.

1. B. Moller, M.J. Quinn, A. d'Onofrio *et al.*, « Cancer mortality trends in the EU and acceding countries up to 2015 », *Annals Oncology*, 2003, 14, p. 1148-1152.
2. D. Belpomme, *Guérir du cancer ou s'en protéger*, *op. cit.*

Trois quarts des cancers liés à l'environnement

Il faut se rendre à l'évidence : ni le tabagisme, ni l'alcoolisme, qui sont en nette régression dans notre pays, ni même une mauvaise alimentation ne peuvent expliquer l'augmentation de l'incidence des cancers ces vingt dernières années : + 63 % globalement, + 35 % si on utilise, pour être comparés, des *taux standard* gommant l'effet du vieillissement de la population.

L'origine de la très grande majorité des cancers ne repose plus sur les facteurs classiques encore envisagés par nombre de professionnels de santé, qui pointent toujours le vieillissement de la population, la généralisation du dépistage et les intempérances individuelles pour expliquer l'augmentation d'incidence de la maladie. Il faut souligner l'absurdité des messages diffusés, y compris par des cancérologues, qui, en se référant aux travaux de 1981 des épidémiologistes Sir Richard Doll et Sir Richard Peto, continuent à affirmer que la pollution, en particulier chimique, ne serait la cause que de 1 % des cancers.

Le vieillissement à l'origine des cancers ? L'augmentation d'incidence concerne toutes les tranches d'âge de la population. En Europe, il y a environ 1 % de cancers en plus chez l'enfant chaque année depuis trente ans[1]. Contrairement à ce qui est affirmé sans fondement scientifique valable, le vieillissement de la population n'est donc pas le seul facteur à considérer pour expliquer l'incidence croissante des cancers. En outre, les enfants de moins de 3 ans ne fument pas, ne boivent pas d'alcool et ont une alimentation relativement équilibrée. Or c'est surtout chez eux que le nombre de cancers augmente.

---

1. P. Kaatsch, E. Steliarova-Foucher, E. Crocetti *et al.*, « Time trends of cancer incidence in European children (1978-1997) », art. cité ; A.C. Dreifaldt, M. Carlberg et L. Hardell, « Increasing incidence rates of childhood malignant diseases in Sweden during the period 1960-1998 », *Eur. J. Cancer*, juin 2004, 40(9), p. 1351-1360.

Le dépistage gonflant artificiellement le nombre de cancers recensés ? L'argument s'appuie sur le fait que, en vingt ans, l'incidence des cancers du sein a doublé chez la femme, alors que celle des cancers de la prostate a triplé chez l'homme. Ce sont deux cancers pour lesquels ont pu être mis au point des tests de dépistage. Mais ces derniers ne sauraient expliquer l'accroissement d'incidence avant leur mise en œuvre. En outre, l'augmentation d'incidence concerne indistinctement les cancers qu'on dépiste et ceux qu'on ne dépiste pas, tels que les leucémies, les lymphomes, les cancers des testicules et de nombreux autres.

Dernier argument : au cours des vingt dernières années, nous avons modifié notre mode de vie. Un tel changement ne pourrait-il être la cause de l'augmentation actuelle du nombre de cas de cancers ? Ici encore, la réponse est non ! Soulignons tout d'abord que depuis la promulgation des lois Veil et Évin le tabagisme et l'alcoolisme ont nettement régressé dans notre pays et que cette régression se poursuit aujourd'hui. D'autre part, pour qu'un cancer naisse et se développe dans l'organisme, il faut qu'à un moment ou à un autre survienne dans une cellule en division un *nombre critique de mutations*. Autrement dit, il ne peut y avoir de cancer sans mutations. Or les données scientifiques actuelles sont incontournables : si globalement un cancer sur quatre est bien causé par le tabagisme en raison de la présence de facteurs mutagènes dans la fumée et les goudrons résultant de la combustion du tabac, le problème se pose pour expliquer l'origine des trois cancers sur quatre qui n'y sont pas liés. La thèse classique affirme que d'autres facteurs liés au mode de vie en seraient à l'origine : alcoolisme, déséquilibres alimentaires, surpoids, obésité, pilule, traitements substitutifs de la ménopause, sédentarité, etc. Or, s'ils interviennent bien dans la genèse des cancers en tant que promoteurs ou cocarcinogènes[1], *aucun d'entre eux n'est mutagène*. Le

1. Un *promoteur* favorise la division des cellules une fois qu'elles ont muté. La promotion est donc une étape de la cancérisation. Les hormones (pilule, traitement substitutif de la ménopause) ou les

changement de mode de vie ne peut donc pas expliquer à lui seul l'augmentation d'incidence des cancers.

Les facteurs mutagènes indispensables pour que naisse un cancer ne peuvent donc se trouver que dans l'environnement. C'est là le point fondamental qui permet de comprendre qu'environ 75 % des cancers sont, au moins en partie, causés par des facteurs environnementaux. Certains scientifiques affirment que ce raisonnement n'est que *déductif*, et donc qu'il est insuffisant pour entraîner la certitude. Je les rejoins sur ce point. Mais il existe de nombreux arguments *inductifs* qui renforcent cette thèse : comme je l'ai souligné dans les chapitres précédents, il est certain que, depuis la dernière guerre mondiale, nous avons dégradé et en particulier pollué considérablement notre environnement en y introduisant de nombreux facteurs mutagènes : rayonnements, substances chimiques CMR, virus cancérigènes, etc. C'est à cette conclusion que j'étais parvenu en 2003 lorsque, au sein de la Commission de santé publique que j'animais, mes collègues et moi-même avions pour la première fois incité les pouvoirs politiques à mettre en œuvre un Plan cancer national axé principalement sur la prévention environnementale. Or il n'a pas été tenu compte de nos propositions.

Juger n'est pas polémiquer

Un quotidien titrait en mai 2006 : « Un audit accable l'Institut du cancer ». L'article se poursuivait ainsi : « L'Institut national du cancer (INCa), bras armé du Plan

---

perturbateurs endocriniens tels la plupart des pesticides organochlorés sont de puissants promoteurs. Un *cocarcinogène* est un facteur non cancérigène en lui-même, mais qui amplifie l'effet des facteurs mutagènes ou des promoteurs. Ainsi, l'alcool ou les graisses animales ne sont pas en eux-mêmes cancérigènes, mais ils sont des cocarcinogènes.

cancer voulu par Chirac, est visiblement critiqué pour sa gestion dans un rapport d'audit du Contrôle général économique et financier. [...] Cet audit avait été demandé par l'Institut du cancer lui-même, à la suite de la diffusion d'une lettre anonyme évoquant des dépenses somptuaires [...]. »

En fait, le rapport dressait un constat d'échec, et ce que demandaient à demi-mot les contrôleurs de Bercy était purement et simplement le départ du cancérologue David Khayat, un an après son installation en mai 2005 à la tête de cet institut. Je me refuse à juger les hommes et me place seulement sur le plan des données scientifiques, de la discipline cancérologique que je pratique depuis plus de trente ans et de l'expérience de terrain que j'ai acquise auprès des malades. Il est évident que David Khayat a été la victime d'intérêts contradictoires de natures diverses au sein même de la communauté cancérologique et d'un système de santé qui n'a pas encore intégré la nécessité de fonder les recherches et la lutte contre le cancer sur la *prévention environnementale*. La raison en est sans doute que les cliniciens et les biologistes en charge du plan, cantonnés dans le champ restreint de leur compétence immédiate, ne lisent pas la littérature scientifique internationale concernant les liens entre cancer et environnement, et par conséquent ne se tiennent pas au courant de ce qui se dit et se décide au niveau international, en particulier à Bruxelles pour ce qui est de l'Europe. À cet égard, il n'est pas du tout sûr que le successeur de David Khayat à la tête de l'INCa, un hématologue de formation n'ayant qu'une expérience bien modeste de la cancérologie, fera mieux que lui. Ce qui est regrettable dans cette affaire, c'est la façon dont les choses se sont passées, et le gâchis financier qui en résulte. Après l'affaire de l'ARC, la recherche sur le cancer n'avait évidemment pas besoin de cela.

Les multiples raisons d'un échec

Le Plan cancer français a été lancé en mars 2003. Avec plus de trois années de recul, il est désormais possible de juger ce qui a été fait, sur la forme autant que sur le fond. Où peut nous conduire le Plan cancer compte tenu de ses objectifs actuels ? Obtiendra-t-on la victoire tant espérée, alors que les autres plans, construits sur le même modèle que le nôtre, que ce soit aux États-Unis ou en Europe, ont tous échoué ? Ferons-nous mieux que les autres en la matière ?

L'annonce du Plan cancer par le président de la République, au début de sa seconde mandature, fut en soi un énorme soulagement : enfin, on prenait conscience officiellement de ce fléau de santé publique ! C'est là sans doute le point fort du plan : son existence même. Car, pour le reste, tout est à faire. L'erreur majeure a été de tout miser sur la recherche thérapeutique et l'amélioration des soins. Ce qui revient à faire ce qu'on faisait déjà auparavant.

En matière de *recherche*, l'application du plan et l'argent disponible ont conduit à renforcer la collaboration avec l'industrie pharmaceutique, à financer des programmes de recherche axés sur la génétique ainsi que des travaux de recherche clinique dans le domaine thérapeutique en partenariat avec l'industrie – ce qui indirectement a permis à cette dernière de se dédouaner de financer elle-même ses propres recherches –, finalement des programmes de recherche dont l'intérêt est critiquable et qui sont inéluctablement voués à l'échec pour les raisons que j'ai précédemment soulignées. Rien ou presque n'a été prévu dans les domaines de l'épidémiologie et de la toxicologie, rien en matière de prévention, absolument rien en ce qui concerne l'environnement.

La situation n'est guère plus brillante du côté des *soins*. Certes, le plan a divisé la France en sept cancéropôles et a créé un institut national, l'INCa, censé coordonner l'ensemble. Mais cette organisation n'a strictement rien changé sur le terrain, à quelques exceptions près.

Les cancéropôles font l'objet de nombreux conflits d'intérêts locaux, car l'argent disponible attise les convoitises. Au niveau des différentes structures et filières de soins, là non plus, rien n'a changé. Les fameux réseaux de soins, loin de fonctionner réellement, existent le plus souvent virtuellement. Quant à l'INCa, toujours installé dans des locaux provisoires, son action est elle aussi virtuelle, alors que ses dépenses de fonctionnement sont bien réelles. Au total, un énorme gâchis financier qui, si le plan conserve la même orientation, se soldera par un résultat nul.

On nous dit que, grâce au plan et en particulier à la création de nombreux postes de psychologues (à venir ?), à l'accréditation des centres de soins et à la labellisation des équipes soignantes, la prise en charge des malades est ou sera meilleure. J'ai parcouru récemment le pays et j'ai rencontré certains de mes collègues cancérologues ainsi que nombre d'équipes soignantes. Tous font un travail remarquable auquel je rends hommage, mais ils m'ont expliqué que, pour eux, le plan n'avait rien amélioré. La mise en place de l'accréditation et de la labellisation met à certains d'entre eux des bâtons dans les roues ! Ce que prévoit le plan en matière de soins est tout le contraire de ce qu'il aurait fallu faire : rassembler les acteurs de santé plutôt que les diviser.

Pour les malades et leurs familles, le plan n'a rien changé non plus, à tel point qu'ils ne connaissent même pas son existence ou n'en savent que ce qu'ils en entendent dans les médias. Pessimisme, pourraient me reprocher certains. Non, réalisme, honnêteté et expertise scientifique indépendante de la part d'un cancérologue qui, à la suite de Georges Mathé et de Lucien Israël, deux pionniers en matière de lutte contre le cancer, a consacré plus de la moitié de sa vie à combattre la maladie.

Et pourtant, on affirme que le plan est un succès

Le 27 avril 2006, le président de la République, à l'occasion du troisième anniversaire du plan, pour lequel il s'était personnellement engagé en mars 2003, affirmait qu'on était sur la bonne voie : « Grâce à vous, professionnels de santé, chercheurs, associations de malades, la donne a changé. [...] Dans tous les domaines de la lutte contre le cancer, nous avons marqué des points. » Quels points ? Quels domaines ? Là est toute la question.

Les malades vont-ils mieux ? A-t-on, comme le plan le prévoyait, fait baisser la mortalité par cancer de 20 % en cinq ans ? Aux deux tiers du parcours, cette mortalité a-t-elle reculé ne serait-ce que de 10 % ? Malheureusement, non. L'expérience de terrain en dit long. Tous les cancérologues sont unanimes : globalement, le pronostic est toujours le même. Il semble même s'être aggravé chez les sujets jeunes, parfois très jeunes, qui sont atteints de plus en plus fréquemment par la maladie. Mais juger de l'évolution de l'incidence et de la mortalité depuis la mise en œuvre du plan est impossible en raison de l'absence de données épidémiologiques disponibles. Les données d'incidence ne peuvent être extrapolées à partir d'un nombre insuffisant de registres – ce qui n'a pas été fait par le plan –, et on ne dispose pas de celles de mortalité étant donné qu'on ne peut pas les obtenir en temps réel, chaque année. Ainsi, le plan ne peut même pas s'autoévaluer ! Il distribue de l'argent, annonce ce qu'il fait, mais ne se donne pas les moyens de vérifier les résultats obtenus en matière de santé publique. Voilà l'astuce : dans ces conditions, le plan ne peut être qu'un succès.

Toutefois, selon ses responsables, il y aurait eu des avancées significatives. Entre 2000 et 2005, le nombre de fumeurs est passé de 15,2 à 13,8 millions, la consommation d'alcool a baissé de 34 % chez les femmes et de 27 % chez les hommes, le dépistage des cancers du sein s'est généralisé, le parc des appareils d'imagerie s'est agrandi

– il faudrait en fait parler d'un comblement de notre retard –, avec par conséquent des délais d'attente pour une IRM passant de 43 à 27 jours. Bref, pour la cancérologie « vue d'en haut », tout va bien. Mais fallait-il un Plan cancer pour cela ? Dans quelle mesure le plan est-il responsable de la baisse du tabagisme et de l'alcoolisme, en recul constant depuis les lois Veil et Évin ? La lutte contre le tabagisme est bien sûr essentielle puisqu'il est à l'origine d'un cancer sur quatre. Mais n'aurait-on pas pu faire mieux encore en faisant respecter la loi Évin concrètement, et pour cela en interdisant de fumer dans tous les lieux publics pour lutter contre le tabagisme passif, à l'image de ce qui se fait dans de nombreux pays d'Europe, au lieu de céder aux pressions des buralistes et des professionnels de la restauration et par conséquent de reculer encore un peu plus la mise en application de cette loi ? En presque quatre ans, quelles avancées concrètes le plan a-t-il permises en matière de dépistage systématique ? Le dépistage des cancers du sein date déjà de quinze ans, alors que le dépistage organisé des cancers du côlon ou du rectum est toujours inexistant !

Des malades prennent la parole

Il faut aussi tenir compte de ce que pense la « France d'en bas » : celle des malades. Un nombre croissant d'entre eux prennent la parole, confirmant l'analyse qui vient d'être faite. Voici, parmi de nombreuses autres, la lettre que j'ai reçue d'une malade, à l'adresse du président de la République :

> Monsieur le Président de la République,
> [...] je suis condamnée à déserter ce monde par le biais d'une grave et douloureuse maladie qu'on appelle cancer et dont sont atteints un grand nombre de mes concitoyens et de mes amis.

Sachez, Monsieur le Président, que j'aurais été heureuse si votre plan anticancer avait permis de mettre en œuvre une recherche rigoureuse, bien étayée et bien orientée sur les possibilités de mettre vraiment en échec le développement de cette maladie. Mais, pour cela, il eût fallu payer des chercheurs qui ne soient pas les « jouets » d'une certaine finance et que la recherche publique soit encadrée pour les objectifs recherchés, c'est-à-dire enrayer la maladie. Je suis certaine qu'en ce XXIe siècle il y a de grands esprits capables de mettre cela en œuvre, si certains ne l'ont déjà fait, mais qu'ils ont été sans doute relégués aux oubliettes au vu des enjeux financiers impliqués.

Pour ce qui me concerne, je suis en récidive depuis janvier 2003 et je n'ai pas vu le moindre changement après votre plan anticancer en ce qui concerne l'approche du cancer et les traitements. Malade une première fois en 1994, j'ai pu noter que le mode de traitement du cancer était resté le même depuis 1994 jusqu'à aujourd'hui (chimiothérapies et radiothérapies) et que seuls quelques effets secondaires étaient mieux maîtrisés, avec les antivomitifs notamment. Par contre, les effets secondaires délétères, dont les cancérologues parlent peu avant le traitement, sont toujours aussi durs. Je suis victime pour ma part de troubles neurologiques, d'un grave affaiblissement du système immunitaire et de mon potentiel énergétique et d'autres symptômes à traiter dont la liste est longue et à mon avis coûteuse pour notre Sécurité sociale.

Bref, il me semble que la recherche en France contre le cancer fonctionne au ralenti, avec un intérêt particulier dans la recherche du profit. En effet, livrée aux lobbies pharmaceutiques qui ramassent des fortunes avec le prix de ces chimio-poisons sur le dos de la souffrance d'êtres humains, il n'est pas dans l'intérêt de certains que souffle un air de changement. Difficile, le changement, n'est-ce pas ? Et pourtant, ces humains malades complètement avilis, dégradés, humiliés vivent au pays des droits de l'homme, dans lequel ils ont travaillé depuis leur jeunesse, pour ma part comme bien d'autres, et espéreraient être mieux servis sur le plan du droit à la santé. [...]

Non, Monsieur le Président, celui qui profite en ce moment en toute inconscience et dans le mépris de ses semblables n'échappera pas aux catastrophes qui nous attendent et à notre destin. Des hommes de bonne volonté (car il y en a aussi) ne cessent de nous avertir, de nous informer, mais vous les politiques de tous bords restez horriblement sourds à ces alertes, parce que vous vous croyez hors d'atteinte avec l'argent. On n'achète pas sa santé (heureusement) et bon nombre d'entre vous parmi les autres souffriront comme je peux souffrir avec ma famille et mes amis. [...]

Veuillez agréer, Monsieur le Président de la République, l'expression de mes sentiments respectueux.

Un aveu d'échec

La prise de conscience de l'échec du Plan cancer par les autorités publiques, bien que non verbalisée du fait du devoir de réserve, se décèle dans la déclaration du président de la République du 27 avril 2006. Il y affirmait la nécessité de passer à une seconde étape : lutter contre les addictions, accélérer le dépistage, lancer un programme national de recherche sur le génome, labelliser les équipes médicales, mettre en place un dispositif d'accompagnement des malades – autant de points prévus initialement par le plan et qui auraient dû être mis en œuvre. En ce sens, cette déclaration est un aveu d'échec.

Ce qu'il faut faire : le plan B

Ce sont les malades, leurs familles et l'ensemble des citoyens qui finalement jugeront si le plan est un succès ou non. Lorsque nos concitoyens constateront qu'il y a moins de cancers autour d'eux et que la diminution du risque sera confirmée par des données épidémiologiques, lorsque les malades guériront plus souvent ou verront leur espérance de vie nettement prolongée, alors on pourra dire que la partie est gagnée, que la mise en place d'un Plan cancer a servi à quelque chose, qu'il n'a pas seulement suscité de faux espoirs auprès de malades inquiets quant à leur devenir, auprès de familles endolories, d'équipes soignantes désabusées, vivant au quotidien la réalité du drame de leurs patients, et finalement auprès d'une population qui n'attend que deux choses : que la médecine fasse des progrès et qu'on lui dise la vérité.

J'ai déjà donné des solutions. Il ne peut y avoir de miracles. Il faut que notre pays adopte une politique environnementale à la hauteur du défi auquel il doit faire face, et pour cela, en vertu des principes de prévention et de précaution – la précauvention –, il faut qu'il prenne un nombre important de mesures pour éviter la pollution de l'air, de l'eau, des sols, de l'alimentation, et surtout qu'il s'attache à vérifier l'application concrète de ces mesures. Il s'agit ici d'un véritable renversement de tendance, d'une complète réorientation du plan, en l'axant prioritairement sur la *prévention environnementale*. Bien sûr, cela n'est pas facile à mettre en œuvre, mais c'est possible si on en a la volonté politique.

L'un des premiers impératifs est d'articuler le Plan cancer avec le Plan santé-environnement, et par conséquent de faire en sorte que l'INCa soit la cheville ouvrière du rapprochement entre les ministères de la Santé et de l'Environnement et travaille en relation étroite avec l'un et l'autre, ainsi qu'avec l'ensemble des agences qui en dépendent.

Autre urgence : restaurer la discipline toxicologique et développer l'épidémiologie, et pour cela veiller à ce que l'INSERM et le CNRS, qui doivent être prioritairement impliqués dans les recherches sur le cancer, s'orientent vers la création de nouvelles unités de recherche en toxicologie et en épidémiologie environnementales. Les recherches en génétique sont certes nécessaires, mais elles ne doivent pas conduire à brader celles concernant l'environnement. La génétique reste bien sûr indispensable pour la mise au point de nouveaux tests de dépistage basés sur l'étude des gènes de susceptibilité aux facteurs environnementaux. Mais développer les recherches épidémiologiques, et pour cela restructurer complètement les organismes qui s'en occupent, est encore plus nécessaire. Là aussi, l'INCa pourrait être une cheville ouvrière. Il est essentiel d'obtenir des données précises concernant le type et la quantité de polluants à l'origine des cancers. Notre pays n'est pas à la hauteur en matière d'expertise scientifique. Il faut y remédier. Autre mesure : initier des études dans le domaine de la prévention. C'est à partir d'une telle restructuration et de telles données qu'on peut espérer mettre en place une politique de santé publique réellement efficace. Enfin, il convient d'établir des liens de collaboration rapprochés avec l'OMS et le CIRC, et d'ouvrir le Plan cancer à l'Europe, car il y est aujourd'hui totalement inconnu.

Pour toutes ces réorientations, le rôle de l'INCa est essentiel : au niveau central pour la réalisation des indispensables jonctions avec les ministères, les différentes agences et les organismes internationaux ; au niveau local au travers des sept cancéropôles, dont le rôle doit être renforcé en matière de soins et de prise en charge des malades, mais aussi de prévention.

Le cancer est une affaire trop grave pour qu'on n'y mette pas plus de sérieux et de compétence scientifique, moins de politique politicienne et d'ambitions personnelles.

Chapitre 8

Dans dix ans, il sera trop tard

> Quand le dernier arbre aura été coupé
> Quand la dernière rivière aura été asséchée
> Quand le dernier poisson aura été pêché
> L'homme s'apercevra que l'argent n'est pas comestible.
>
> Proverbe indien.

Les cancers ne sont que la partie émergée de l'iceberg. Ce qui se passe sous nos yeux, sans qu'on s'en aperçoive encore, est beaucoup plus grave. Les maladies sont des indicateurs puissants de notre devenir. Elles révèlent que nos comportements, nos actions, se soldent par des menaces qui vont bien au-delà de notre santé, de notre simple vie d'homme.

En détruisant la nature, en la polluant, l'espèce humaine s'est mise en danger.

On nous a fait peur, on a tiré le signal d'alarme, peut-être trop hâtivement, sans mettre en œuvre les solutions adéquates. Souvenons-nous des mises en garde du Club de Rome en 1970[1] relatives à la croissance démographique et à l'épuisement rapide des ressources terrestres, et des chocs pétroliers de 1973 et 1979 qui nous annon-

1. Club de Rome, *Halte à la croissance !*, Fayard, Paris, 1972.

çaient la fin prochaine de l'or noir. On a crié au loup et rien n'est arrivé, en tout cas rien de suffisamment inquiétant pour remettre en cause le confort de notre mode de vie et la poursuite de nos activités.

À présent, la situation est tout à fait différente. Elle est vraiment sérieuse. Plus aucun scientifique correctement informé ne conteste les problèmes de santé publique que j'ai évoqués ni la gravité de la disparition de la couche d'ozone stratosphérique. Il y a aujourd'hui un consensus général sur le réchauffement climatique et sur le fait que l'homme en est le principal, si ce n'est l'unique, artisan. Seule une mauvaise foi aveugle et criminelle – une insulte à la science et à l'observation la plus élémentaire – autoriserait à nier que la planète se réchauffe, que les neiges éternelles et les glaces polaires fondent à une vitesse jamais atteinte dans le passé, que tout cela est causé par un usage excessif des combustibles fossiles et finalement que nous en sommes responsables. Ce qui se prépare sous nos yeux est véritablement cataclysmique : nous cassons le thermostat de Gaïa, la planète Terre. Tout le problème est de savoir si les phénomènes que nous avons déclenchés sont encore réversibles. Sans en avoir la certitude, je pense que oui. À condition que nous agissions très rapidement. Pour le zoologiste australien Tim Flannery, si nous n'agissons pas dès maintenant, dans dix ans il sera trop tard[1]. C'est aussi ce qu'indique le très volumineux rapport Stern, qui aborde le problème sous l'angle économique[2].

J'analyse dans ce chapitre pourquoi et comment les maladies que nous créons sont des indicateurs de notre

1. Tim Flannery est directeur du laboratoire de zoologie de l'Australian Museum de Sydney et enseignant à Harvard. On lui doit *Les Faiseurs de pluie* (*op. cit.*). Lire aussi son article « Dans dix ans il sera trop tard », *Le Nouvel Observateur*, 25 mai 2006.

2. Rapport remis au Premier Ministre britannique le 30 octobre 2006, disponible à l'adresse suivante : http://www.hm-treasury.gov.uk/independent_reviews/stern_review_economics_climate_change/sternreview_index.cfm.

devenir, pourquoi l'espèce humaine est en danger et pourquoi, si nous ne faisons rien, elle disparaîtra définitivement dans les tout prochains siècles.

Les maladies en tant qu'indicateurs de notre devenir

Hier naturelles et principalement d'origine bactérienne, nos maladies sont aujourd'hui artificielles, fabriquées par l'homme et principalement d'origine physicochimique ou virale. C'est parce que nous avons diversifié notre mode de vie et pollué notre environnement que nous sommes devenus les créateurs de nos maladies. L'homme-artifice, en s'affranchissant des lois de la nature, se prend certes pour le nouveau Dieu – en réalité le prédateur le plus puissant de la planète –, mais, simultanément, en rompant l'ancienne alliance, il est devenu un organisme, une espèce de plus en plus vulnérable face aux perturbations du milieu qu'il induit. Ainsi s'achemine-t-il progressivement vers sa propre mort.

Remonter aux causes des maladies d'aujourd'hui nous fait découvrir les dérèglements naturels que nous provoquons. L'analyse du type et de l'ampleur de ces dérèglements permet de formuler un pronostic. Or, pour cela, en matière de santé et de devenir de l'homme, les médecins sont beaucoup plus à l'aise que leurs collègues des sciences dures. La médecine est ainsi faite : pour traiter correctement un malade, on se base non seulement sur le diagnostic de sa maladie, mais aussi sur l'établissement d'un pronostic. C'est une règle. L'étude des maladies nous révèle qu'il y a toujours une facture à payer lorsqu'on « dénature » la nature, une facture qui est sanitaire avant d'être sociétale. Aujourd'hui nous avons dépassé la ligne jaune du possible et du raisonnable, et demain nous devrons payer la facture, à ces deux niveaux.

Prenons l'exemple des maladies virales émergentes. Avant de manifester sa pathogénicité dans l'organisme, il faut que le virus se propage, mute chez l'animal et, une fois la barrière d'espèce rompue, qu'il mute encore pour que la maladie devienne contagieuse, autrement dit qu'elle se transmette d'homme à homme. Cela demande du temps. Or les phénomènes enclenchés ont une part d'irréversibilité. La nature garde en mémoire tout ce que nous faisons. Le virus qui a plusieurs fois muté persiste sous une forme ou sous une autre dans l'un des hôtes-réservoirs mis à sa disposition. Au fur et à mesure que de nouveaux virus mutent, le nombre d'épées de Damoclès suspendues au-dessus de nos têtes s'accroît. Le risque de survenue de maladies émergentes ou réémergentes s'élève tandis que, simultanément, en raison du développement de phénomènes de résistance, leur gravité augmente. Au-delà d'une certaine limite, une telle pollution biologique rendra toute vie humaine normale impossible sur terre. Nous devons en prendre conscience.

De même, en matière de pollution chimique, il est essentiel de comprendre que les polluants persistent et s'accumulent dans notre environnement, y créant des dégâts en partie irréversibles. Par exemple, dépolluer la totalité des réserves en eau de la planète s'avère désormais quasi impossible. On ne peut en dépolluer qu'une certaine quantité, celle à destination de nos usages domestiques immédiats, et espérer que la nature fera le reste, par les mécanismes de détoxification spontanée qu'elle met en œuvre grâce aux décomposeurs[1], en particulier aux bactéries. À condition bien sûr que ces mécanismes ne soient pas saturés, autrement dit que la pollution soit

1. Les *décomposeurs* sont les micro-organismes – essentiellement les bactéries – qui permettent la restitution de la matière des organismes vivants à la matière inerte avant que celle-ci soit réutilisée pour la procréation de nouveaux organismes vivants. Ils font partie des *chaînes trophiques*, qui assurent l'équilibre nutritionnel des espèces les unes par rapport aux autres. Les décomposeurs interviennent aussi dans la dépollution organique et inorganique. On les utilise en particulier dans les processus de sanitation.

encore à un niveau acceptable. Mais tant que celle-ci persiste – et *a fortiori* s'accroît –, elle sera toujours à l'origine de nombreux fléaux.

La pollution que nous induisons aujourd'hui contient donc une part d'irréversibilité physicochimique et biologique, expliquant que la genèse des maladies soit devenue en partie structurelle et non plus seulement conjoncturelle. Ce constat nous oblige à prendre les mesures nécessaires. En espérant qu'il n'est pas trop tard.

L'espèce humaine en danger

Bien que les écologistes aient tiré la sonnette d'alarme il y a déjà plusieurs décennies, le message de l'Appel de Paris, proclamé le 7 mai 2004, fut difficile à entendre : comment admettre que l'enfance est en danger et qu'en conséquence l'espèce humaine est elle-même menacée au point qu'elle risque de disparaître dans les siècles à venir ? En 2004, je ne connaissais pas les écrits pionniers de l'ancien ministre d'État Édouard Bonnefous qui, dès 1963, avait compris qu'en « dénaturant » la nature l'homme fabriquait son cercueil et creusait sa tombe [1]. En revanche, Jean Dorst et mon ami le naturaliste Jean-Marie Pelt m'avaient mis sur la voie [2].

Alors que nous rédigions l'Appel de Paris, plusieurs scientifiques et même certains écologistes me dirent que nous allions trop loin, que notre texte était empreint de catastrophisme et qu'il risquait d'être rejeté par la communauté scientifique, le corps médical et le grand public. C'est le contraire qui s'est produit. Des personnalités scientifiques aussi renommées que Jean Bernard,

1. É. Bonnefous, *L'Homme ou la nature*, Hachette, Paris, 1970.

2. On doit à Jean Dorst *La Nature dé-naturée*, Delachaux et Niestlé, Paris, 1965, et à Jean-Marie Pelt de nombreux ouvrages sur la perte de biodiversité, dont *L'Homme re-naturé*, Seuil, Paris, 1990, et *La Terre en héritage*, Fayard, Paris, 2000.

Yves Coppens, Jean Dausset, François Gros, François Jacob ou encore Luc Montagnier ont immédiatement signé l'Appel.

Pourquoi l'espèce humaine est-elle en danger ? Deux ordres de manifestations sanitaires sont potentiellement à l'origine de notre extinction : la survenue de maladies très graves, en particulier de stérilités ; l'apparition de conditions environnementales extrêmes risquant de rendre toute vie impossible sur terre. Ce sont ces deux possibilités que j'envisage.

L'Europe devenue un berceau vide

La survenue de très graves pandémies infectieuses est possible, mais il est peu probable, *dans les conditions actuelles*, qu'elles parviennent à elles seules à décimer l'humanité. Jusqu'à maintenant, celle-ci s'en est plutôt bien sortie, bien qu'on ait à déplorer de nombreux morts liés à de telles pandémies. Et on peut considérer que les progrès médicaux, la mise en place de systèmes de santé appropriés et la vigilance des organismes internationaux permettraient d'atténuer leurs effets.

Tout autre est le cas des *stérilités*. Le problème est beaucoup plus complexe, car la reproduction, contrairement à ce qui est souvent dit, est un phénomène naturel que nous ne contrôlons pas, du point de vue scientifique et technique. Les experts les plus savants ne font que constater ce que réalise la nature : la conception, la formation d'un œuf et le développement d'un embryon puis d'un fœtus, selon des processus que nous commençons certes à décrypter, et même à reproduire, mais dont le programme génétique nous est totalement inconnu et en réalité ne nous appartient pas. Le taux de natalité de la France – le plus élevé d'Europe – ne doit pas faire illusion. Comme le souligne le Rapport démographique 2005 de l'ONU, la baisse de natalité s'accentue partout dans le monde, à tel point que notre planète accueillera vers 2050 non pas 12 à 16 milliards d'habitants, comme le prévoyait le Club de Rome [1], mais « seulement » 9 milliards. En apparence, cette tendance est salutaire, car elle laisse augurer un ralentissement de l'épuisement des ressources terrestres et donc la possibilité d'une survie prolongée. Mais le bienfait n'est qu'apparent et cache un problème beaucoup plus grave. Pour interpréter cette baisse de natalité, la très grande majorité des démographes incriminent le contrôle volontaire des naissances, lié à l'utilisation de moyens contraceptifs efficaces. Cette explication a sans doute sa part de vérité. Mais elle ne doit pas occulter l'existence de phénomènes d'hypofécondité, d'infertilité ou même de stérilité, tels que je les ai décrits au chapitre 6, qui concernent surtout les pays riches.

En raison d'un taux de natalité [2] parmi les plus bas du monde, l'Europe est devenue un berceau vide. C'est ce que soulignent le Rapport démographique 2005 de l'ONU et de nombreuses autres publications. Selon les estimations actuelles, au cours des vingt-cinq à cinquante prochaines années, l'Europe devrait perdre entre 75 et 120 millions d'habitants ! Le comblement de ce dépeuplement dépendra de la politique d'immigration choisie. L'Europe n'est pas la seule région du monde concernée. Il est remarquable de constater, chiffres de l'ONU à l'appui, qu'aujourd'hui la planète tout entière ou presque a cessé de « remplacer la génération ». C'est ce que constate le démographe Pierre Chenu [3]. Les femmes en âge de procréer ne sont plus assez nombreuses. Dans les décennies à venir, la population mondiale va certes continuer à aug-

1. Club de Rome, *Halte à la croissance !*, *op. cit.*

2. Le *taux de natalité* est le nombre d'enfants rapporté à 100 000 habitants. Il est à distinguer du *taux de fécondité*, qui est le nombre d'enfants par femme.

3. P. Chenu, H. Chenu et J. Renard, *Essai de prospective démographique*, Fayard, Paris, 2003.

menter, mais ensuite elle va s'effondrer[1]. « L'humanité se trouve engagée dans un processus qu'elle n'a jamais connu. Elle doit le savoir... Peut-être n'est-il pas encore tout à fait trop tard », écrit Pierre Chenu.

Cette baisse de natalité est un phénomène inquiétant, surtout si à son origine on doit invoquer une baisse de fécondité structurelle, autrement dit induite par des polluants reprotoxiques rémanents. L'accumulation de tels polluants ne pourrait conduire, à terme, qu'à la stérilisation complète de l'espèce. Les scientifiques de la déclaration de Wingspread ont déjà observé ce phénomène chez certaines espèces animales sauvages. Pourquoi serait-ce différent pour l'espèce humaine ?

La vie face à des conditions extrêmes

Au risque de stérilité s'ajoute celui de conditions physicochimiques extrêmes du *milieu extérieur* dans lequel nous vivons, causées par la destruction de l'ozone stratosphérique et les dérèglements climatiques induits par l'effet de serre. Le *milieu interne* de chaque organisme individuel est stable dans certaines limites étroites, car régulé en constance. On doit à Claude Bernard d'avoir démontré cette constance et mis en évidence l'existence de mécanismes régulateurs. On doit aussi au neurophysiologiste américain Walter Cannon d'avoir, au début du dernier siècle, développé le concept d'*homéostasie*, sur lequel est basée cette constance[2]. Sans milieu interne constant, sans homéostasie, toute vie organique serait impossible. Or il existe un divorce profond entre les variations physicochimiques du milieu extérieur, qui peuvent être extrêmes, et cette constance.

1. P. Longman, *The Empty Cradle. How Falling Birth Rates Threaten World Prosperity and What to Do About It*, Basic Books, New York, 2004.
2. Voir le chapitre 6.

Certains pensent que l'organisme humain pourrait s'adapter facilement à la pollution, qu'elle soit physique, chimique ou biologique, grâce à des mécanismes de détoxification ou de réparation physiologique qui lui seraient inhérents. Il s'agit là d'une très grave erreur que ne valident pas les données scientifiques. Au-delà d'un certain seuil, l'organisme est incapable de se détoxifier, de se réparer, autrement dit de s'adapter.

C'est ainsi que, si les variations physicochimiques du milieu extérieur dépassent un certain seuil, elles entraînent la mort de l'organisme. Plus ce dernier est complexe, autrement dit plus les marges de variations sont étroites, moins il a la capacité de s'adapter aux modifications physicochimiques du milieu extérieur. Il s'agit là aussi d'une loi fondamentale de la biologie [1]. Par ailleurs, l'adaptation est d'autant plus difficile que les conditions extrêmes surviennent brutalement. C'est ce que révèle l'étude des cinq périodes d'extinction biologique ayant altéré la progression de la vie sur terre depuis son apparition.

L'adaptation par sélection naturelle est impossible en cas de rupture brutale et profonde de l'environnement. En effet, dans la théorie darwinienne, les modifications physicochimiques du milieu terrestre (pression partielle d'oxygène, température de l'air et de l'eau, pH, salinité, etc.) doivent demeurer compatibles avec la vie, puisque le moteur de l'évolution est l'émergence de variations individuelles aléatoires et spontanées au sein des espèces.

Les séismes, les tsunamis, les modifications climatiques extrêmes à l'échelle de la planète ne sont pas pris en compte dans cette théorie. Or le développement des mammifères dont l'homme est directement issu n'aurait

---

1. Bien que nous nous acheminions vers une sixième période d'extinction biologique, il est inexact de penser que la vie disparaîtra sur terre. Les espèces de complexité supérieure disparaîtront, mais la vie persistera en raison de la très grande résistance et de la très grande capacité d'adaptation aux conditions extrêmes des organismes d'ordre inférieur tels que les bactéries.

pu avoir lieu si n'était pas survenue, il y a 65 millions d'années, la disparition des dinosaures, lors de la cinquième période d'extinction biologique. De façon générale, les espèces n'auraient probablement pas évolué de la même façon si les derniers 500 millions d'années n'avaient pas connu ces cinq périodes d'extinction biologique. La théorie darwinienne ne rend pas compte de l'évolution des espèces depuis l'origine de la vie sur terre. Or, dans le contexte évolutif qui concerne notre propre espèce, c'est-à-dire depuis le début de la cinquième période, ce n'est pas en milliers, mais en millions d'années qu'il faut chiffrer la durée nécessaire aux modifications de notre environnement et à la naissance des différentes espèces qui nous ont précédés.

L'humanité n'est rien pour le cosmos alors qu'elle est tout pour nous

On admet que l'univers s'est formé à la suite du big-bang il y a près de 15 milliards d'années, que la Terre s'est formée il y a 4,8 milliards d'années, que la vie sur terre est apparue il y a 3,8 milliards d'années, que les mammifères ont commencé à se développer il y a 65 millions d'années, les primates il y a 50 millions d'années, et les hominidés entre 5 et 10 millions d'années. Les premiers hommes sont apparus il y a environ 4 millions d'années, l'utilisation du feu a été découverte il y a environ 500 000 ans, *Homo sapiens* a émergé il y a plus de 100 000 ans. Les premières traces de cultures humaines sont très anciennes et, sans le développement continu et progressif de leurs cultures, les hommes n'auraient jamais pu s'installer hors d'Afrique ni se maintenir sur terre depuis 2 millions d'années[1].

1. H. Reeves, *Patience dans l'azur*, Seuil, Paris, 1981 ; F. Gros, *Regard sur la biologie contemporaine*, Gallimard, Paris, 1993 ; Y. Coppens et P. Picq (dir.), *Aux origines de l'humanité*, vol. 1 : *De l'apparition de la vie à l'homme moderne*, Fayard, Paris, 2001.

Particules infimes perdues dans l'univers, mais intégralement inscrits dans sa profondeur, nous sommes l'aboutissement d'une évolution prodigieuse qui nous a permis d'émerger à partir d'un signifiant constitué de matière brute pour nous conduire à un signifié s'exprimant sous la forme de symboles, de pensée et de spiritualité. *Ecce homo !* Cette évolution extraordinaire dépasse l'entendement.

Milliers, millions, milliards d'années : à ces échelles, nos capacités cognitives ne nous permettent pas de concevoir le temps. C'est malheureusement ce qui nous conduit à remettre au lendemain toute prise de mesure même urgente. Nous croyons notre espèce immortelle et nous pensons avoir le temps. Pourtant, les disparitions d'espèces végétales et animales que nous provoquons depuis dix mille ans et de façon accrue ces cinquante dernières années, l'effet de serre que nous induisons depuis deux siècles et qui s'est considérablement amplifié ces vingt dernières années, ce qui nous arrive maintenant, tout cela n'est qu'une goutte d'eau dans l'océan de l'univers, un simple instantané comparable à la chute de cette météorite dans le Yucatan, au Mexique, il y a 65 millions d'années. L'univers est aveugle et sourd à la vie, à la survie de notre espèce. Du point de vue du cosmos, l'humanité n'est rien, alors qu'elle est tout pour nous. Or nous provoquons des conditions extrêmes qui immanquablement nous mettront en péril dans un futur proche. Celles-ci relèvent de trois facteurs indépendants, mais que leur action congruente et simultanée rend préjudiciables à notre survie : la perte de biodiversité, la disparation de la couche d'ozone et le réchauffement climatique.

Bien que Charles Darwin ne l'ait pas prévu, nous sommes à présent engagés dans une sixième période d'extinction biologique, qui concernera inéluctablement l'espèce humaine. Une perte énorme au regard de l'humanité, mais un petit rien au regard de l'immensité de l'univers et de l'échelle de temps qui est la sienne. Tout le problème est de savoir quand nous disparaîtrons. Le temps qui nous reste à vivre se compte-t-il en siècles ou en millénaires ? Pour nous le plus tard serait le mieux, bien sûr, mais est-ce encore possible ?

Gaïa notre Terre

Au début du VIIᵉ siècle avant Jésus-Christ, le poète grec Hésiode, dans sa *Théogonie*, explique la genèse du monde et la naissance des dieux dans une perspective diachronique : Gaïa la Terre, unie à Ouranos le Ciel, enfante de nombreux dieux, dont Cronos le Temps, qui, de peur d'être détrôné, dévore ses propres enfants[1]. Dans cette vision poétique, Gaïa unie au Ciel crée l'univers, enfante les dieux et donne naissance aux premiers hommes. La Terre est à la fois à l'origine de l'univers et notre mère nourricière. Dans ce mythe, la Terre, le Ciel et le Temps sont en fait les éléments formels et les paramètres symboliques que la science moderne revendique et investigue, certes au moyen d'instruments beaucoup plus sophistiqués qu'ils ne l'étaient du temps d'Hésiode, mais avec une même pensée unifiante. Une pensée qui nous fait concevoir de façon presque semblable l'univers et la place que nous y occupons : Gaïa, notre Terre, un être vivant, unie au Ciel et enfantant le Temps !

C'est une conception similaire, mais fondée sur des considérations scientifiques, que propose le mathématicien anglais James Lovelock. Selon l'« hypothèse Gaïa[2] », la Terre et plus particulièrement l'*écosphère* – c'est-à-dire la *lithosphère*[3], l'*hydrosphère* et l'*atmosphère* pour ce qui est de sa partie inerte – et la *biosphère* sont « interrégulées »,

1. J. Leclant (dir.), *Dictionnaire de l'Antiquité*, PUF, Paris, 2005.
2. J.E. Lovelock, *La Terre est un être vivant, op. cit.*
3. La *lithosphère* correspond à la partie solide de l'*écosphère* : les continents, les îles et les fonds marins.

à la manière d'un organisme vivant, par un ensemble de phénomènes et de lois géophysiques, géochimiques et écobiologiques qui en assurent l'homéostasie. L'idée-force sous-jacente à ce concept est que, depuis environ 3,5 milliards d'années, la Terre semble fonctionner comme un *thermostat*.

La notion de thermostat nous est familière. C'est grâce à un tel instrument que, par exemple, notre four électrique ou notre maison chauffée par une chaudière restent à une température constante. Lorsque la température atteint une valeur seuil inférieure trop basse, un mécanisme se met automatiquement en marche, rétablissant le circuit électrique qui commande la production de chaleur. Lorsque la température dépasse une valeur seuil supérieure, c'est l'inverse : un interrupteur coupe le circuit électrique afin d'obtenir un refroidissement jusqu'à la température désirée. La température de Gaïa serait régulée de façon comparable.

L'argument en faveur de l'hypothèse Gaïa vient du fait que, si on analyse le passé terrestre, il apparaît que la température moyenne de la Terre n'a varié que dans des limites très étroites. En effet, cette variation entre les périodes glaciaires et interglaciaires n'aurait été que de quelques degrés, de l'ordre de 6 à 8 °C pour ce qui est de la dernière transition [1].

L'hypothèse Gaïa tranche radicalement avec la vision darwinienne du monde, puisqu'elle considère, dans le cadre d'une approche holistique, que la Terre fonctionne de façon régulée comme un organisme vivant et que, si tel est le cas, c'est grâce au fait que les bactéries ne font

1. La comparaison de la température moyenne de la Terre lors de la période interglaciaire, survenue il y a entre 130 000 et 115 000 ans avant notre ère, avec celle de la dernière période de glaciation, survenue il y a 115 000 à 10 000 ans, fait apparaître une variation maximale de seulement 7 °C, et la transition entre ces deux périodes aurait été très rapide, puisque estimée à seulement 70 ans. B. Tissot, *Halte aux changements climatiques*, Odile Jacob, Paris, 2003.

pas que s'adapter à leur milieu inerte, mais le modifient de façon à assurer la survie des organismes vivants plus complexes[1]. Ce concept fondamental bat en brèche la vision purement physicochimique du monde, puisqu'il y inclut des phénomènes de régulation voisins de ceux de la biologie. Tout cela explique les réticences que rencontra James Lovelock lorsqu'il présenta son nouveau paradigme à la communauté scientifique internationale en 1969, à Princeton, aux États-Unis. Mais la science évolue, et tout indique aujourd'hui que James Lovelock est dans le vrai, à quelques nuances près.

La gravité de la situation vient du fait que, en polluant l'environnement, en modifiant artificiellement le milieu inerte, en particulier la stratosphère, en saturant les mécanismes de détoxification de la bactériosphère et en détruisant la biosphère, par conséquent en amoindrissant leurs capacités de régulation, non seulement on casse le thermostat terrestre, mais on bouleverse aussi tous les autres paramètres physicochimiques de régulation et de protection de la vie. On détruit le milieu indispensable à la vie végétale et animale, donc à notre propre vie, et cela de façon brutale et, à terme, irréversible. Toute vie complexe risque de devenir bientôt impossible sur terre.

L'humanité a déjà échappé de justesse à sa fin !

Sans que nous en ayons eu conscience, l'humanité a récemment été à deux doigts de disparaître. C'est en tout cas ce que pense le chimiste américain Paul Crutzen.

Pendant longtemps, les scientifiques n'ont pas cru à l'existence d'un trou dans la couche d'ozone, jusqu'à ce que la communauté scientifique internationale recon-

---

1. J'appelle *organismes complexes* les organismes pluricellulaires constitués de cellules eucaryotes, c'est-à-dire nucléées, appartenant au règne végétal ou animal. Sur ce phénomène, voir le chapitre 3.

naisse enfin les travaux des Américains Paul Crutzen, Frank Sherwood Rowland et Mario Molina, tous trois Prix Nobel de chimie, qui dès 1974 ont affirmé que le trou était bien réel. On connaît la suite : le retrait immédiat du marché des CFC (chlorofluorocarbones), utilisés notamment dans l'industrie du froid, et celui à venir des autres substances organochlorées, mesures prises en 1987 au cours de l'élaboration du *protocole de Montréal*[1]. Mais voilà : lorsqu'on lit attentivement le protocole et qu'on analyse en détail le calendrier prévu, on s'aperçoit que toutes les substances appauvrissant la couche d'ozone (SACO) n'y ont pas été incluses, en particulier les substances bromées, et que la pollution par de nombreuses SACO est demeurée permise pendant très longtemps.

Le brome est 45 fois plus destructeur de l'ozone stratosphérique que le chlore. Si, au lieu d'utiliser le chlore, l'industrie chimique avait utilisé le brome, l'effondrement de l'ozone stratosphérique qui en aurait résulté aurait entraîné une crise écologique tellement grave qu'elle aurait annihilé toute vie complexe sur terre. Or, comme le fait remarquer Paul Crutzen, c'est par pur hasard que le chlore a été choisi au lieu du brome. L'humanité a donc échappé de justesse à sa fin. Une leçon à méditer, et une réponse à donner aux lobbies industriels et aux hommes politiques qui doutent encore des redoutables dangers des activités humaines incontrôlées.

Malgré cela, nous continuons à utiliser sans discernement ni contrôle de nombreuses substances organobromées pour en faire des retardateurs de flamme qui sont incorporés dans des produits courants, en particulier dans les composants électriques et électroniques[2]. Le brome en

1. Protocole de Montréal du 16 septembre 1987 relatif aux substances appauvrissant la couche d'ozone (SACO), faisant suite à la convention de Vienne du 22 mars 1985 pour la protection de la couche d'ozone.

2. Directive 2002/95/CE RoHS du Parlement européen et du Conseil du 27 janvier 2003 relative à la limitation de l'utilisation de

lui-même est peu toxique pour la santé, sauf lorsqu'il est émis sous forme de vapeur. Mais le drame est qu'on incinère encore des produits contenant du brome, ce qui pollue l'atmosphère et risque d'aggraver la destruction de l'ozone stratosphérique.

Depuis l'entrée en vigueur du protocole de Montréal, on pense que la couche d'ozone est en voie de récupération. En réalité, aujourd'hui, rien ne le prouve ; au contraire, comme je l'ai souligné, tout laisse à penser que le trou persiste et même s'aggrave.

Le rêve de Svante Arrhenius

Casser le thermostat de la Terre, c'est ce que nous faisons depuis le début de l'ère industrielle, c'est-à-dire depuis deux siècles, en provoquant l'effet de serre. Bien qu'il en soit beaucoup question dans les médias, peu de gens savent exactement de quoi il s'agit. Dans une serre, une partie des rayons solaires est piégée, permettant à la chaleur de s'y accumuler et de chauffer à la fois l'air intérieur de la serre et la terre, ce qui crée un climat favorable à la croissance des plantes. Or c'est exactement ce que nous induisons au niveau de la planète : une partie des rayons du soleil se réfléchit dans l'atmosphère et sur le sol, alors qu'une autre partie y est absorbée, ce qui conduit inéluctablement au réchauffement de la basse atmosphère et de la surface de la Terre.

L'exemple de la serre est bien sûr caricatural. Dans la réalité, les gaz à effet de serre (GES) situés dans la troposphère [1] – la région inférieure de l'atmosphère – empê-

---

certaines substances dangereuses dans les équipements électriques et électroniques.

1. La *troposphère* est située entre 0 et 15 kilomètres de la surface de la Terre. C'est la seule partie de l'atmosphère contenant de la vapeur d'eau. La *tropopause* correspond à la limite entre troposphère et stratosphère.

chent le retour dans la stratosphère – la région supérieure de l'atmosphère – des rayonnements infrarouges émis par le sol et la troposphère consécutivement à l'absorption des rayons solaires. De ce fait, globalement, la stratosphère se refroidit [1] alors que la troposphère et surtout la surface de la Terre se réchauffent progressivement.

La découverte de l'effet de serre n'est pas récente. En 1822, le mathématicien français Joseph Fourier, l'un des premiers à avoir enseigné à l'École polytechnique, en avait pressenti l'existence dans sa *Théorie analytique de la chaleur*. Lorsqu'il calculait l'équilibre des comptes de la Terre entre l'énergie incidente en provenance du soleil et celle émise par les radiations émergentes de la Terre, il obtenait toujours des résultats aberrants. Selon ses calculs, la surface de la Terre aurait dû être un bloc de glace à – 15 °C. C'est alors qu'il eut l'idée de génie de concevoir l'atmosphère de la Terre comme les vitres d'une serre. Celles-ci devaient laisser passer sans entrave la lumière du soleil incidente et arrêter une partie du rayonnement réfléchi. De ce fait, une certaine quantité de l'énergie solaire devait être captée par la Terre, d'où son réchauffement naturel, permettant à la vie de s'y développer.

Évidemment, nous savons aujourd'hui que le phénomène est beaucoup plus complexe, mais l'hypothèse de Fourier avait sa part de vérité. En effet, les rayonnements à courtes longueurs d'onde (il s'agit des ultraviolets) renvoient l'énergie thermique du soleil vers le ciel, alors que ceux à grandes longueurs d'onde (il s'agit des infrarouges) traversent l'atmosphère sans la chauffer, mais chauffent la surface de la Terre et la troposphère. Le mécanisme est relativement simple à comprendre : la troposphère agit comme un écran qui, selon la quantité de gaz à effet de serre qu'elle contient, absorbe ou renvoie vers la Terre

1. En fait, ce refroidissement concerne la région inférieure de la stratosphère. Les rayons ultraviolets du soleil chauffent sa région supérieure, car ils sont absorbés par l'ozone qui s'y trouve.

une part plus ou moins grande des rayonnements infrarouges qu'elle émet. C'est donc à cause de la barrière constituée par les GES que la chaleur de la Terre reste emprisonnée dans la troposphère, notre atmosphère immédiate, et que la température à sa surface est en moyenne de + 15 °C, alors qu'en l'absence d'effet de serre naturel elle devrait être aux environs de – 18 °C.

Les GES comprennent essentiellement la vapeur d'eau (surtout les nuages de haute altitude) et le gaz carbonique (CO_2), et dans une moindre mesure, quoique non négligeable, le gaz méthane (CH_4) et le protoxyde d'azote (N_2O). Or tous ces gaz proviennent pour une part très importante des activités humaines. Le gaz carbonique, issu de la combustion des carburants fossiles liée aux industries du charbon et aux transports, en est l'élément principal puisqu'il est à l'origine de 80 % du réchauffement climatique. Le rôle du gaz carbonique atmosphérique dans le réchauffement de la planète avait été fort bien compris par le chimiste suédois Svante Arrhenius. À la fin du XIXe siècle, il avait calculé qu'une réduction du gaz carbonique atmosphérique pouvait avoir été à l'origine des périodes de glaciation et qu'à l'inverse un doublement de la quantité de gaz carbonique dans l'atmosphère entraînerait l'installation d'un climat très doux en Suède dans les trois mille ans à venir ! Une prédiction qui est aujourd'hui en voie de se réaliser.

Pourquoi on doit regretter de n'avoir pas écouté Alfred Russel Wallace

En 1903, Arrhenius reçoit le prix Nobel. La même année, l'Anglais Alfred Russel Wallace, dans son livre *La Place de l'homme dans l'univers*, décrit avec précision l'effet de serre : « Le grand océan aérien qui nous entoure a la propriété merveilleuse de permettre aux rayons de chaleur du soleil de le traverser sans que cela le réchauffe.

Mais quand la terre est chauffée, l'air se réchauffe à son contact et aussi, dans une mesure considérable, par la chaleur émise par la terre chaude, parce que, bien que pur, l'air sec laisse passer librement de tels rayons de chaleur noirs, mais la vapeur aqueuse et l'acide carbonique (CO_2) dans l'air les interceptent et les absorbent[1]. » On ne peut dire mieux. On sait qu'Alfred Russel Wallace et Charles Darwin étaient en compétition avant que ce dernier ne publie, en 1859, *L'Origine des espèces*. L'histoire est ingrate. Elle n'a retenu que Darwin alors que Wallace, un très grand esprit scientifique, avait sans doute beaucoup mieux compris que lui l'importance des effets du climat sur l'évolution des espèces[2]. Lui aussi avait pressenti les dangers de l'effet de serre liés à la pollution chimique par le gaz carbonique, et les risques que courait l'humanité si elle continuait à polluer son environnement par l'industrie du charbon.

Alfred Russel Wallace est mort en 1913 à 90 ans, « n'ayant posé sa plume que pour mourir », a-t-on écrit. Il n'a pas été entendu. L'humanité risque un jour de le regretter. En effet, aujourd'hui, environ 56 % du gaz carbonique produit depuis le début de l'ère industrielle du fait de la combustion des carburants fossiles – essentiellement le charbon – est toujours dans l'atmosphère.

Le réchauffement planétaire

Conséquence de l'effet de serre, le réchauffement planétaire doit être distingué des changements climatiques qu'il provoque. La situation actuelle n'est guère brillante. On peut même dire qu'elle est en passe de devenir catastrophique. L'un des premiers à avoir informé la commu-

1. Cité par T. Flannery dans *Les Faiseurs de pluie*, *op. cit.*
2. Voir sa lettre à Darwin datée du 1er mai 1856 *in* J. Rostand, *Charles Darwin*, Gallimard, Paris, 1975.

nauté scientifique de l'augmentation du gaz carbonique dans l'atmosphère est le climatologue Charles Keeling. Entre 1958 et 2000, il a mesuré la concentration de ce gaz au sommet du mont Mauna Loa, à Hawaï. Comme l'indique le diagramme (figure 4), la croissance de la teneur en gaz carbonique de l'atmosphère est inexorable, due à la consommation de carburants fossiles, alors que s'y ajoute un « effet en dents de scie » résultant des changements saisonniers dans les forêts du nord de l'île[1]. Les

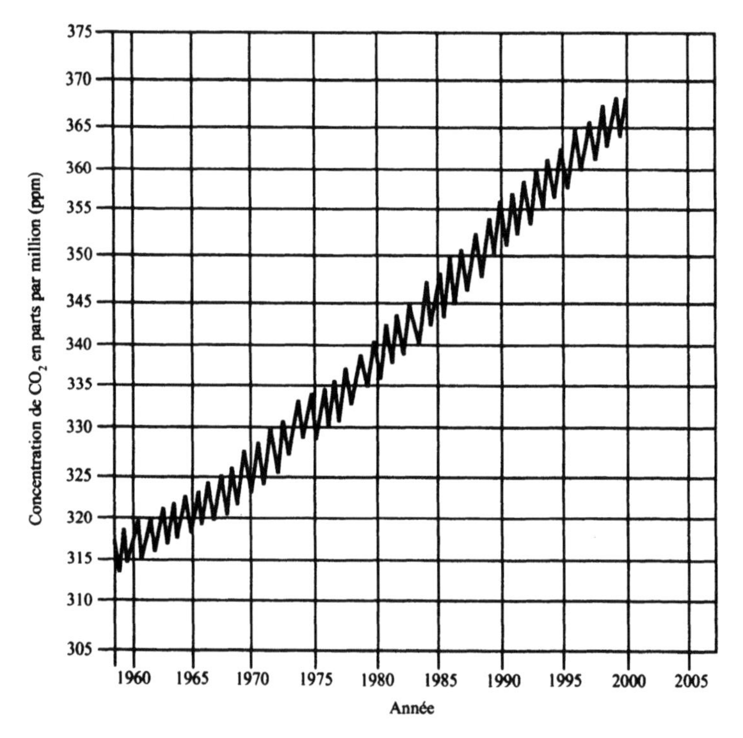

Figure 4. Courbe de Keeling.
Évolution dans le temps de la teneur en gaz carbonique.

1. Chaque printemps, la végétation renaissante extrait une partie du gaz carbonique de l'atmosphère par photosynthèse. La photosynthèse assure la formation de la chlorophylle. Pour cela, les végétaux consomment le gaz carbonique de l'air et libèrent de l'oxygène. Sans photosynthèse, notre vie sur terre serait impossible.

résultats de Keeling restèrent longtemps ignorés ou considérés comme anecdotiques, à tel point que le zoologiste australien Tim Flannery a écrit avec raison qu'ils constituent « le printemps silencieux du changement climatique », empruntant l'expression à Rachel Carson[1]. Cependant, la communauté internationale a fini par se réveiller. Au cours des années 1990, de nombreux articles parurent dans la littérature scientifique faisant état d'une réelle augmentation de la température de la planète et indiquant qu'elle pouvait relever de l'effet de serre. Simultanément, dès 1991, sous l'impulsion du Programme des Nations unies pour l'environnement (PNUE), furent créés différents groupes de travail au sein du Groupe d'experts intergouvernemental sur l'évolution du climat, le GIEC, dont le troisième rapport remonte à 2001 et dont le quatrième, beaucoup plus pessimiste que le précédent, doit être publié prochainement[2]. Que savons-nous ? Grâce à des relevés précis et en particulier à la création, en 1873, à Vienne, du Réseau d'observation météorologique international, devenu l'Organisation météorologique mondiale[3], basée à Genève, on sait maintenant avec certitude que les concentrations en gaz carbonique d'origine naturelle sont constantes depuis 1860, tandis que celles liées aux activités humaines augmentent depuis le début du XXe siècle et que durant cette période la température moyenne de la Terre s'est élevée de 0,6 °C. Les dix dernières années ont été les plus chaudes. Qu'on se rappelle la canicule de 2003 et ses 26 000 morts en Europe. Et ce réchauffement va se poursuivre (voir la figure 5).

Notre planète est donc à l'évidence déjà engagée dans l'effet de serre, et cela d'autant plus que les glaciers reculent presque

1. T. Flannery, *Les Faiseurs de pluie*, *op. cit.* Allusion au livre de Rachel Carson, *Printemps silencieux*, Plon, Paris, 1963.

2. Le GIEC, ou Intergovernmental Panel on Climate Change (IPCC), publie un rapport tous les cinq ans.

3. L'OMM dispose maintenant de 14 000 stations terrestres ou marines.

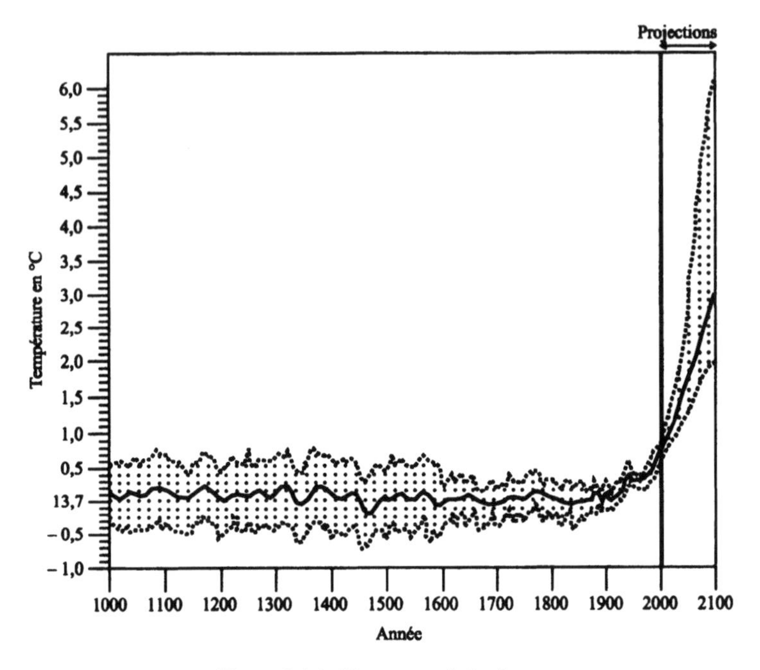

Figure 5. Modèle « crosse de hockey ».
Évolution des températures au cours du dernier millénaire.
Source : Rapport 2001 du GIEC, Michael Mann.

partout dans le monde, que la couverture neigeuse observée par satellite a diminué de 10 % au cours des trente dernières années, que la période hivernale de glaciation des lacs et des rivières a diminué de deux semaines au cours du XXe siècle dans l'hémisphère Nord et que, durant cette période, le niveau de la mer est monté d'environ 10 centimètres. Toutes ces données sont incontestables et acceptées par l'ensemble de la communauté scientifique internationale.

Il ne faudrait pas croire que le réchauffement de la surface de la Terre est homogène. Il dépend de nombreux facteurs, dont le degré de latitude auquel on se trouve. Ainsi, plus on se rapproche des pôles et plus l'augmentation de température est importante[1]. Cette hétérogénéité

1. *Guide de la connaissance : la météo*, Minerva, Genève 2001. C'est surtout la fonte de la banquise arctique qu'il faut craindre.

thermique a fait très longtemps douter de la réalité du phénomène.

Ouragans, cyclones, tempêtes : l'instabilité climatique en marche

Pour comprendre ce que nous observons déjà, il faut rappeler ce qu'est le climat et les facteurs dont il dépend. Le climat naît et se fabrique dans la troposphère. Si on modifie cette dernière, on le bouleverse. On le rend instable. On fait apparaître des événements extrêmes tels que cyclones, ouragans, typhons, tempêtes, pluies et inondations. Or, au cours du dernier siècle, la troposphère s'est réchauffée et a augmenté de plusieurs centaines de mètres. C'est ce qui explique que ce type de catastrophes se produisent beaucoup plus fréquemment qu'autrefois et qu'elles soient d'une si grande violence. Rappelons-nous l'ouragan Mitch dans les Caraïbes en 1998 – le plus dévastateur depuis deux siècles, ayant provoqué la mort d'environ 10 000 personnes et fait 3 millions de sans-abri ; la tempête de 1999 en France ; l'ouragan de l'Atlantique Sud en 2002 ; les inondations en Corée du Sud et en Chine la même année ; la tempête de Floride en 2004 ; plus récemment, l'ouragan Katrina, qui a frappé en 2005 la Louisiane et la région de La Nouvelle-Orléans... La liste est longue et il est probable qu'elle s'allongera encore.

À cela s'ajoutent les modifications que le réchauffement de la Terre risque d'imposer aux courants marins : le ralentissement et l'affaiblissement du Gulf Stream – le courant le plus rapide de la planète –, avec pour conséquence le refroidissement de l'Atlantique Nord ; mais aussi, en raison de la baisse de la salinité des eaux liée à la fonte des glaces polaires, l'inversion du courant El Niño et par conséquent l'altération du courant La Niña (qui joue le rôle de balancier) dans l'océan Pacifique. Ces modifications risquent d'affecter une grande partie de la planète en déclenchant des inondations et des ouragans. Elles touchent déjà le sud de l'Australie et la côte ouest des États-Unis, où elles provoquent de très grandes sécheresses et des incendies de forêt [1].

Notre monde occidental nie toujours non pas l'apparition de ces désordres climatiques – comment le pourrait-il ? –, mais leur origine anthropique. La coupable serait la nature elle-même, qui, pour une raison inconnue, se déchaînerait contre l'homme et sa civilisation. Si la colère des dieux était une croyance admissible pendant l'Antiquité, elle ne l'est plus aujourd'hui. En réalité, c'est l'homme qui crée les dérèglements climatiques, les ouragans, les cyclones et les tempêtes qu'il subit aujourd'hui, comme il crée ses propres maladies. Notre déni, notre hubris, notre arrogance face à la nature nous perdront.

Entre sécheresse et déluge

Le réchauffement planétaire a plusieurs conséquences. Celles-ci ne sont pas seulement climatiques, mais aussi géophysiques, écologiques et sanitaires. Ces effets sont interdépendants et la facture globale à payer, située en bout de chaîne, est bien sûr sanitaire et sociétale. Une facture que les scientifiques et surtout les experts des conférences de consensus international que j'ai rencontrés n'osent pas envisager tant elle risque d'être écrasante.

La sécheresse par manque d'eau est croissante dans de nombreuses régions du monde. Je ne pense pas seulement aux agriculteurs du sud-ouest de notre pays qui manquent d'eau pour arroser leurs champs de maïs, mais surtout aux pays de la planète où la sécheresse compromet la survie même des habitants. On peut citer trois exemples : le Sahel, l'Australie et la côte ouest des États-Unis. Au

1. *Ibid.*

Sahel, la sécheresse est un véritable désastre humain. L'Australie est devenue un pays sec, surtout dans sa région sud-est. Les villes de Perth et de Sydney manquent d'eau. Des catastrophes alimentaires s'y préparent, malgré les projets d'approvisionnement en cours. Quant à l'ouest des États-Unis, il traverse une cinquième année de sécheresse. On n'avait pas vu cela depuis sept cents ans. Au sud-ouest, les pluies n'ont pas compensé les années de sécheresse, alors qu'au nord-ouest la sécheresse est sans précédent, avec une diminution de 15 % de la production agricole.

Paradoxalement, la montée des eaux est un autre danger qui menace l'humanité. La *cryosphère*[1] de notre planète est en plein dégel. En trente à quarante ans, la banquise arctique et celle du Groenland ont perdu environ 20 % de leur surface et 40 % de leur épaisseur, et le dégel ne peut que s'amplifier en raison de la diminution de l'*effet d'albédo*[2]. Au rythme actuel, il ne restera plus de calotte glaciaire arctique à la fin du XXIe siècle. Au cours du siècle précédent, le niveau des mers a augmenté de quelque 3 à 15 centimètres, et ces dix dernières années le rythme moyen a pratiquement doublé, alors que depuis deux mille ans ce niveau avait très peu varié. Grâce aux satellites Topex-Poséidon, lancé en 1992, et Jason 1, en

1. La *cryosphère* est la partie de la planète où règne un froid intense, transformant l'eau en glace ou en neige. Elle comprend essentiellement l'Arctique, qui est un océan gelé situé au pôle Nord, et l'Antarctique, qui est un continent gelé en surface situé au pôle Sud. L'un et l'autre sont désignés sous le terme de banquise.

2. Du fait de la fonte des glaces, la diminution de la réflexion des rayons du soleil augmente leur absorption et donc la température locale par *effet d'albédo*. La fraction du flux solaire incident atteignant la Terre qui est réfléchie vers l'espace définit l'albédo planétaire. La glace est caractérisée par un albédo élevé (une grande partie des rayonnements et de la chaleur solaire est renvoyée dans l'atmosphère), alors que sa fonte abaisse l'albédo, car l'eau est un milieu qui absorbe plus et renvoie moins d'énergie, et donc contribue à augmenter la température.

orbite depuis 2001, nous disposons de mesures beaucoup plus précises que celles obtenues par les marégraphes classiques. L'un des aspects essentiels à prendre en compte est que l'amplitude de l'élévation du niveau des mers et sa vitesse sont très variables d'un point de la planète à un autre[1]. Cette hétérogénéité entre dans le cadre de ce qu'on appelle l'*eustasie*[2]. L'augmentation du niveau des mers ne peut pas être causée par la fonte de la banquise arctique, car celle-ci est déjà à 90 % immergée dans l'océan. En revanche, elle peut provenir pour un tiers de la fonte des glaciers terrestres et pour les deux tiers de l'expansion thermique des eaux de surface : l'eau se dilate sous l'effet de la chaleur. Ainsi, selon certains experts, la montée du niveau de la mer pourrait atteindre en moyenne 11 à 90 centimètres au cours du prochain siècle, et certainement plus si la banquise de l'Antarctique se détachait du fond de la mer. On en devine les conséquences : un terrible déluge, avec une augmentation de plus de 2 mètres du niveau des eaux terrestres. La submersion de plusieurs îles situées à 1 ou 2 mètres au-dessus du niveau de la mer est déjà bien réelle. Des dégâts sont aussi possibles dans les pays dont une partie du territoire est au-dessous du niveau de la mer : aux Pays-Bas, les digues, même consolidées, résisteront-elles au déluge qui s'annonce ?

---

1. Ainsi, au cours de la dernière décennie, l'amplitude et la vitesse de la montée des eaux ont été multipliées par deux par rapport aux valeurs moyennes globales dans le Pacifique Ouest et l'océan Austral, alors que dans le Pacifique Est et à l'ouest de l'océan Indien le niveau de la mer s'est au contraire abaissé. J. Origny, *Les Migrations climatiques générées par la hausse inégale du niveau de la mer. Perspectives géopolitiques*, mémoire, Collège interarmées de défense, 2006.

2. L'*eustasie* est encore appelée *eustatisme*. Il s'agit du niveau normal d'un liquide, ici de l'eau de mer. L'explication tient à deux facteurs : les variations du volume des océans en fonction des modifications de température et de salinité des mers, et les variations de la masse d'eau qui y est contenue en fonction de la fonte des glaciers et des calottes polaires. Les deux facteurs sont intimement liés à l'élévation des températures.

L'avertissement du crapaud doré, un homicide planétaire

Les conséquences écologiques du changement climatique sont déjà nombreuses et variées. Les empreintes de ce changement sont de quatre ordres : le déplacement des espèces de 6 kilomètres en moyenne en direction des pôles ; leur repli de 6 mètres en hauteur en moyenne sur les montagnes ; les changements de parcours et de dates de migration des oiseaux et des poissons ; l'avance des activités printanières de 1 à 4 jours tous les dix ans. Ainsi, en Europe, tous les dix ans, les plantes bourgeonnent et fleurissent de 1,4 à 3,1 jours plus tôt, les papillons apparaissent avec une précocité de 2,8 à 3,2 jours et les oiseaux migrateurs arrivent en moyenne de 1,3 à 4,4 jours en avance.

En fait, les modifications des écosystèmes ont une conséquence encore plus grave : l'extinction définitive de certaines espèces. Sur les 10 millions d'espèces animales et végétales présumées exister sur terre, seules près d'un million sont connues et recensées. Or les zoologistes estiment que, chaque année, de 20 000 à 30 000 d'entre elles disparaissent. La destruction des habitats, liée en particulier à la déforestation et aux incendies déclenchés ou aggravés par la sécheresse, la chasse, la pêche excessive, l'utilisation des pesticides en sont les causes principales. Mais à cela s'ajoute désormais le changement climatique. La végétation est concernée en premier lieu, en zone sèche aride comme en zone tropicale. Dans les forêts pluviales comme celle d'Amazonie, la présence de gaz carbonique en excès modifie les équilibres de croissance des espèces, à tel point que la biodiversité se perd et que la canopée [1]

1. La canopée désigne l'étage supérieur des forêts tropicales. Elle est située entre 35 et 45 mètres de hauteur. La majorité des espèces végétales et animales y vivent, car, à la différence des sous-bois, elle est directement au contact de l'air atmosphérique et reçoit cent fois plus de lumière solaire.

s'en trouve modifiée. Plusieurs espèces animales – grenouilles, salamandres, tortues, alligators, crocodiles, etc. – sont aujourd'hui menacées d'extinction. À l'origine de la disparition de ces espèces, la sécheresse est certainement l'un des facteurs principaux à considérer. Marty Crump, une spécialiste des amphibiens, a constaté en 1987 la disparition par manque d'eau du crapaud doré, *Bufo periglenes*, dans la forêt des nuages de Monteverde, au Costa Rica. Pour Tim Flannery [1], le crapaud doré serait la première espèce victime du réchauffement climatique : un avertissement.

À la très longue liste des observations décrites précédemment, qui nous confirment que nous détruisons de façon directe ou indirecte l'ensemble des écosystèmes naturels de la planète, sans doute convient-il d'ajouter la perte de très nombreux paradis naturels, tels que le Karoo, le parc Kruger ou le fabuleux Fusibos, au sud des montagnes du Cape Fold, en Afrique du Sud, les forêts d'eucalyptus de Tasmanie, les landes du sud-ouest de l'Australie... Des milliers d'espèces végétales y disparaîtront au cours du prochain siècle. Les parcs nationaux et espaces protégés seront également touchés partout dans le monde, car le changement climatique n'épargne aucun secteur, fût-il protégé par l'homme. Des menaces pèsent aussi sur la survie des coraux, en particulier sur ceux de la grande barrière de corail en Australie, aujourd'hui en péril.

Et cela sans compter l'atteinte des fonds marins. Malgré leur très grande inertie thermique, à quand la destruction des profondeurs abyssales, du royaume des ténèbres, lieu d'étude privilégié du commandant Cousteau ? Alors que déjà, du fait de l'acidification en surface des océans, apparaissent dans la région subarctique du Pacifique Sud les premières huîtres sans coquille [2] !

1. T. Flannery, *Les Faiseurs de pluie*, *op. cit.*

2. Du fait de l'excès de gaz carbonique dans l'atmosphère et de son absorption par les océans, ceux-ci s'acidifient, ce qui provoque

L'homme, situé en bout de chaîne évolutive, est consubstantiel aux espèces végétales et animales qui l'environnent. Sans elles, sans leur diversité, il ne pourrait pas se nourrir, se vêtir, se soigner, comprendre quelle place il occupe dans le monde, s'exprimer du point de vue artistique, s'équilibrer du point de vue affectif et psychologique (les odeurs, les formes, les couleurs et les bruits naturels, le contact avec les animaux lui sont indispensables) – il ne pourrait tout simplement pas vivre. L'écocide que nous perpétrons chaque jour conduit inéluctablement à ce que j'appelle un *homicide planétaire* : l'assassinat pur et simple de l'espèce humaine, sa mort lente et programmée, à bas bruit. Ces signes nous avertissent. Alors, qu'attendons-nous ?

Bientôt, des centaines de millions de réfugiés climatiques

La possibilité que des populations, des peuples entiers disparaissent de la planète ne pose pas seulement la question au plan de la morale, elle annonce l'extinction inéluctable de l'humanité. Il ne s'agit pas de discuter des crimes passés, des génocides dont l'humanité s'est rendue coupable et qu'elle continue de commettre aujourd'hui, mais de centrer notre réflexion sur les désastres humanitaires engendrés par le monde occidental et maintenant par les pays émergents, du fait de la prégnance du système économique actuel et de ses effets délétères indirects sur le climat. Aujourd'hui, les « peuples racines » disparaissent un à un, si bien que plus aucune recherche ethnologique ne sera possible à la fin de ce siècle. Deux événements paraissent révélateurs de ce qui nous attend : la submersion de certaines îles du Pacifique et de l'océan Atlantique ou Indien, et la disparition des Inuits.

---

une diminution des bicarbonates libres nécessaires à la calcification des coquillages et autres animaux marins à coquille.

Sont menacées de submersion au cours du siècle à venir : dans l'océan Pacifique, les îles Marshall, Kiribati, Fidji, Tuvalu et Touva ; dans l'océan Atlantique, les Bahamas ; dans l'océan Indien, les Maldives. À l'image de l'Atlantide, ces îles vont disparaître, ce qui conduira les 500 000 habitants qui s'y trouvent à demander asile à ceux des continents. Or notre civilisation prédatrice est sans pitié : l'Australie a refusé d'accueillir les Tuvaluans, qui trouvent actuellement refuge en Nouvelle-Zélande, un pays plus hospitalier.

Les habitants de ces îles ne seront pas les seuls réfugiés climatiques. De nombreux autres pays vont être confrontés aux problèmes causés par l'élévation du niveau des mers. On admet qu'au minimum 50 millions de personnes seront concernées. Si la mer s'élève de seulement 50 centimètres, c'est 100 millions d'individus qui seront touchés. Le climatologue anglais Robert J. Nicholls – l'un des principaux experts participant aux travaux du GIEC – estime que 320 millions de personnes habitent aujourd'hui moins de 5 mètres au-dessus du niveau de la mer, et 450 millions à moins de 5 kilomètres des côtes [1]. Selon ses calculs, près d'un milliard d'individus seront menacés. Le projet SURVAS [2] tente de fournir une base de données prévisionnelle sur les impacts socioéconomiques des migrations climatiques à venir. De même, le projet DINAS-COAST [3], en cours d'élaboration, vise à fournir un modèle dynamique et interactif permettant de disposer d'indicateurs de vulnérabilité et de données générales sur les politiques d'adaptation à mettre en œuvre dans 180 pays. Selon le climatologue américain Norman Myers, d'ici à 2050, au minimum 150 millions d'individus seront déplacés, soit 1,5 % de la population

1. R. Nicholls et C. Small, *Improved Estimates of Coastal Population and Exposure to Hazards Released*, 2002.
2. SURVAS, www.survas.mdx.ac.uk.
3. *Dynamic and Interactive Assessment of National, Regional and Global Vulnerability*, www.pik-potsdam.de/.

mondiale ; pour Robert J. Nicholls, ils seront plus de 200 millions à l'être d'ici à 2080.

Comme l'indique Jérôme Origny[1], les pays côtiers d'Afrique centrale et occidentale sont en première ligne. En Méditerranée, c'est la partie nord du delta du Nil qui sera amenée à disparaître ; en Amérique latine, ce seront les basses côtes et les estuaires des pays de l'isthme centraméricain. En outre, les risques d'inondations seront majorés dans les bassins hydrographiques des fleuves et cours d'eau, en particulier dans la pampa argentine. L'Amérique du Nord ne sera pas épargnée, en particulier la côte est des États-Unis, pas plus que l'Asie et l'Océanie, où les zones les plus menacées seront l'Inde, les grandes régions des deltas du Bangladesh, de la Birmanie, du Vietnam et de la Thaïlande. Mais seront aussi touchées l'Indonésie, les Philippines et la Malaisie, sans oublier la Chine et le littoral japonais. En Europe, c'est aux Pays-Bas, au niveau du littoral allemand et des pays du pourtour de la Baltique, ainsi que dans le delta du Pô, que les effets de l'élévation du niveau de la mer seront les plus nets. Au total, dans les cinquante ans à venir, dix-sept mégapoles seront menacées, dont Londres, New York et Tokyo. Une véritable révolution géographique, socioéconomique et géopolitique en perspective !

Bien qu'aucune étude ne soit encore disponible, il semble que c'est en Polynésie que la menace sera la plus forte. Elle concernera surtout les atolls, et plus particulièrement l'archipel des Tuamotu, qui comprend 85 des 425 atolls que compte la planète.

Un autre péril majeur pèse sur le devenir de l'humanité : en Arctique, un peuple entier, les Inuits, est en voie d'extinction. Pourquoi ? Non seulement parce que la cryosphère est en plein dégel en raison d'hivers plus chauds de 2 à 3 °C depuis une trentaine d'années, mais

1. J. Origny, *Les Migrations climatiques générées par la hausse inégale du niveau de la mer*, *op. cit.*

parce que ce dégel induit une rupture de la chaîne alimentaire. En raison de la fonte des glaces, l'ensemble des écosystèmes de la région, particulièrement fragiles, s'effondre. Goélands, manchots, phoques, ours blancs, caribous, rennes disparaissent, et même le lemming d'Ungava – un petit rongeur pourtant symbole de la lutte pour la survie dans le sud du Groenland. Cela sans compter l'apparition de maladies arboricoles liées au réchauffement du climat et à la prolifération de certains insectes, par exemple les dendroctones de l'épinette, qui ont détruit environ 40 millions d'arbres dans le sud de l'Alaska. Les maladies ne concernent pas seulement les plantes et les animaux, mais les Inuits eux-mêmes. Devenus beaucoup plus sensibles aux infections, rencontrant des difficultés pour se reproduire en raison de leur contamination par les pesticides que nous utilisons [1] et n'arrivant plus à se nourrir normalement du fait de la rupture de la chaîne alimentaire, les Inuits sont amenés à disparaître, à être purement et simplement rayés de la carte. Or que fait la communauté internationale ? Elle laisse faire, de la même façon qu'elle ne se préoccupe pas des îliens du Pacifique.

L'exemple des populations vivant sur les atolls et celui des Inuits ne sont que des illustrations parmi d'autres. Mais ils sont significatifs. Ils nous conduisent à penser que l'espèce humaine a résolument pris le chemin de son extinction.

1. Les pesticides pulvérisés dans l'air voyagent à des milliers de kilomètres. Ceux que nous utilisons dans nos champs se retrouvent au pôle Nord et contaminent l'ensemble de la chaîne alimentaire. La sensibilisation aux infections est liée à la baisse des défenses immunitaires chez les enfants contaminés. Voir D. Belpomme, *Ces maladies créées par l'homme*, *op. cit.*

Chapitre 9

État d'urgence : demain, nous disparaîtrons si nous ne faisons rien

> Si l'homme ne change rien à son comportement au cours de la première moitié de ce siècle, je suis convaincu que l'effondrement de la civilisation devient inéluctable.
>
> Tim Flannery.

Je me refuse à considérer le futur comme inscrit dans un déterminisme, une fatalité, et sur ce point je rejoins l'existentialisme de Jean-Paul Sartre : « L'existence précède l'essence[1]. » Je me refuse à tout alarmisme, à toute alerte non scientifiquement justifiée, à tout catastrophisme d'opinion. Je ne fonde pas mon jugement sur les révélations et prédictions religieuses, par exemple celle de l'Apocalypse[2] selon saint Jean l'Évangéliste, ou encore son équivalent hominisé, le point oméga tel que le conçoit Teilhard de Chardin[3], bien qu'il soit dans l'ordre naturel qu'après l'alpha il y ait l'oméga. Pourtant, en tant que scientifique, je ne peux que le constater : chaque jour, nous nous rapprochons un peu plus de ce point.

---

1. J.-P. Sartre, *L'Être et le Néant*, Gallimard, Paris, 1943.
2. Du grec *apokalupsis*, « révélation divine ».
3. P. Teilhard de Chardin, *L'Avenir de l'homme*, Seuil, Paris, 1955.

Il y a cinq scénarios possibles à notre disparition : le suicide par la violence, par exemple une guerre atomique – c'est celui qu'envisage en particulier Martin Rees[1] ; l'émergence de maladies extrêmement graves comme une pandémie infectieuse ou une stérilité à l'origine d'un déclin démographique irréversible ; l'épuisement des ressources naturelles, en particulier le manque d'énergie ; la destruction de la biodiversité – sans flore ni faune, réduits à évoluer dans un milieu purement artificiel, nous ne pourrions survivre ; enfin des modifications physicochimiques extrêmes de notre environnement inerte, telles la disparition de l'ozone stratosphérique et l'aggravation de l'effet de serre. Tous ces scénarios sont possibles et, en se réalisant de façon synchronique ou diachronique, ils pourraient finalement contribuer à accélérer notre fin dans les siècles à venir, voire à la fin de ce siècle ! Le scénario le plus probable est sans conteste l'aggravation de l'effet de serre. Or c'est le plus grave et le plus difficilement maîtrisable, car il remet tout en question, y compris l'ensemble des écosystèmes, la survie des espèces et notre propre santé, et par conséquent la poursuite du développement de notre civilisation.

J'ai décrit dans les chapitres qui précèdent la situation actuelle. Demain, elle sera catastrophique si nous ne faisons rien. À l'inverse, si nous réagissons dès maintenant, elle pourrait ne pas être aussi désespérée qu'on l'imagine. La priorité est bien sûr la lutte contre l'effet de serre. Les mots sont insuffisants, il faut passer aux choses concrètes ! Les scientifiques – notamment ceux du GIEC – ont fait leur travail en annonçant les risques, en les modélisant, en proposant des mesures d'atténuation. Aux politiques, maintenant, d'agir, beaucoup plus vigoureusement et plus rapidement qu'ils ne l'ont fait jusqu'à maintenant. Ce qui a été réalisé est infime par rapport au défi qu'il nous faut relever. J'analyse ici les raisons pour lesquelles l'humanité

---

1. M. Rees, *Notre dernier siècle ?*, *op. cit.*

risque de disparaître et rappelle les mesures qu'il convient de prendre d'extrême urgence.

Éteindre d'urgence le feu avant qu'il ne soit trop tard

Pour comprendre et résumer le processus, que nous ne voyons pas encore, mais qui est en cours et s'amplifie jour après jour de façon inexorable, voici ce que James Lovelock écrit le 24 mai 2004 dans *The Independant* : « Si le réchauffement planétaire est une question si grave et si pesante, c'est parce que le grand système terrestre Gaïa est pris au piège d'un cercle vicieux de rétroaction positive. Toute chaleur en surplus, quelle qu'en soit la source, les gaz à effet de serre, la disposition de la glace arctique ou de la forêt amazonienne, est amplifiée et ses effets font bien plus que s'additionner. C'est comme si nous avions allumé un feu pour nous réchauffer sans nous apercevoir, au fur et à mesure que nous entassions du combustible, que le foyer avait échappé à tout contrôle et que les meubles avaient pris feu. Dans un tel cas il ne reste pas beaucoup de temps pour l'éteindre. Comme un incendie, le réchauffement planétaire va en s'accélérant et il ne reste presque plus de temps pour agir. »

L'humanité prise au piège : l'inertie de résorption des gaz à effet de serre

Le niveau actuel du stockage des gaz à effet de serre (GES) dans l'atmosphère, exprimé en « équivalent gaz carbonique », est de 430 ppm[1], alors qu'il s'élevait à 280 ppm il y a deux siècles, avant la révolution industrielle. Cette accumulation a d'ores et déjà provoqué un réchauffement planétaire de 0,6 °C, et elle va entraîner

1. ppm : parties par million.

un réchauffement additionnel d'au moins 0,5 °C au cours des prochaines décennies en raison de l'inertie du système climatique. La gravité de la situation vient du fait que l'atmosphère est comme un tonneau des Danaïdes bouché. Les GES que nous émettons s'y accumulent en permanence car ils se résorbent trop lentement – c'est le cas en particulier du gaz carbonique. Ainsi, même si le flux annuel d'émission de ces gaz cessait d'augmenter à partir d'aujourd'hui, leur stock dans l'atmosphère atteindrait en 2050 le double de ce qu'il était avant l'ère industrielle, soit 550 ppm. Nous sommes pris au piège. Cette situation est sans précédent dans l'histoire de l'humanité. Impossible de retirer le gaz carbonique que nous avons émis pendant les deux derniers siècles et qui continue à s'accumuler dans l'atmosphère en raison de la poursuite de nos émissions. C'est la génération du baby-boom – la mienne – qui est la plus coupable, puisque la moitié de l'énergie fossile utilisée depuis la révolution industrielle a été consommée au cours des vingt dernières années.

Tout ce que nous pouvons faire, c'est tenter de limiter les dégâts en réduisant d'extrême urgence les émissions de gaz carbonique, et compter sur la nature pour qu'elle le résorbe. Or cela prend du temps, un temps qui se chiffre en siècles, voire en millénaires, selon le niveau de gaz carbonique stocké dans l'atmosphère. Ainsi, il y a 55 millions d'années, quand l'augmentation de gaz carbonique dans l'atmosphère a atteint 500 à 2 000 ppm et l'élévation de la température 5 à 10 °C, il a fallu 20 millénaires à la planète Terre pour réabsorber l'excès de carbone ! Et cela grâce au développement considérable du plancton de surface. Nous n'en sommes certes pas là, mais le drame est que le flux annuel des émissions de GES continue de s'intensifier à mesure que la demande en énergie et en transport augmente dans le monde. Comme le souligne le rapport Stern [1], le niveau de 550 ppm pourrait être

1. Voir la note 2 p. 162.

atteint dès 2035. À ce niveau, la hausse de la température moyenne de la Terre pourrait être supérieure à 2 °C, ce qui paraît être un seuil d'irréversibilité des phénomènes géothermiques et géoclimatiques que nous avons déclenchés.

À la recherche du seuil d'irréversibilité

L'une des questions fondamentales qui se posent aujourd'hui à l'ensemble de la communauté scientifique internationale est la détermination du *seuil d'irréversibilité* des phénomènes physicochimiques que nous avons imprudemment provoqués, autrement dit le niveau maximum de gaz carbonique atmosphérique et la température moyenne maximale à la surface de la Terre à partir desquels toute tentative de correction ou même d'atténuation devient illusoire. Thomas Schelling, un économiste américain ayant milité pour que les États-Unis ne ratifient pas le protocole de Kyoto, situe ce seuil entre 600 et 1 200 ppm de CO_2, ce qui correspond à une élévation de température de 2 à 9 °C ! Il est le seul à envisager un tel seuil. À l'inverse, d'autres chercheurs, tel le climatologue Steven Scheider, pensent que nous avons déjà dépassé le seuil et que nous faisons désormais face à des processus irréversibles. Cependant – et c'est là notre espoir –, de façon générale, la plupart des scientifiques situent ce seuil aux environs de 2 °C d'élévation thermique, ce qui correspondrait à une valeur d'émission de gaz carbonique atmosphérique en 2050 située entre 450 et 550 ppm. À 450 ppm, on obtiendrait une stabilisation climatique à la fin du siècle, alors qu'à 550 ppm cette stabilisation interviendrait dans plusieurs siècles ! En fait, l'essentiel est d'agir vite, le plus vite possible, de façon à laisser aux écosystèmes la possibilité de s'adapter. Le rapport Stern prédit que, avec un scénario d'inaction, le niveau des GES stockés dans l'atmosphère pourrait plus que tripler d'ici à la fin du siècle, avec une probabilité de 50 % que l'augmentation de la température moyenne à la surface de la Terre dépasse 5 °C ! Inutile d'épiloguer sur ce qui nous arriverait alors. Lorsque les dinosaures ont disparu il y a 65 millions d'années, la température moyenne de la Terre s'était élevée de 6,5 °C...

Une chaîne d'événements en cascade : les trois points de basculement

Les risques sont énormes, cataclysmiques. Il nous faut agir avant que les phénomènes d'amplification[1] ne soient à l'origine d'un accroissement brutal et considérable de la chaleur et de désordres géographiques, biologiques et sanitaires majeurs. Trois points critiques de basculement sont à considérer : le ralentissement ou l'effondrement du Gulf Stream ; la libération des clathrates[2] situés dans les profondeurs marines ; la disparition des forêts pluviales d'Amazonie.

Les conséquences de l'affaiblissement ou de l'inversion du Gulf Stream seraient très préjudiciables. Elles se traduiraient par une baisse de température d'environ 3 °C en Europe et en Amérique du Nord et par une augmentation de 2 °C en Australie, en Amérique du Sud et en Afrique australe. Le manque à gagner concernerait essentiellement l'agriculture, avec à la clé une baisse de productivité, surtout dans l'Atlantique Nord, et la survenue de famines dans les régions les plus pauvres. On ne sait pas exactement quand le Gulf Stream pourrait s'inverser. Certains scientifiques pensent que son affaiblissement

1. L'amplification correspond à la rétroaction positive des spécialistes en cybernétique, telle que l'évoque James Lovelock (voir le chapitre 4).
2. Les clathrates sont des cristaux de glace qui ont « encagé » du méthane, le gaz naturel de la planète. C'est de la « glace qui brûle », qui siffle et qui pétille dès qu'on l'expose à l'air libre.

pourrait débuter dans la seconde moitié de ce siècle, aux environs de 2080, et qu'avant son inversion définitive il pourrait y avoir une évolution en « dents de scie » pendant plusieurs siècles. En tout état de cause, il convient de préciser que l'inversion de ce courant, bien que pouvant provoquer une déstabilisation climatique majeure, s'opposerait en partie aux effets négatifs du réchauffement climatique.

La libération du méthane contenu dans les clathrates est un phénomène qui peut survenir en cas de réchauffement planétaire massif. Les clathrates sont stockés dans les profondeurs marines, surtout dans l'océan Arctique et le permafrost[1]. Ils y occupent de très grands volumes. Du point de vue énergétique, ils représenteraient deux fois le total des autres combustibles. En se combinant à l'oxygène, le méthane peut se transformer en gaz carbonique. L'émission brutale de ces deux GES amplifierait de façon catastrophique l'effet de serre. Cependant, un tel scénario est peu probable au cours de ce siècle.

En revanche, la disparition des forêts pluviales d'Amazonie apparaît comme un danger plus immédiat, et particulièrement terrifiant si l'on en croit le modèle TRIFFID[2]. Selon ce modèle, la disparition prochaine des forêts pluviales serait inévitable. Il aurait en effet été mis en évidence un véritable cercle vicieux autoentretenu incluant l'augmentation du réchauffement climatique et la baisse des précipitations, qui seraient à la fois cause et conséquence. Cela conduirait au remplacement progressif des forêts par un désert stérile. Si le modèle est juste, les premiers symptômes de la disparition de la forêt amazonienne devraient survenir vers 2040 et se poursuivre jusque vers la fin du siècle, aggravant de façon considérable le réchauffement de la planète.

1. Le permafrost est le sol arctique gelé en permanence.
2. Acronyme anglais de Top-down Representation of Interactive Foliage and Flora Including Dynamics.

Douze Kyoto pour nous en sortir

Le chemin menant à Kyoto remonte à 1985. Il a été long : conférence scientifique en juin 1988, à Villach, en Autriche, où 300 scientifiques et décideurs de 48 pays appellent à agir ; Sommet de la Terre en 1992, à Rio, où 155 pays signent la Convention-cadre des Nations unies sur le changement climatique ; élaboration du protocole de Kyoto en novembre 1997 ; lancement fin 2004. Kyoto est un premier pas, mais il est nettement insuffisant. Il faudrait multiplier par 12 les objectifs fixés pour obtenir une baisse de 70 % des émissions, si on veut maintenir la teneur atmosphérique en gaz carbonique au double de ce qu'elle était avant l'ère industrielle [1]. Nous en sommes malheureusement très loin !

Le protocole de Kyoto est en réalité un tigre édenté. Les États-Unis, la Chine, l'Inde, le Brésil, l'Australie et un grand nombre de pays de l'Est ne l'ont toujours pas ratifié, alors qu'ils comptent parmi les plus gros pollueurs de la planète, et il est peu probable désormais qu'ils le fassent. Les pays industrialisés sont les principaux responsables des problèmes actuels. C'est donc à eux d'accepter la majeure partie du fardeau. C'est ce que semble avoir compris l'Europe, bien que plusieurs États membres, tels que l'Allemagne et l'Espagne, ne respectent pas les engagements pris à Kyoto.

Pour aller plus loin, que faut-il faire ? En premier lieu, prendre conscience de la provenance des émissions de GES et en particulier de gaz carbonique dans le monde. Comme l'indique la figure 6, 24 % viennent de la production d'électricité, 18 % de l'utilisation des sols, 14 % des transports, 14 % de l'agriculture, 14 % de l'industrie, 8 % du bâtiment. Les mesures se sont focalisées sur l'industrie, avec la mise en place d'un système de quotas pour chaque pays et la création d'une bourse qui permet aux

1. T. Flannery, *Les Faiseurs de pluie, op. cit.*

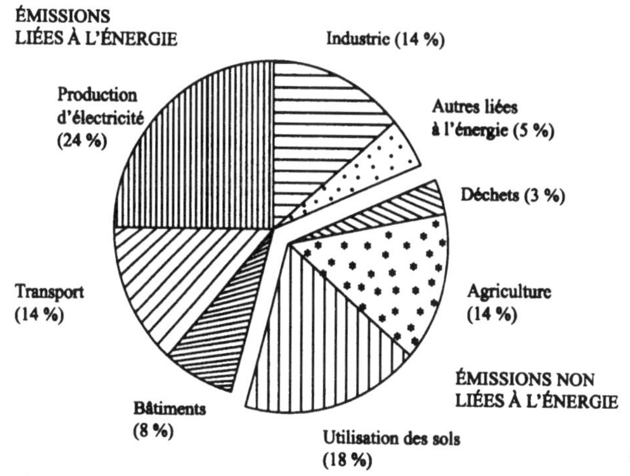

Émissions totales en 2000 : 42 Gt en équivalent CO_2.

Les émissions liées à l'énergie sont surtout du CO_2 (quelques non CO_2 dans l'industrie et d'autres liées à l'énergie).
Les émissions non liées à l'énergie sont du CO_2 (utilisation des sols) et non CO_2 (agriculture et déchets).

Figure 6. Émissions de gaz à effet de serre en 2000, par source.
Source : World Resources Institute, Climate Analysis Indicators (CAIT), base de données en ligne, version 3.0.

industriels de vendre des quotas lorsqu'ils polluent moins que prévu, ou à l'inverse d'en acheter s'ils polluent plus. En termes clairs, on a marchandisé et marchandé la pollution ! Ce système est lourd, souvent non respecté, et qui plus est largement insuffisant. Ce qu'il faut, c'est taxer toute émission de carbone directement à la source, à la sortie des cheminées d'usine comme à celle du tuyau d'échappement des voitures, etc. En outre, il est impératif de diminuer la consommation d'énergie, et surtout de sortir de l'industrie du charbon. Ainsi, en se basant sur la consommation d'énergie primaire (voir la figure 7), on doit à l'évidence modifier radicalement nos comportements. Interdire progressivement l'utilisation du charbon, interdire la construction de nouvelles centrales thermoélectriques à charbon, limiter la consommation des autres carburants fossiles et pour cela réduire le trafic routier, aérien et maritime, réformer la construction des bâtiments pour limiter les pertes d'énergie thermique, faire appel aux énergies renouvelables (hydraulique, éolien,

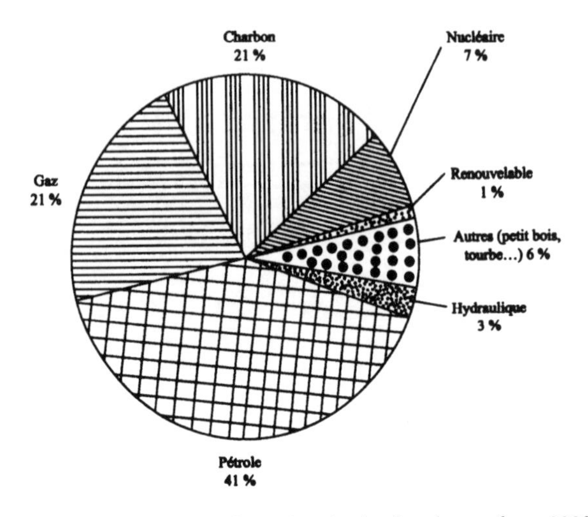

Figure 7. Consommation d'énergie primaire dans le monde en 2003.
Source : AIE.

solaire, etc.), sécuriser le nucléaire, et surtout favoriser son utilisation en toute transparence, réduire l'exploitation agricole intensive des sols et pour cela réformer la politique agricole commune, créer le plus possible de puits de carbone [1], mais ne pas écouter les sirènes biotechnologiques ou autres selon lesquelles on va régler le problème en stockant le gaz carbonique sous terre : peu de chose à attendre d'une telle mesure, si ce n'est des désillusions. Le point essentiel est de réduire les émissions des carburants, et pour cela de réduire la consommation d'énergie. Tout cela est-il possible ? La réponse est définitivement oui. Mais nous n'avons malheureusement pas encore compris la gravité de la situation ni l'urgence d'y remédier. Nous continuons, selon l'ancien paradigme, à développer les transports routiers, à construire de gros avions

1. Un *puits de carbone* est un réservoir naturel ou artificiel de carbone dont la taille augmente constamment, à l'inverse d'une *source de carbone*. Les principaux puits de carbone naturels sont les océans et la végétation en croissance.

porteurs, à envisager l'utilisation du charbon pour la production d'électricité. Ainsi, il serait prévu de construire 249 nouvelles centrales à charbon dans le monde d'ici à 2009, dont la moitié en Chine, 183 autres d'ici à 2019 et 710 autres entre 2020 et 2030. Un désastre en perspective ! Un programme qui mettrait définitivement l'humanité en péril.

Des bénéfices économiques largement supérieurs aux coûts de l'inaction

L'une des questions qui se posent est celle de la faisabilité des mesures environnementales à prendre dans le contexte économique actuel. Un argument souvent avancé par les lobbies industriels est qu'on ne peut rien changer à notre façon de faire sous peine de créer du chômage. Cet argument est bien sûr fallacieux. Le rapport Stern est là pour nous en convaincre. Ses auteurs, des économistes anglais, ont bien compris le caractère dramatique de la situation. Ainsi est-il souligné dans l'en-tête du rapport : « Les preuves scientifiques sont désormais écrasantes. Le changement climatique présente des risques très sérieux à l'échelle de la planète et exige une réponse mondiale de toute urgence. » Plus loin, on peut lire : « Le changement climatique est planétaire dans ses causes et ses effets. Une action collective internationale sera cruciale pour encourager une réponse efficace, efficiente et équitable sur l'échelle requise. [...] Le changement climatique représente un défi économique pour l'économie. Il constitue l'échec du marché le plus important et le plus étendu qu'on ait jamais connu. Il faut examiner la possibilité d'un changement majeur [...]. » Le texte met en avant un point fondamental qui invalide l'argument infondé des lobbies industriels : « Les bénéfices d'une action forte et rapide sur le changement climatique dépassent considérablement les coûts [...]. L'atténuation des risques – à savoir l'adoption de mesures rigoureuses en vue de réduire les émissions – doit être vue comme un investissement, comme un coût encouru aujourd'hui pour éviter les conséquences très sévères à venir. [...] Pour cela, la politique doit promouvoir de solides signaux du marché, surmonter les échecs du marché et avoir l'équité et l'atténuation des risques comme éléments moteurs. » Il est encore écrit : « Plus tôt on adoptera une action efficace, moins le coût en sera élevé. [...] Moins on atténuera les risques dès aujourd'hui, plus il sera difficile de continuer à s'adapter à l'avenir. [...] Car les preuves scientifiques indiquent que toute inaction (*business as usual*, ou BAU) face aux émissions entraînerait des risques croissants d'effets graves et irréversibles. »

En conclusion, le rapport indique qu'il nous faut complètement repenser notre développement économique et social. Ce qu'il ne dit pas, c'est que nous devons envisager le plus rapidement possible une véritable révolution économique et sociale. Une révolution incontournable, qui viendra soit des hommes, soit du système lui-même, soit des deux.

Chapitre 10

La troisième rupture

> On peut tromper tout le monde pendant un certain temps et certains pour toujours, mais on ne peut tromper tout le monde éternellement.
>
> Abraham Lincoln.

> Les grands problèmes auxquels nous faisons face ne peuvent être résolus en suivant le raisonnement qui a contribué à les créer.
>
> Albert Einstein.

Agir d'urgence pour nous en sortir ! Mais comment ? En réformant totalement notre façon de penser, notre conception de la vie, notre système économique ? J'ai longtemps hésité, non sur le contenu de ce chapitre, mais sur son intitulé. J'avais initialement pensé utiliser le mot « révolution », mais celui-ci peut être pris dans son sens le plus effrayant. En outre, pour un scientifique, un médecin, se faire le porte-parole d'une révolution ne conforte pas son image. Si on accepte qu'il puisse être un révolutionnaire dans les idées, on admet mal qu'il puisse l'être dans les actes lorsqu'il s'agit de remettre en cause la société. En fait, nous sommes aujourd'hui à la veille de ce que j'appelle la troisième rupture, une crise civilisationnelle sans précédent, comparable à celles qu'a traversées l'humanité au néolithique avec la découverte de l'agriculture et de l'élevage, et au XIXe siècle avec l'industrialisation. Mais celle-ci surviendra prochainement, de façon beaucoup plus brutale et en sens inverse.

Comme le stipule l'Appel de Paris, aucune expertise scientifique aboutissant à la notion de péril pour l'humanité n'aurait de sens si elle ne débouchait sur des conséquences politiques majeures, comportant une tentative de prévision de l'avenir, la proposition de mesures concrètes et la vérification de leur application. Les scientifiques ont l'obligation morale d'informer leurs concitoyens, de les prévenir des risques qu'ils courent et de leur suggérer des solutions. C'est à cette obligation que je me soumets ici, d'autant que les risques sont présumés graves.

Notre civilisation est parvenue aujourd'hui à un point critique. Les maladies, la pauvreté, la violence sont globalement la rançon de la perte des valeurs morales, du non-respect du droit et d'un système économique basé sur un libéralisme aveugle, qui n'est plus au service de l'homme, mais, à l'inverse, a mis l'homme à son service et, par conséquent, l'avilit. L'enquête scientifique que l'ARTAC a conduite auprès de très nombreux experts internationaux laisse penser que nous sommes à la veille d'une crise économique, sociale et culturelle inédite, et d'envergure planétaire. La surconsommation nous y conduit tout droit. Si nous continuions à utiliser comme nous le faisons les ressources non renouvelables de la Terre, à en épuiser la biomasse, à consommer le capital naturel qui nous est indispensable pour vivre, c'est une deuxième planète qu'il nous faudrait en 2050. Or cela est bien sûr rigoureusement impossible.

La rupture qui s'annonce est donc inéluctable. Elle est liée au fait que la nature va reprendre ses droits, car son pillage par les hommes a une limite. L'épuisement progressif des réserves en pétrole et l'apparition d'un pic de production dans les toutes prochaines années en sont probablement la clé principale. Les prétendues lois du marché que nous avons érigées en dogme ne sont rien face aux lois de la nature. Nous ne savons pas quand aura lieu cette rupture, mais ce que nous savons, c'est qu'elle surviendra inexorablement et sans doute plus rapidement qu'on ne le croit généralement.

Le mythe du roseau pensant

Aux comportements passifs ou instinctifs des espèces s'ajoute chez l'homme et les primates ce que j'ai appelé les *capacités cognitives*[1]. La cognition n'est pas spécifique à l'être humain, bien que chez lui elle soit plus développée. Les comportements cognitifs sont ce qui permet à l'homme de dépasser son instinct et d'agir sur son environnement de façon rationnelle. En réalité, l'être instinctif « de nature » que nous étions au tout début de l'humanité, et qui nous permettait de vivre en alliance avec la nature, s'est peu à peu transformé en être rationnel « d'antinature », nous faisant devenir le plus grand prédateur terrestre. Et c'est cet être-là, en raison des dommages irréversibles qu'il inflige à l'environnement, qui aujourd'hui pose problème.

On connaît la fameuse phrase de Pascal mettant en exergue la force et la faiblesse de l'homme : « L'homme n'est qu'un roseau, le plus faible de la nature ; mais c'est un roseau pensant. » Et d'ajouter : « Il ne faut pas que l'Univers entier s'arme pour l'écraser : une vapeur, une goutte d'eau suffit pour le tuer. Mais quand l'Univers l'écraserait, l'homme serait encore plus noble que ce qui le tue, puisqu'il sait qu'il meurt et l'avantage que l'Univers a sur lui, l'Univers n'en sait rien[2]. » Pourtant, il faut bien

1. Voir le chapitre 4.
2. B. Pascal, *Pensées*, in *Œuvres complètes*, Gallimard, « Bibliothèque de la Pléiade », Paris, 1954, chapitre 3 : « Marques de la grandeur de l'homme ».

le reconnaître, si l'homme n'est rien pour l'univers, la nature n'est pas insensible à ses actions. À l'époque de Pascal, les avancées scientifiques ne permettaient pas de concevoir cela. Tout était axé sur la pensée. « Toute notre dignité consiste donc en la pensée. C'est de là qu'il faut nous relever et non de l'espace et de la durée, que nous ne saurions remplir. Travaillons donc à bien penser. Voilà le principe de la morale », écrit un peu plus loin Pascal. Or la pensée n'est rien sans le corps. L'homme a oublié qu'il était d'abord et avant tout un animal, qu'il fait partie d'un tout dont l'intégrité lui est indispensable pour vivre : la flore et la faune, et la Terre qui en est l'habitat. En raisonnant sur l'homme et la société, sur le monde, sur la politique, sur l'économie, en se situant dans le domaine pur de l'esprit et non dans celui du corps matériel et de la santé, on oublie cette consubstantialité.

Il peut paraître dérisoire que je revienne ici sur le cancer en tant que modèle, mais c'est son étude qui m'a mis sur la voie. Comme je l'ai souligné aux chapitres 4 et 7, envisager le cancer sans considérer l'organisme dans lequel la tumeur croît et se développe ni le milieu extérieur dans lequel ce dernier évolue est une illusion d'optique, conduisant à une impasse. En ce qui nous concerne, il faut concevoir le même enchaînement, à la manière des poupées russes – l'homme, son espèce et l'environnement –, et admettre que toute analyse qui ne tiendrait pas compte de ces trois niveaux conduirait au même type d'impasse, une impasse ici suicidaire. La philosophie et la seule pensée logique ne nous sont ici d'aucun secours. Au contraire, elles nous égarent dans la mesure où elles ne prennent pas en compte le donné perceptif essentiel du monde naturel, tel que nous le révèle la science, et plus particulièrement l'écologie. Le drame des Lumières est qu'elles ne tenaient pas compte de la perception de la nature, comme le font les scientifiques aujourd'hui. Elles concernaient avant tout l'homme et la société. En faisant de l'humanité la finalité de l'espèce humaine, elles étaient donc radicalement anthropocentristes. Si la nature est admirée, elle n'est considérée que comme contribuant au bonheur de l'homme et des peuples, non comme un donné indispensable à la vie, à la survie de l'espèce. C'est là toute la différence, une différence qui risque de nous coûter très cher.

Aujourd'hui, de nombreux intellectuels, la plupart des philosophes, des sociologues ou des économistes confortent une vision spéculative de l'homme et de la société, sans référence à la nature ou tout au moins sans en faire le donné essentiel de notre existence. Pour eux, l'existence est « dans » l'homme, « dans » la société, et non « dans » la nature, « dans » l'environnement, bien qu'ils nous soient consubstantiels. Ils bâtissent l'avenir de l'homme sur l'illusion de son éternité, sur une pensée déduite des Lumières, en essayant de l'adapter à notre époque. En réalité, ils commettent une très lourde erreur de jugement : ils oublient que nous ne sommes pas seulement des êtres questionnables, mais aussi des corps vivant dans un environnement. Le moment venu, cet égarement et cette illusion nous feront tomber d'autant plus haut que les problèmes de survie de l'espèce humaine nous apparaîtront bien réels.

Santé durable : une réponse face à l'imposture du développement durable

La prise de conscience du fait que les ressources terrestres sont épuisables et proches de l'épuisement a motivé la communauté internationale à se mobiliser pour faire émerger le concept de développement durable. Comme le souligne le Mémorandum de l'Appel de Paris, ni le rapport Brundtland du 4 août 1987 de la Commission mondiale sur l'environnement et le développement, ni la déclaration de Rio du 13 juin 1992 proclamée à l'issue de la Conférence des Nations unies sur l'environnement et le développement, ni le rapport des Nations unies consécutif au sommet mondial de Johannesburg de 2002 n'envisagent la durabilité des hommes sous l'angle de leur santé. Le libellé même de ces instances et de ces rassemblements, associant environnement et développement, est révélateur de la vision purement économique de cette durabilité. Certes, on lit dans le rapport Brundtland : « Le développement durable est un développement qui répond aux besoins du présent sans compromettre la capacité, pour les générations à venir, de répondre à leurs propres besoins. » Ou, dans la déclaration de Rio : « Un développement insuffisant débouchant sur la pauvreté, tout comme un développement inadéquat et entraînant une consommation excessive allant de pair avec l'expansion de la population mondiale peuvent se traduire par de graves problèmes d'hygiène de l'environnement, tant dans les pays en développement que dans les pays développés. » Ou encore : « La déclaration de Rio sur l'environnement et le développement durable dispose que les êtres humains sont au centre des préoccupations relatives au développement durable et qu'ils ont droit à une vie saine et productive en harmonie avec la nature. Les objectifs du développement durable ne sont pas réalisables tant que les maladies débilitantes demeurent monnaie courante, l'amélioration de la santé de l'ensemble de la population allant de pair avec l'élimination de la pauvreté. » Cette dernière déclaration est sans doute celle qui va le plus loin sur le plan sanitaire, puisqu'elle insiste sur le fait que, sans bonne santé, il ne saurait y avoir de développement durable. En réalité, même dans ce cas, on brade la santé des populations au nom du développement économique. On met la santé des hommes au service du développement durable, alors que ce devrait être l'inverse : l'économie au service de l'homme et de sa santé.

C'est ce renversement radical de concept que propose le Mémorandum de l'Appel de Paris, élaboré par les 68 experts internationaux qu'a réunis l'ARTAC. La finalité n'est pas le développement économique pour lui-même, mais bien la santé des hommes et la survie de l'espèce humaine. D'où le concept de *santé durable* tel que nous l'avons défini en réponse à celui de développement durable. La santé durable est « la perpétuation de la santé des générations futures, dans un état au moins comparable à celui d'aujourd'hui, et la survie future de l'ensemble des peuples de la planète ». Les quatre principes sur lesquels repose ce concept sont les suivants : « Le principe de prévention, lorsque le facteur de risque à l'origine de la maladie est connu, le principe de précaution, lorsqu'il ne l'est pas mais qu'il est estimé être grave et irréversible, le principe de correction par priorité à la source des atteintes à l'environnement, et le principe du pollueur-payeur. »

La croissance est devenue le cancer de l'humanité

Une société ne doit pas seulement être envisagée sous l'angle de la morale et du droit, comme le pensaient les auteurs des Lumières et comme le pensent toujours nombre de philosophes et de sociologues contemporains ; elle doit être perçue au sein de Gaïa, comme un *organe vivant* à part entière, obéissant aux lois naturelles. Toute société doit donc être analysée sous l'angle de la sociologie *et* sous celui de la biologie, ou de ce qu'on peut appeler la sociobiologie[1]. Or il est clair que, dans ce dernier domaine, il ne peut exister de croissance illimitée. La biologie est là pour nous en convaincre. Dans tout phénomène vivant, au-delà d'un certain seuil, la croissance ralentit puis s'annule pour évoluer en « plateau » ou même éventuellement décroître. Les spécialistes de la

1. Le terme est pris dans son acception très générale, sans rapport avec le sens que lui ont donné certains biologistes tels que R. Dawkins dans *Le Gène égoïste*, Mengès, Paris, 1978.

théorie des systèmes, les démographes, les biologistes, les cancérologues connaissent la *fonction de Gompertz*, qu'ils utilisent en tant que modèle de croissance[1]. La courbe qui en découle passe par différentes phases, dont l'ultime est un « plateau asymptotique ». Il en est ainsi de toute croissance naturelle, sauf lorsque, en raison d'une inadaptation de l'organisme vivant à son milieu extérieur, le « plateau » dure peu et qu'une décroissance s'ensuit (voir la figure 8). Là encore, l'étude du cancer est éclairante. On définit celui-ci par le fait que sa croissance est illimi-

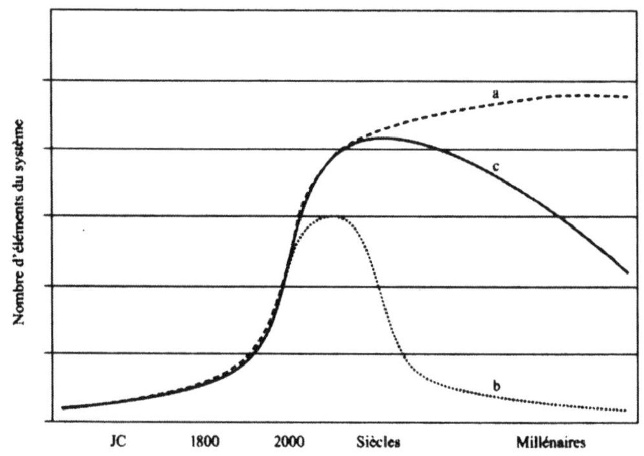

Figure 8. Différentes courbes schématisées,
issues de la théorie des systèmes applicable à la biologie, la médecine,
la démographie et l'économie.
(a) Fonctions de Gompertz ou logistique ;
(b) Fonction gaussienne traduisant une distribution « normale » ;
(c) Fonction gaussienne traduisant une distribution « anormale ».
Source : ARTAC.

1. Gompertz était démographe. La fonction qu'il a proposée date de 1825. B. Gompertz, « On the Nature of the Function Expressive of the Law of Human Mortality, and on a New Method of Determining the Value of Life Contingencies », *Phil. Trans. Roy. Soc.*, 1825, p. 513-585. Cette fonction est aujourd'hui très utilisée dans la théorie des systèmes. Un autre modèle de croissance recourant à la fonction « logistique » est possible. Il conduit à une interprétation similaire. Lorsque le milieu s'épuise, la décroissance s'ensuit. Pour que la croissance puisse être illimitée, il faudrait admettre que l'abon-

tée[1] – le plateau asymptotique n'est pas atteint – tant que le malade est vivant et apporte aux cellules cancéreuses l'oxygène, l'énergie et les nutriments dont elles ont besoin pour se diviser, autrement dit, tant que l'organisme malade les approvisionne. La croissance d'un cancer s'arrête du vivant du malade, si on y met fin grâce à des traitements efficaces. En cas d'échec de ces traitements, la croissance ne s'arrête qu'avec la mort du malade par épuisement énergétique.

Il en est de même de toute société, de toute civilisation et de l'humanité tout entière. Si nous voulons survivre de façon prolongée, il faut que l'humanité reste en complète adéquation – adaptation – avec son milieu, ici l'environnement. Pour cela, il est indispensable qu'un jour ou l'autre la consommation des ressources et par conséquent la « croissance économique » se stabilisent pour atteindre un « plateau stationnaire », correspondant à ce qu'on appelle la « croissance zéro ». Si tel n'était pas le cas, on devrait considérer notre système économique comme un véritable cancer de l'humanité, aboutissant rapidement à notre propre mort en raison de l'épuisement des ressources et de la destruction de l'environnement. L'image est d'autant plus forte qu'elle est scientifiquement fondée. L'analyse mathématique de toute croissance biologique ne peut que conduire à remettre en cause l'irresponsabilité de notre développement économique actuel.

Croissance ou décroissance économique ? Bientôt un krach mondial !

En dépit de ses échecs, la croissance demeure une croyance du monde occidental, aux yeux duquel elle est

---

dance du milieu l'est aussi. Ce qui, naturellement, est impossible, les ressources terrestres étant limitées.

1. D. Belpomme, *Guérir du cancer ou s'en protéger*, *op. cit.*

censée apporter le salut. Le besoin de croire est plus fort que le doute[1]. Compte tenu de l'analyse qui vient d'être faite, cette croyance est, pourtant, à terme condamnée. Deux visions sont possibles : celle de la décroissance que plusieurs économistes proposent, et celle d'une nouvelle forme de croissance, une croissance purement financière, découplée de la production des biens et même de certains services. J'y reviendrai. Quoi qu'il en soit, il faut que les citoyens du monde acceptent l'idée que la croissance telle que la conçoit aujourd'hui notre système productiviste vit ses derniers jours.

En négligeant l'épuisement progressif de nos ressources terrestres – plus précisément en fixant les prix sur le court terme, c'est-à-dire en se basant seulement sur les conditions immédiates de la fameuse loi de l'offre et de la demande, sans tenir compte de la rareté à venir de ces ressources – et en négligeant les coûts indirects induits par la pollution, notre système économique vit largement au-dessus de ses moyens. Cela ne peut durer. L'économiste roumain Nicholas Georgescu-Roegen[2] a été le premier à alerter la communauté internationale sur le fait que les concepts économiques classiques, en envisageant les va-et-vient entre production et consommation dans un système clos, sans tenir compte de la *biosphère* et de la dépendance à son égard des activités humaines, ne pouvaient conduire à terme qu'à une catastrophe. Cette conception remet radicalement en question la validité même des fondements sur lesquels est érigé le système économique actuel. Ainsi en est-on conduit à formuler l'idée selon laquelle la décroissance est désormais inévitable, si on veut un développement et la survie réellement durables de l'humanité. Un avis auquel se rangent plusieurs économistes[3]. La solution de Nicholas Georgescu-

1. G. Rist, *Le Développement*, Presses de Sciences Po, Paris, 2001.
2. N. Georgescu-Roegen, *La Décroissance*, Sang de la Terre, Paris, 1995.
3. S. Latouche, *Justice sans limites*, Fayard, Paris, 2003.

Roegen est-elle la seule envisageable ? Par analogie avec les phénomènes d'économie en biologie [1], une autre possibilité est le découplage de la croissance économique proprement dite, évaluée sur les bénéfices financiers, d'avec la production des biens et des services, lorsqu'ils sont inutiles ou dangereux. À condition que, comme je l'ai proposé, le critère de détermination des prix ne soit plus seulement la quantité produite, mais principalement la *qualité* [2]. Cependant, qu'il y ait décroissance économique ou non, la décroissance des quantités produites est incontournable. Et c'est là l'essentiel.

En réalité, notre système économique est doublement plombé. Non seulement il érige la croissance en objectif ultime, mais encore il la dope artificiellement en substituant la richesse au revenu pour en faire le moteur de la demande [3]. Autrement dit, pour faire tourner le moteur de l'économie mondiale, on l'approvisionne sans cesse en carburant sous la forme de liquidités monétaires. L'ineptie du système se double ici d'une fragilité financière pouvant conduire d'un jour à l'autre à son implosion. L'explication en est simple. Pour éviter l'effondrement du dollar, lié au déficit courant des États-Unis, et permettre aux Américains de consommer toujours plus, les banques centrales des pays émergents d'Asie accumulent des réserves de change leur permettant d'acheter des dollars sous la forme d'obligations américaines [4]. L'accord de

1. Il ne s'agit pas d'économie politique mais de la définition du terme appliquée à la biologie. « Économie » vient du grec *ecos*, la maison, et *nomos*, la règle. Il signifie donc étymologiquement les règles de gestion de la « maison » – la « maison » en biologie étant le corps humain et ses organes.

2. D. Belpomme, *Ces maladies créées par l'homme*, *op. cit.*
nos enfants, La Découverte, Paris, 2006.

3. La base monétaire mondiale a augmenté d'environ 10 % par an ces trente dernières années. Le ratio base monétaire sur PIB a ainsi doublé en valeur de 1995 à 2005. P. Artus et M.-P. Virard, *Comment nous avons ruiné nos enfants*, La Découverte, Paris, 2006.

4. Les pays émergents contribuent pour 75 à 80 % à l'augmentation de la liquidité mondiale.

change entre la Chine et les États-Unis constitue l'épine dorsale du système. Mais les pays producteurs de pétrole interviennent aussi en achetant de telles obligations. L'Asie et le Moyen-Orient organisent ainsi l'excès d'endettement des États-Unis, et par là même celui de l'Europe, pour la plus grande satisfaction des intéressés. Cette politique de l'autruche ne pourra pas durer. Que surviennent une hausse du prix des matières premières, un durcissement des politiques monétaires, une baisse de la liquidité mondiale, un renchérissement des taux d'intérêt, et le système courra à la banqueroute sous la forme d'un krach financier mondial, non pas conjoncturel comme en 1929, mais structurel et donc beaucoup plus grave.

À cela s'ajoutent de nombreuses critiques à l'encontre du système économique actuel et de la mondialisation. « Aujourd'hui, la mondialisation ça ne marche pas. Ça ne marche pas pour les pauvres du monde. Ça ne marche pas pour l'environnement. Ça ne marche pas pour la stabilité de l'économie mondiale », écrit le Prix Nobel d'économie américain Joseph E. Stiglitz, qui, dénonçant une « grande désillusion [1] » planétaire, entrevoit un « autre monde » basé sur la mise en place d'un marché responsable, faisant appel à une autre forme de capitalisme, un capitalisme qui tiendrait compte de l'environnement et du bien-être de l'ensemble des citoyens [2]. L'analyse de Stiglitz rejoint celle d'autres économistes, critiquant sévèrement le système de marchandisation du monde [3], affirmant que « le capitalisme est malade de sa finance » et qu'il « est en train de s'autodétruire [4] », mais aussi celle

1. J.E. Stiglitz, *La Grande Désillusion*, Fayard, Paris, 2002.
2. J.E. Stiglitz, *Un autre monde*, Fayard, Paris, 2006.
3. R. Passet, *L'Illusion néolibérale*, Fayard, Paris, 2000 ; S. Latouche, *L'Occidentalisation du monde*, La Découverte, Paris, 2005.
4. J.-L. Grau, *Le Capitalisme malade de sa finance*, Gallimard, Paris, 1998, et *L'Avenir du capitalisme*, Gallimard, Paris, 2005 ; P. Artus et M.-P. Virard, *Le capitalisme est en train de s'autodétruire*, La Découverte, Paris, 2005.

de diverses personnalités ou ONG convaincues que la poursuite de la croissance des biens et des services est devenue impossible et que la mondialisation ne fait qu'appauvrir les pauvres tout en enrichissant les riches [1]. C'est aussi la conclusion de Patrick Viveret, conseiller à la Cour des comptes, à l'origine du rapport *Reconsidérer la richesse* et dont le message est encore plus clair : « L'humanité peut se sauver si elle devient lucide et rejette les manipulations dont elle est l'objet, ou se perdre définitivement si elle se laisse égarer dans des affirmations qui n'ont plus aucun sens [2]. »

Un monde gouverné par l'économie

La gouvernance du monde occidental est fondée d'une part sur le droit et la démocratie et d'autre part sur un système économique de libre-échange concurrentiel et sans frontières. Cette situation est en fait le résultat d'une construction hybride : l'apport initial de l'Europe, issu de la pensée grecque du *logos* et des Lumières, ayant conduit au droit universel et à la démocratie ; et l'apport anglo-américain, issu du courant utilitariste anglais du XIXe siècle, ayant conduit à une vision marchandisée des relations humaines, puis, sous influence américaine, à la mondialisation du système tel qu'on le connaît aujourd'hui. Bien que l'une et l'autre se réclament d'un universalisme, ces deux conceptions sont donc très différentes. Elles se sont partagé le pouvoir : aux démocrates, la politi-

1. ATTAC, *Une économie au service de l'homme*, Mille et une nuits, Paris, 2001 ; H. Norberg-Hodge, *Quand le développement crée la pauvreté*, Fayard, Paris, 2002 ; A. Bertrand et L. Kalafatides, *OMC, le pouvoir invisible*, Fayard, Paris, 2002 ; J.-P. Besset, *Comment ne plus être progressiste... sans devenir réactionnaire*, Fayard, Paris, 2005.

2. P. Viveret, *Pourquoi ça ne va pas plus mal ?*, Fayard, Paris, 2005.

que ; aux marchands, l'économique. Plus précisément : aux États, le premier pouvoir ; aux entreprises multinationales, le second. Or, de ces deux pouvoirs, c'est celui des entreprises multinationales qui est devenu le plus fort. Ce sont elles qui dictent les règles, se réclamant d'un libéralisme outrancier basé sur la fameuse « loi de l'offre et de la demande » et d'un marché que l'idéologie développée à partir du courant utilitariste anglais a créé. Avec l'essor du capitalisme, le système est devenu principalement financier. C'est donc en fait le monde de la finance, et plus particulièrement le capitalisme transfrontière, qui régit aujourd'hui les relations entre les pays et oriente la politique. Le monde est devenu un vaste marché où s'affrontent les intérêts contradictoires des différentes entreprises, sur lesquels se greffe dans la mesure du possible le pouvoir politique des États. Ce système poussé à l'extrême génère de nombreux dégâts. Il fonctionne à l'avantage de quelques-uns, mais au détriment de la plupart.

La surcivilisation des pays du Nord

Les trois péchés du système économique actuel sont : l'absence de projet autre que la surconsommation ; l'absence de contre-pouvoirs réels, d'où la montée en puissance d'un nouveau totalitarisme ; le déni du futur et donc l'absence de stratégie à long terme. Cumulés, ils fournissent les ingrédients de la révolution planétaire qui s'annonce.

La surconsommation est spécifique aux pays du Nord, les plus riches, qui ont à leur disposition tous les produits qu'ils désirent, alors que les pays du Sud s'appauvrissent. L'obésité est une maladie du Nord, la faim une maladie du Sud. Les nouveaux marchés créés dans le Nord contrastent avec ceux du Sud, qui ne permettent pas la satisfaction des besoins vitaux des populations. Certains des premiers sont même des leurres, artificiellement créés pour vendre un peu plus. L'abus est flagrant. Il concerne en particulier les jeunes qui ont été dès l'enfance, grâce à la publicité, éduqués à consommer. Cette surconsommation, tout en se réclamant d'une amélioration du bien-être individuel – alors qu'elle repose sur un hédonisme vulgaire –, se fait aux dépens des ressources terrestres et des pays du Sud qui les possèdent. Elle rejoint ce que le philosophe tchèque Jan Patočka appelle la *surcivilisation*, une civilisation de moyens et non de fins. Une civilisation basée sur l'absence de projet, d'idéal, une civilisation qui ne fait pas sens, qui n'envisage pas les questions ultimes de l'existence humaine. On connaît le destin de telles civilisations : un déclin rapide, avant la disparition pure et simple.

L'absence de contre-pouvoirs à ce système est évidente. La chute du mur de Berlin, en libérant le capitalisme de l'emprise communiste, l'a étendu au monde de façon impitoyable. Le capitalisme est tombé dans le même piège que le communisme : le royaume de la pensée unique. Ainsi avons-nous affaire maintenant à une nouvelle forme de totalitarisme, un totalitarisme mondial, économique, politique et idéologique, rejoignant la définition que Jan Patočka donnait des aléas et périls de la surcivilisation : la réduction du savoir en pouvoir, de la responsabilité à l'utilité, de l'individu à sa fonction, de la loi aux appareils bureaucratiques [1]. D'où les mouvements, altermondialistes ou autres, au sein desquels s'expriment les dissidences et parfois même la désobéissance civique [2] : des manifestations qui ne pourront conduire qu'à la violence et à la révolution. Qu'on y prenne garde !

---

1. R. Maggiori, *À la rencontre des philosophes. 100 chroniques de « Libération »*, article « Jan Patočka », Bordas, Paris, 2005.

2. M. David-Jougneau, *Le Dissident et l'Institution*, *op. cit.* ; J. Bové et F. Dufour, *Le monde n'est pas une marchandise*, La Découverte, Paris, 2000 ; J. Bové, *La Désobéissance civique*, La Découverte, Paris, 2004.

L'absence de vision à long terme est probablement la critique la plus sévère qu'on puisse émettre à l'encontre de la surcivilisation qui caractérise les pays du Nord, et maintenant aussi des pays émergents tels que la Chine, l'Inde ou le Brésil. Elle concerne à la fois les hommes politiques et les responsables économiques. Un tel déni du futur, une telle politique de l'autruche, sans référence autre qu'à la croissance et au profit, risquent de nous perdre définitivement.

Le psychanalyste Jean-Claude Liaudet a parfaitement défini la névrose collective qui s'est emparée de nous et qui nous a conduits à modifier notre système de valeurs et notre civilisation, l'assimilant à ce qu'il appelle le complexe d'Ubu [1]. Le père Ubu représente tout le grotesque du monde. Nous le rejetons pour jouir de notre mère matricielle qui est devenue le Marché avec un grand M. « Le marché nous porte, il suffit de l'écouter en nous pour trouver l'harmonie. [...] Le marché présente tous les caractères de la mère du stade oral : il suffit de s'en remettre à lui pour ne manquer de rien. [...] Il est un sein nourrissant. Tout ce qui nous éloigne de la mère anale est mauvais. Exit [le] père sexué et porteur de loi », écrit Jean-Claude Liaudet. Le libéralisme n'est donc pas neutre. Ses dessous révèlent une mégalomanie individualiste, un refus de la morale, un goût pour le confort, un égoïsme, au total des valeurs dont on nous dit qu'elles font notre bonheur, le sens de notre vie, notre ultime but, alors qu'elles transgressent l'esprit des Lumières. Les peuples entendent deux sons de cloche : celui des décideurs qui leur disent que tout va bien – ou que tout irait mieux si on avait une bonne croissance – et celui des scientifiques aujourd'hui considérés comme alarmistes qui leur disent que nous courons à la catastrophe. Albert Jacquard a bien résumé la situation : les scientifiques affir-

1. J.-C. Liaudet, *Le Complexe d'Ubu ou la Névrose libérale*, Fayard, Paris, 2004.

ment que nous sommes au bord du gouffre que nous avons creusé, et les hommes politiques nous disent : Avancez ! Avancer ou non : à nous de choisir avant qu'il ne soit trop tard, avant que la névrose qui s'est emparée de nous ne devienne une folie pure et simple.

La trahison des Lumières et l'effondrement de l'Occident

Après la mort de Dieu, le problème se pose de savoir sur quel socle nous voulons construire l'avenir. Au XVIIIe siècle, les philosophes des Lumières nous avaient donné une réponse en trois parties : devenir autonome, c'est-à-dire prendre en main notre propre destin par l'acquisition des connaissances, l'examen critique de notre propre existence et le respect de la liberté de conscience ; assumer notre finalité au travers de la souveraineté du peuple – donc réhabiliter la démocratie telle que les Grecs nous l'avaient léguée – et fonder l'acquisition des biens sur le travail ; construire une morale et un droit universels, dans le respect de la différence, en considérant l'homme tel qu'il est, avec ses qualités et ses défauts [1]. Aujourd'hui, les Lumières sont transgressées. Nous les avons trahies.

Souci de la vérité, sens de la justice, responsabilité, respect de la démocratie, éloge de la différence, devoir de solidarité, vie de l'esprit : voilà les valeurs qu'il nous faut à tout prix reconquérir, car elles sont le socle de notre épanouissement et notre sauvegarde pour l'avenir. Or qu'observons-nous dans le monde ? Le mensonge, une justice à deux vitesses, la recherche du pouvoir pour le pouvoir, de l'argent pour l'argent, l'exclusion des pauvres, la calomnie, la cupidité et la corruption, la démocratie bafouée, la désacralisation des valeurs, mais la sacralisation des moyens devenus fins en soi, le déni de culture,

1. T. Todorov, *L'Esprit des Lumières*, Robert Laffont, Paris, 2006.

les guerres, la torture et finalement la transgression des droits.

Ainsi le droit international à l'origine de l'Organisation des Nations unies est-il aujourd'hui vilipendé, l'ONU elle-même critiquée et son ancien secrétaire général diffamé. À une telle transgression, Jean Ziegler voit trois causes principales : l'absence de Cour de justice internationale apte à juger les individus et les entreprises ; la perte d'efficacité normative du droit international en raison de l'emprise des multinationales sur les États ; l'impuissance de l'ONU à faire face à l'impérialisme américain[1]. J'en ajouterai une quatrième : le manque de courage de l'ensemble des dirigeants politiques de la planète.

L'exclusion des peuples des décisions politiques et économiques est en effet devenue monnaie courante. Celle existant dans les pays non démocratiques, au nom d'ambitions et d'intérêts particuliers, religieux ou autres, est évidente. Les pays démocratiques rejettent avec raison de tels régimes, mais ils ne s'aperçoivent pas qu'eux-mêmes pratiquent d'autres formes d'exclusion. Le totalitarisme économique est désormais une religion d'État. Cette nouvelle idéocratie fait corps avec les intérêts des systèmes économique et financier. Elle diffuse le message selon lequel, sans croissance, point d'autre conséquence que le chômage. L'État en vient ainsi à contrôler de façon directe ou indirecte des valeurs et des secteurs qui normalement appartiennent d'abord et avant tout au peuple : la santé, l'alimentation, l'éducation, la recherche, les médias (par le biais d'un laisser-aller publicitaire)... À cela s'ajoute le fait que, dans nos pays riches, le système de représentation démocratique basé sur le clivage droite-gauche n'est plus représentatif des enjeux de société. La santé, l'environnement et même la recherche et l'éducation, bien que sociétalement prioritaires, n'ont pas de

1. J. Ziegler, *L'Empire de la honte*, Fayard, Paris, 2005.

couleur politique. Ils nous concernent tous. Dans ce cas, comment voter ? Et, après le vote, comment s'assurer que les hommes politiques prennent bien les décisions pour lesquelles ils ont été élus ? C'est un tel vide démocratique que perçoit Pierre Rosanvallon [1], animateur du courant de pensée La République des idées, lorsqu'il stigmatise le fait que l'idéal démocratique règne sans partage mais que les régimes qui s'en réclament suscitent partout de vives critiques, exprimant la défiance de la société civile vis-à-vis de ses élus.

L'empire de la honte [2]

La pauvreté existe partout sur la planète, dans les pays du tiers monde comme dans les pays riches, où elle constitue dans l'un et l'autre cas un ferment révolutionnaire : quand le peuple a faim, que peut-il faire d'autre que se mobiliser et s'engager dans un cycle de violence, participer à des actions terroristes et finalement faire la révolution ? Notre système économique mondialisé laisse mourir de faim un tiers de l'humanité. La faim et le manque d'eau potable entrent dans le cadre de la septième catégorie des maladies environnementales que j'ai répertoriées au chapitre 6.

Les chiffres sont accablants. Dans le monde, plus de 10 millions d'enfants de moins de 5 ans meurent chaque année de sous-alimentation, d'épidémies, de pollution des eaux et d'insalubrité. Cinquante pour cent de ces décès surviennent dans les pays les plus pauvres. Quarante-deux pour cent des pays du Sud abritent 90 % de ces victimes. Il y a quarante ans, 400 millions de personnes souffraient de sous-alimentation chronique. Aujourd'hui, il y en a

1. P. Rosanvallon, *La Contre-Démocratie*, Seuil, Paris, 2006.
2. Je reprends ici le titre de l'ouvrage déjà cité de Jean Ziegler, rapporteur spécial des Nations unies pour le droit à l'alimentation.

près d'un milliard[1] ! Comme le déplore la FAO, la faim ne recule pas dans le monde, elle progresse[2], alors que nous n'avons jamais produit autant de denrées alimentaires. Pouvons-nous accepter cela ?

La faim est devenue la première cause de mortalité sur la planète, alors que celle-ci aurait de quoi nourrir 12 milliards d'habitants, soit presque le double de la population actuelle. Les multinationales promettent de bientôt régler le problème grâce aux OGM : imposture, mensonge ! Deux milliards de personnes, soit le tiers de la population mondiale, souffrent de *hidden hunger*, de « faim invisible », c'est-à-dire de malnutrition. Elles sont atteintes de différentes carences alimentaires, en micronutriments, en fer, en vitamines A, B, C, en acide folique, en iode, etc., et donc souffrent selon les cas d'anémie grave (plus d'un milliard de personnes), de cécité (la carence en vitamine A est la première cause de cécité dans le monde), d'infirmités mentales, surtout chez les enfants, de béribéri, ou de scorbut ou d'autres déficits graves associés, s'intégrant dans ce qu'on appelle le kwashiorkor, survenant surtout en Afrique noire et combinant anémie, rachitisme, œdème, cécité et perte des dents. Chaque année dans le monde, 600 000 femmes meurent de leur grossesse par anémie ferriprive, 18 millions de nouveau-nés présentent des infirmités mentales et 13 millions d'enfants deviennent aveugles. Enfin, aujourd'hui, on compte plus d'un milliard d'hommes survivant dans le plus extrême dénuement, avec moins de 1 dollar par jour, tandis que 1 % des personnes les plus riches gagnent autant d'argent que 57 % des pays pauvres. On ne peut qu'être effrayé par ces chiffres.

---

1. R.E. Black, « When and why are 10 millions children dying every year ? », *The Lancet*, numéro spécial « The world's forgotten children », 12 juillet 2003.

2. *The State of Food Insecurity in the World 2006*, FAO, Rome, 2006.

À qui la faute ? Il n'y a qu'une seule réponse, une réponse qu'on ne peut plus mettre en doute, sauf à nier l'évidence : le système économique. Il serait en effet humainement inacceptable et moralement indigne de continuer à dire – un slogan que j'entendais souvent lorsque je résidais aux États-Unis –, que pour s'enrichir il suffit de travailler et que, si les pays du tiers monde sont pauvres, c'est parce qu'ils ne travaillent pas ! Non : le système économique actuel repose sur le pillage des ressources des pays du Sud par les pays du Nord pour que ces derniers satisfassent leurs besoins de développement, alors que les premiers, pour survivre, doivent leur emprunter des capitaux. Emprunter signifie s'endetter et payer des intérêts. Or la dette extérieure cumulée des 122 pays du tiers monde ne fait que croître. Selon Jean Ziegler, de 54 milliards de dollars il y a quarante ans, elle est passée à plus de 200 milliards de dollars ! À tel point que ces pays sont devenus exsangues. Ce sont eux en réalité qui financent les pays riches : le flux de capitaux Sud-Nord est presque 10 fois plus élevé que le flux Nord-Sud, lequel prend la forme d'investissements, de crédits de coopération, d'aides humanitaires...

À qui profite la dette ? D'abord aux créanciers du Nord, aux « cosmocrates », comme les appelle Jean Ziegler, aux classes dominantes des pays pauvres qui en sont les débiteurs – et là, la corruption est évidente –, mais aussi aux multinationales qui dans les pays débiteurs financent les élites, contrôlent l'ensemble du secteur économique et mettent sur pied un deuxième pillage organisé – financier celui-là – en rachetant leurs sociétés et leurs entreprises lorsqu'elles sont financièrement rentables. Ainsi le poids de la dette pèse-t-il non sur les dirigeants ou les cadres de ces pays, mais sur les pauvres et exclusivement sur eux. Un tel décalage ne peut semer à terme que violence, révolte, et bientôt révolution.

La fin annoncée de l'or noir

À entendre les informations diffusées chaque jour, on pourrait croire que, grâce aux spéculations boursières, aux fusions d'entreprises, aux décisions prises par les banques centrales, tout va dans le bon sens, que la croissance nous conduira vers un monde meilleur répondant à des exigences de justice, d'équité et de bien-être pour tous, et que les actions de rétablissement de l'ordre et les guerres « préventives » permettront de répandre le droit et la justice partout dans le monde. Or c'est l'inverse qui se produit. Mais, et c'est là notre espoir, ce monde-là vit probablement ses derniers instants. Son talon d'Achille est en effet dans la raréfaction de l'or noir, le pétrole.

Toute vie est impossible sans énergie. Au fil des siècles, les hommes l'ont utilisée sous différentes formes. Aujourd'hui, nous nous servons principalement d'électricité et de pétrole, plus accessoirement de gaz, pour faire tourner la machine économique. Or, comme l'ont fait remarquer les experts du Mémorandum de l'Appel de Paris, un constat s'impose : dans l'état actuel des technologies, l'électricité nécessite une distribution par un réseau extérieur à ses points de consommation et par conséquent ne peut être utilisée que de façon localisée et fixe, alors que le pétrole est une énergie concentrée qui, parce qu'elle peut être incorporée directement dans un mobile, présente une propriété d'autonomie propre. Le pétrole a donc un intérêt considérable pour les transports routier, maritime et aérien. L'avion, le bateau, le camion ou le tracteur électriques ne sont pas pour demain, ni même la voiture électrique, sauf pour de courtes distances, notamment en ville. Le pétrole est une énergie non renouvelable qui ne peut être remplacée par l'électricité, et c'est là le point crucial. Car il est certain que demain, c'est-à-dire au cours de ce siècle, notre approvisionnement en pétrole ne pourra que se réduire. Il y a ici deux sons de cloche : certains experts affirment que, grâce aux progrès techniques (forages *off shore*, récupération des pétroles bitumeux, etc.), les compagnies pétrolières seront en mesure d'approvisionner le marché pendant encore très longtemps – le problème est de savoir pendant combien de temps ! –, alors que la plupart des experts situent le pic de production de pétrole dès 2015 (voir la figure 9). C'est ce que pense un groupe d'experts indépendants spécialisés en géologie pétrolière, l'Association for the Study of Peak Oil and Gas (ASPO), qui compte parmi ses membres certains chercheurs internationalement reconnus tels que Jean Laherrère et Colin Campbell. En revanche, pour l'Agence internationale de l'énergie (AIE), ce pic pourrait survenir vers 2030 voire au-delà [1].

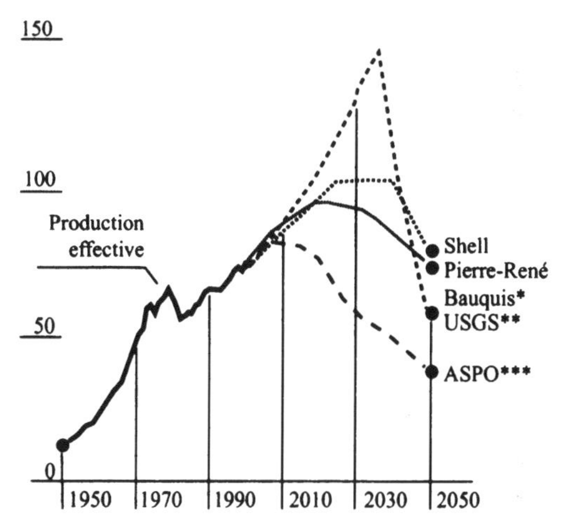

* Ex-conseiller scientifique à la direction de TotalFinaElf.

** Energy Information Administration (États-Unis).

*** Association for Study of Peak Oil & Gas.

Figure 9. « Peak oil » : quatre scénarios (production en milliards de barils par jour).

Quoi qu'il en soit, l'existence de ce pic n'est plus remise en cause par personne, car, comme l'indique la figure 10, la découverte de nouveaux gisements est de plus en plus rare. Mais s'agira-t-il d'un pic étroit, tel le

1. « Pétrole, la panne sèche ? Chronique d'une pénurie annoncée », *Le Monde 2*, n° 85, 1er au 7 octobre 2005.

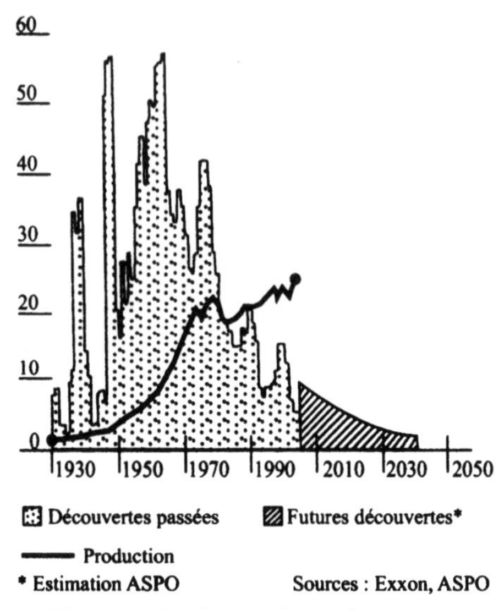

Figure 10. Production de pétrole comparée aux découvertes en milliards de barils par an.

classique *pic de Hubbert*, ou d'une sorte de plateau, étalé sur vingt ans, traduisant les réactions chaotiques du marché ? Il est évident que la production déclinera un jour ou l'autre et que, l'offre devenant inférieure à la demande, le prix de l'or noir ne fera que grimper, même si aujourd'hui la Bourse crée l'illusion que ce prix peut décroître [1]. Cela n'est que l'effet de fluctuations conjoncturelles : en raison de la rareté croissante du pétrole et de l'accroissement des coûts d'extraction, l'augmentation du prix – structurelle – ne pourra que se poursuivre, atteignant des niveaux très élevés. Cela d'autant plus que les investissements financiers sont nettement insuffisants pour couvrir les besoins à venir [2] et qu'il existe probablement une

1. Depuis 1995, le prix du pétrole brut a été multiplié par près de quatre, celui des métaux précieux par deux.

2. Les estimations indiquent que ces investissements devraient être de l'ordre de 100 milliards de dollars (valeur 2003) par an dans les vingt prochaines années, ce qui est possible puisque les compagnies pétrolières américaines et européennes engrangent au total un bénéfice annuel de l'ordre de 150 milliards de dollars (valeur 2005).

« face cachée du pétrole[1] » que beaucoup d'entre nous ne connaissent pas. Ainsi, selon Éric Laurent, le choc pétrolier de 1973 n'aurait été qu'une manipulation, résultant de l'entente des pays de l'OPEP avec de grandes entreprises pétrolières. De plus, les chiffres des réserves mondiales qui nous sont communiqués seraient faux car artificiellement gonflés, sous pression américaine, par les pays producteurs pour éviter que les prix du marché ne s'envolent. Autrement dit, on ouvre le robinet pour faire face à la demande croissante, mais, simultanément, pour rassurer l'opinion boursière, on grossit virtuellement d'autant les réserves ! En somme, si on en croit un grand nombre d'experts, nous devons nous faire à l'idée que nous sommes probablement à la veille d'un choc pétrolier sans précédent[2]. L'analyse de Jean-Luc Wingert est pertinente[3]. Dès 1859, date du premier forage américain en Pennsylvanie, nous avons considéré le sous-sol comme un vaste coffre-fort dans lequel il suffisait de puiser. Or il faut comprendre qu'un litre d'essence provient de 23 tonnes de matière organique transformée au cours d'une période d'un million d'années ! Aujourd'hui, le coffre-fort est presque vide. Nous devons donc prévoir l'« après-pétrole ».

Quel peut être l'après-pétrole ?

Répondre à cette question n'est pas simple. La première hypothèse est que nous serons amenés à diminuer notre consommation énergétique grâce à la réalisation

1. É. Laurent, *La Face cachée du pétrole*, Plon, Paris, 2006.
2. Pour l'AIE, l'Oil Market Intelligence et l'OPEP, les réserves mondiales de pétrole sont estimées à plus de 2 000 milliards de barils, alors que la production annuelle mondiale est de 28 milliards de barils. À croissance constante, cela signifie que l'humanité n'aurait plus que soixante-dix ans de pétrole devant elle.
3. J.-L. Wingert, *La Vie après le pétrole*, Autrement, Paris, 2005.

d'économies très importantes, et je rejoins ici globalement l'analyse des chercheurs du Wuppertal Institut proposant de diminuer la consommation énergétique d'un *facteur 4*[1], ainsi que celle d'autres experts[2], comme les auteurs du scénario *négaWatt*[3]. Cependant, cette première approche, même si elle se concrétise, sera insuffisante. La seconde hypothèse que je formule, en complément de la précédente, est que nous serons obligés de consommer beaucoup plus d'énergie électrique et que nous n'en manquerons pas en raison des différentes sources d'approvisionnement existantes : *renouvelables* (hydraulique, éolien, solaire) mais aussi, sous conditions, *nucléaire*[4]. J'y reviendrai.

Reste que, comme je l'ai indiqué, la compensation du manque de pétrole par un accroissement de la consommation d'énergie électrique a ses limites. L'augmentation des transports par trains électriques en remplacement des transports par voie aérienne ou maritime est bien sûr une opportunité à saisir. Mais le stockage de l'électricité sous forme réduite, l'utilisation de piles à combustible transportables et énergétiquement rentables, la voiture à hydrogène[5] généralisable à tous ne semblent pas être pour demain. Si les biocarburants sont souvent présentés comme le remède, les autorités administratives ou politiques qui en font une panacée ne s'aperçoivent pas qu'en réalité ils ne pourront être qu'un remède bien modeste et

---

1. E.U. von Weizsäcker, A.B. Lovins et L.H. Lovins, *Facteur 4*, Terre vivante, Mens, 2002.
2. J.-C. Lhomme, *Les Énergies renouvelables*, Delachaux et Niestlé, Paris, 2005.
3. B. Laponche, *Maîtriser la consommation d'énergie*, Le Pommier, Paris, 2004.
4. Il existe toujours un débat entre les « pro- » et les « anti- »nucléaire.
5. L'hydrogène n'est pas un combustible mais seulement un vecteur énergétique : les voitures à hydrogène doivent donc être rechargées par l'électricité.

sans doute décentralisé[1]. Ainsi, en France, pour compenser au maximum 10 % de la consommation pétrolière actuelle, il faudrait planter 2,5 millions d'hectares de tournesol et de betteraves ! Cela signifierait non seulement utiliser l'ensemble des jachères disponibles, mais aussi mordre sur la production alimentaire. On nous dit que les avancées permettront une amélioration des rendements énergétiques. Toutefois, même dans ce cas les biocarburants ne pourront jamais se substituer au manque à gagner lié à la raréfaction du pétrole. Notre civilisation acculée à utiliser la biomasse ne pourra pas remplacer le travail accompli par la nature pendant un million d'années. La liquéfaction du gaz naturel est une possibilité, mais les réserves sont limitées à environ cinquante ans. Reste le charbon, en particulier la transformation de schistes bitumeux en pétrole. C'est réalisable, bien que la technologie soit difficile à mettre en œuvre et que les rendements soient relativement faibles. Mais à quel prix ! Au prix d'une augmentation de l'effet de serre dont l'humanité aurait à pâtir encore plus.

La révolution qui s'annonce peut nous être salutaire !

Après deux siècles et demi d'utilisation des énergies fossiles, nous sommes donc conduits à une rupture énergétique sans précédent. Celle-ci pose le problème de notre devenir immédiat. Allons-nous vivre une crise grave ou

1. Les fabricants de biocarburants devront prendre en compte les coûts de transport à l'aller (acheminement des matières premières au centre de fabrication) et au retour (acheminement du biocarburant au point de vente). Ces coûts diminuent d'autant la rentabilité énergétique des biocarburants, et donc leur rentabilité économique. En revanche, une fabrication décentralisée des biocarburants, par exemple au niveau des coopératives agricoles ou même directement au niveau des exploitations, en diminuant les coûts de transport, augmenterait la rentabilité économique et ferait baisser les prix.

au contraire nous acheminer – mais le temps presse ! – vers une transition énergétique grâce à la mise au point de nouvelles technologies et à une réduction progressive de notre consommation ? Jean-Marc Jancovici et Alain Grandjean proposent de taxer volontairement et progressivement le pétrole afin de régler le problème de l'énergie [1]. Aucun des experts internationaux que j'ai rencontrés ne pense que c'est une bonne solution [2]. En réalité, mieux vaut, semble-t-il, laisser faire le marché, le jeu de l'offre et de la demande : les prix du pétrole augmenteront d'eux-mêmes !

En revanche, sans doute convient-il de s'armer concrètement pour préparer l'avenir. Qu'on le veuille ou non, la rupture qui s'annonce sera considérable : économique, sociale, politique, idéologique. Le pétrole est devenu la clé incontournable du fonctionnement de nos sociétés, de l'ensemble de notre civilisation. Sont concernés les transports, bien sûr, et tout ce qui en dépend, de la distribution des marchandises au tourisme, mais aussi le chauffage, les travaux publics, le bâtiment et tout ce qui est dérivé de la pétrochimie : ameublement, habillement, médicaments, emballage, sans compter la nourriture – pour labourer son champ, l'agriculteur utilise un tracteur, et, pour le faire fructifier, des intrants issus de la

1. J.-M. Jancovici et A. Grandjean, *Le plein s'il vous plaît*, Seuil, Paris, 2006.

2. Le pétrole est déjà très fortement taxé, les États récoltant la majeure partie du prix de l'essence. Dans le système actuel, aucun pays ne peut se permettre politiquement de prendre une telle décision car, le PIB étant indexé sur le prix du pétrole, cela nuirait à la compétitivité économique. La décision ne pourrait donc découler que d'une concertation internationale, ce qui est inenvisageable dans le contexte présent puisque la politique des États-Unis tend à réaliser exactement l'inverse : faire baisser le prix du baril pour que l'économie fonctionne. Enfin, une telle taxation – artificielle –, qui s'inscrit dans l'hypothèse d'un « capitalisme durable », n'aurait qu'un impact limité et transitoire et ne résoudrait pas les problèmes de fond concernant la reconversion énergétique.

pétrochimie ! – ainsi qu'une grande partie de l'agroalimentaire. La chimie du pétrole a tout envahi. Tout cela coûtera donc beaucoup plus cher demain. C'est là que réside la véritable révolution civilisationnelle qui nous attend. La raréfaction du pétrole ne peut que modifier considérablement et radicalement notre façon de vivre et, au-delà, notre système économique.

Prenons quelques exemples : aujourd'hui, chaque année, environ 1 milliard de passagers prennent l'avion. Demain, le pourront-ils encore si le prix du billet double, triple ou quadruple ? La grande distribution pourra-t-elle toujours approvisionner ses supermarchés avec des crevettes pêchées au Canada et décortiquées au Maroc ? Impossible, là encore, en raison des coûts liés au transport. Les classes moyennes urbaines pourront-elles partir en week-end aussi fréquemment qu'aujourd'hui si le prix d'un plein d'essence lui aussi double, triple ou quadruple ? Sans doute prendront-elles le train. Mais ce qui est possible dans les grandes villes – se passer de sa voiture grâce aux transports de proximité – est plus difficile dans les villes plus petites ou les communes rurales. En ce qui concerne les marchandises, elles pourront être acheminées par train, mais alors mieux vaudra que les gares soient situées au centre des villes plutôt qu'en périphérie, pour de simples raisons économiques. Ainsi assisterons-nous très certainement à un remodelage des villes et de leurs banlieues.

Dans ces conditions, est-il nécessaire aujourd'hui de construire de nouvelles autoroutes, de fabriquer de nouvelles voitures à essence ou diesel, de nouveaux avions gros porteurs, de nouveaux aérodromes, alors que demain les carburants coûteront très cher ? Et si, comme on le constate chaque jour un peu plus, nos industries tardent à se reconvertir, qu'en sera-t-il de l'emploi ?

En fait, la raréfaction du pétrole aura des conséquences non seulement économiques et sociales, mais aussi géopolitiques. Les communications par voie maritime ou aérienne devenant plus chères et celles par le train étant plus lentes, on observera très probablement une régionalisation des modes de vie – un nouvel essor de la ruralité –, et par conséquent une décentralisation du pouvoir politique, au niveau des États comme à celui du monde. Les difficultés de transport ralentiront sans doute le commerce international. Dans ce cas, l'OMC pourra-t-elle subsister ? On peut en douter.

Les États dont l'économie est la plus dépendante du pétrole seront les plus vulnérables. Les progrès technologiques ont leurs limites. Les idées, les innovations ne remplaceront jamais complètement le pétrole. Du coup, l'évolution des États-Unis et du Japon est fortement compromise et on peut même prévoir que notre siècle verra l'effondrement de leur puissance.

Dans ces conditions, quel avenir pour l'Europe ? Si elle croit en elle-même et s'unit autour d'un projet politique solide, mettant l'environnement au cœur de ses préoccupations, un avenir nettement plus favorable est possible : ne manquant pas d'énergie électrique, elle pourra, grâce aux transports ferroviaires, commercer non seulement avec la Russie, mais aussi avec l'Asie et même l'Afrique.

Mon analyse diffère donc radicalement de celle de Jacques Attali, qui, dans sa *Brève histoire de l'avenir*, ne tient compte ni des problèmes environnementaux liés à l'effet de serre, ni des problèmes énergétiques, mais qui en revanche croit aux miracles technologiques, inscrivant son discours dans la persistance de l'ordre marchand tel qu'il existe aujourd'hui et raisonnant au plan géopolitique en fonction des données actuelles [1]. Jacques Attali pense que nous nous dirigeons vers un monde meilleur : un monde sans pauvreté où, grâce aux bienfaits de la technologie et de l'imagination marchande, nous préserverons la liberté et laisserons à nos enfants un environnement mieux protégé. Je souhaiterais bien sûr qu'il ait raison,

1. J. Attali, *Une brève histoire de l'avenir*, Fayard, Paris, 2006.

mais son erreur est de ne pas tenir compte du nouveau paradigme écologique, un paradigme qui se profile inexorablement et s'affermit de jour en jour et qui ne peut – hélas ! – nous conduire qu'à une crise civilisationnelle majeure. Sur ce point, je rejoins donc Yves Cochet, bien que je ne pense pas, comme lui, que cette crise sera apocalyptique[1]. Si effectivement nous allons droit vers une crise sociétale de grande ampleur, en raison de la nécessaire reconversion de nos industries et de notre système économique, et par conséquent vers la possibilité d'une augmentation très forte du chômage dans les toutes prochaines années – c'est-à-dire tant que cette reconversion n'aura pas abouti –, à l'inverse il est quasi certain que, simultanément, de très nombreux emplois seront créés, axés sur les économies d'énergie, l'émergence de nouvelles technologies et la protection de l'environnement. En réalité, cette mutation, très douloureuse dans l'immédiat, pourrait nous être finalement salutaire en nous faisant prendre conscience concrètement de la nécessité de respecter l'environnement, en nous obligeant à reconvertir nos industries, à réduire nos transports, et par conséquent à limiter l'effet de serre. À une seule condition cependant : que nous ne fassions pas appel au charbon.

Quand les peuples se réveilleront...

Cette prise de conscience, je le crains, ne se fera pas sans heurt, sans drame, sans souffrance et, malheureusement – ce qu'il faut réprouver –, sans violence. Le philosophe Emmanuel Kant, lorsque survint la révolution de 1789, comprit l'importance de l'événement et sa signification future pour l'humanité : « Un tel phénomène dans l'histoire du monde ne s'oubliera jamais, car il a décou-

1. Y. Cochet, *Pétrole apocalypse*, Fayard, Paris, 2005.

vert au fond de la nature humaine une possibilité de progrès moral qu'aucun homme n'avait jusqu'à présent soupçonnée. » Et plus loin : « Car cet événement est trop immense, trop mêlé aux intérêts de l'humanité et d'une trop grande influence sur toutes les parties du monde pour que les peuples, en d'autres circonstances, ne s'en souviennent pas et ne soient pas conduits à en recommencer l'expérience[1]. »

La révolution qui s'annonce aujourd'hui permettra-t-elle une nouvelle alliance avec la nature, en ne conservant des progrès que ceux dont l'humanité a réellement besoin ? Plus tôt cette troisième rupture surviendra, plus grandes seront les chances qu'elle nous sauve du piège dans lequel nous nous sommes progressivement enfermés. Dès que les premiers signes de banqueroute financière apparaîtront, les peuples se manifesteront. Ils auront compris que la rupture est inéluctable. Car, à la trahison des Lumières, à la faim dans le monde, au terrorisme, s'ajoutera un désordre économique et social touchant d'abord de plein fouet l'ensemble du monde occidental. En effet, il n'est pas dit que les pays du tiers monde seront ceux qui souffriront le plus ; la fin du système économique actuel les aidera à retrouver une agriculture traditionnelle qui devrait leur permettre de se nourrir. En revanche, les pauvres du monde occidental seront sans doute les plus touchés, bien que, la décentralisation des pouvoirs économique et politique favorisant la ruralité, cette dernière puisse leur permettre de vivre dans de meilleures conditions qu'aujourd'hui dans les villes.

La rupture sera aussi idéologique. La reconquête par les peuples des valeurs que les Grecs nous ont transmises, que les révolutionnaires de 1789 nous ont léguées et que nous avons perdues peut s'avérer inéluctable. Il existe

---

1. F. Alquié (dir.), « Emmanuel Kant. Le conflit des facultés », in *Kant. Œuvres philosophiques II. Les derniers écrits*, Gallimard, « Bibliothèque de la Pléiade », Paris, 1986.

aujourd'hui un début de mobilisation de la société civile correspondant à ce que Pierre Rabhi appelle l'« insurrection des consciences [1] ». C'est là que la « France singulière » riche de son passé pourrait intervenir en redevenant la lumière de l'Europe [2].

1. J.-P. et R. Cartier, *Pierre Rabhi. Le chant de la Terre*, La Table Ronde, Paris, 2002.
2. D. Teysseire, *La France singulière*, Bourin Éditeur, Paris, 2006.

Chapitre 11

Un programme d'union nationale

> L'enfer des pauvres, c'est le paradis des riches...

> Vous voulez les misérables secourus, moi je veux la misère supprimée.
>
> Victor Hugo.

> L'avenir n'est pas ce qui arrivera, mais ce que nous allons faire.
>
> Henri Bergson.

« Le temps est venu de mener une réflexion sur le destin apocalyptique de l'humanité », écrivait en 2002 le philosophe Jean-Pierre Dupuy. Et de poursuivre : « Avec le siècle qui s'achève, nous avons en effet acquis la certitude que l'humanité était devenue capable de s'anéantir elle-même, soit directement par les armes de destruction massive, soit indirectement par l'altération des conditions nécessaires à sa survie [1]. »

L'ampleur de la rupture qui s'annonce pourrait conduire à la résignation. Une telle attitude consisterait à

1. Jean-Pierre Dupuy enseigne à l'École polytechnique. Il est l'auteur de *Pour un catastrophisme éclairé, op. cit.*, et de *Petite métaphysique des tsunamis*, Seuil, Paris, 2005.

gager le destin de l'humanité, comme un prisonnier qui, pour se donner l'illusion d'être encore libre, jouerait sa propre vie à la roulette russe. Vivre sans combat, sans raison, sans espoir est une lâcheté. La seule approche possible est donc d'affronter la réalité telle qu'elle est. « Il nous faut apprendre à affronter la catastrophe, à ne plus l'imaginer dans un futur improbable, mais à la penser au présent », souligne Jean-Pierre Dupuy.

Ce « catastrophisme éclairé » est indispensable, mais il est insuffisant. On doit lui adjoindre des solutions concrètes pour faire en sorte que ce qui est du domaine du possible ne survienne pas, ou tout au moins survienne le plus tard possible. Dans quelle mesure notre pays, singulier dans son identité, sa culture et ses valeurs, peut-il contribuer à relever le défi ? Et quelles solutions proposer ? C'est ce que j'envisage dans ce dernier chapitre, en plaçant la santé et l'environnement au cœur du débat politique.

Nous avons ruiné nos enfants, ils nous haïront

Comme l'admettent de nombreux scientifiques, la catastrophe annoncée est gravissime et nécessite la mise en œuvre d'extrême urgence d'un plan de sauvegarde majeur. Notre pays peut-il faire face ? En l'état actuel, la réponse est clairement non. Pourquoi ? La biologie, là encore, nous éclaire. Le bon fonctionnement d'une cellule ne dépend pas seulement du milieu extérieur – l'environnement inerte, comme je l'ai souligné précédemment. Il dépend aussi des relations contractées avec les autres cellules au sein de la *société* qu'elles forment[1], ainsi que d'une bonne gestion fonctionnelle au plan énergétique et structurelle au plan de sa *croissance* entre les nutriments qui lui sont apportés et les déchets qui en sortent, ce

1. Voir le chapitre 1.

qu'on appelle purement et simplement en biologie l'*économie cellulaire.* Or il en est des cellules comme des organismes, et des organismes comme des sociétés humaines. Si on ne peut dissocier la santé de l'environnement, on ne peut pas davantage la dissocier des conditions sociales et économiques. Les indicateurs le montrent : l'état de santé est fortement corrélé au niveau de vie d'un individu et au système économique et social dont il dépend[1]. À cela s'ajoute le fait que la mise en place de toute politique environnementale nécessite l'existence de moyens, en particulier financiers. Or, comme un malheur n'arrive jamais seul, l'analyse de la situation socioéconomique de notre pays n'est pas bonne. Depuis trente ans, nous profitons de ce qui a été construit après la Seconde Guerre mondiale, durant les Trente Glorieuses, et nous vivons à crédit, au jour le jour, sans autre préoccupation que celle de satisfaire nos besoins immédiats, le plus souvent superflus, et sans avoir véritablement investi à moyen ou à long terme pour préparer l'avenir. Nous nous comportons en cigales. On connaît la réponse de la fourmi, en conclusion de la fable : « Vous chantiez ?... Eh bien ! dansez maintenant. » Le drame, c'est que ce sont nos enfants qui vont devoir « danser maintenant », du fait de notre imprévoyance.

« Tout se passe comme si la France avait sacrifié sa jeunesse pour préserver coûte que coûte son "modèle social", lequel profite essentiellement aux *baby-boomers* de l'après-guerre[2] », écrivent Patrick Artus et Marie-Paule Virard. Comme le souligne le rapport Pébereau[3], la dette publique est devenue colossale, atteignant au minimum

1. D. Belpomme, *Les Grands Défis de la politique de santé en France et en Europe, op. cit.*
2. P. Artus et M.-P. Virard, *Comment nous avons ruiné nos enfants, op. cit.*
3. M. Pébereau, *Rompre avec la facilité de la dette publique. Pour des finances publiques au service de notre croissance économique et de notre cohésion sociale,* La Documentation Française, Paris, 2006.

1 100 milliards d'euros, soit plus de 65 % du PIB, fin 2005. En fait, une autre méthode de calcul l'estime à plus de 2 000 milliards d'euros ! Ce qui signifie que notre dette réelle est aujourd'hui probablement égale ou même supérieure à notre PIB. Pour François de Closets[1], le « plus encore » a fait que le « testament de cette génération » est l'insécurité et la misère à venir. La misère ou la rupture ? Nos impôts d'aujourd'hui servent à payer les égarements du passé. Pendant la période 1995-2004, 12 des 15 pays européens ont réduit leur dette, alors que la France l'a alourdie de 10 points de PIB, se situant juste devant l'Allemagne, qui en a ajouté 9,4, notamment pour gérer sa réunification.

En fait, chaque nouveau-né français a déjà au minimum 18 000 euros de dette d'État à sa charge. Voilà ce que les *baby-boomers* laisseront à leurs enfants ! Ceux qu'on appelle déjà les *baby-losers*.

Le refus de l'inacceptable

On aurait pu penser qu'au moins les dépenses publiques allaient permettre de lutter contre la pauvreté. Or c'est exactement l'inverse qui s'est produit ! Après la dette, deuxième constat : bien qu'on ait vidé les caisses, le nombre de pauvres n'a cessé d'augmenter. La pauvreté s'est accrue dans des proportions effarantes : ce n'est plus désormais de « fracture sociale » qu'il convient de parler, mais de rupture sociétale majeure. Tous les indices convergent. Alors qu'une minorité de Français s'est enrichie, parfois de façon considérable, la majorité s'est appauvrie.

Comme le souligne Jacques Cotta[2], plus de 7 millions de Français perçoivent un salaire mensuel inférieur à

1. F. de Closets, *Plus encore !*, Plon/Fayard, Paris, 2006.
2. J. Cotta, *7 millions de travailleurs pauvres*, Fayard, Paris, 2006.

722 euros, et donc, bien que travaillant, sont dans l'incapacité de satisfaire les besoins les plus élémentaires de leur famille : se nourrir, se loger, s'habiller décemment. Plus de 12 millions ont moins de 847 euros de revenu mensuel. Par ailleurs, selon les estimations de Martin Hirsch, la France compte 2 millions d'enfants pauvres [1].

Le nombre de SDF n'a fait que croître au cours des dernières années. Trois SDF sur dix ont un travail à temps plein, partiel ou précaire, mais, soir après soir, cherchent un logement. Bien qu'un certain effort ait été réalisé dans la construction de logements sociaux, ceux-ci sont encore nettement insuffisants, ce qui explique que le nombre de sans-abri ait progressé de façon considérable.

Simultanément, le chômage est devenu structurel, atteignant la « barre » des 2 millions, soit 10 % de la population active. Ce chiffre est aujourd'hui contesté par plusieurs syndicats et associations, qui considèrent que le chômage concernait en réalité 3 ou même 4 millions de personnes en septembre 2006, soit le double de ce qui est annoncé officiellement. De tels sommets semblent en effet pouvoir être atteints si, au lieu de restreindre l'estimation aux seuls chômeurs de « catégorie 1 » en métropole, on comptabilise les « chômeurs invisibles », c'est-à-dire les demandeurs d'emploi dans les DOM-TOM et ceux des autres catégories. Or on nous dit que le chômage baisse. Acceptons-en l'augure ! Tout en sachant qu'une telle affirmation ne tient pas compte de toutes les catégories de chômeurs ni de l'accroissement de la précarité.

Le point critique ici est que le chômage touche plus particulièrement les jeunes. Ainsi, selon l'INSEE, en 2004, 18 % des jeunes de moins de 29 ans étaient au chômage et 21 % avaient un emploi temporaire. Le manque de formation aggrave la situation : 30 % des jeunes non diplômés sont au chômage et 79 % d'entre

1. M. Hirsch, *La Pauvreté en héritage*, Robert Laffont, Paris, 2006.

eux s'engagent dans un chômage de longue durée. Pour l'ensemble des jeunes, la difficulté tient à un ascenseur social qui fonctionne maintenant en sens inverse. Le « descenseur social[1] » se traduit par le fait que les diplômes, en raison de leur dévalorisation sur le marché du travail, ne sont plus une garantie d'avenir, que selon l'INSEE seuls 25 % des bacheliers peuvent espérer devenir cadres, alors que 70 % d'entre eux le devenaient il y a trente ans, et qu'aujourd'hui 30 % des jeunes diplômés sont déclassés, autrement dit embauchés à des postes qui se situent au-dessous de leurs compétences.

Au total, la précarité et la pauvreté ne sont plus cantonnées aux banlieues des villes. Elles ont gagné des pans entiers de la société. À qui la faute ? Plusieurs facteurs sont à considérer. D'abord le système économique actuel, qui érige la croissance en finalité ultime. Or en France le chômage et la pauvreté se sont accrus tandis que le PIB progressait[2].

La dette est aussi en partie une conséquence indirecte de l'inadéquation du système. Ce dernier génère non seulement la pauvreté, mais aussi des effets collatéraux largement sous-estimés en matière de santé et d'environnement. Rappelons que le déficit de la Sécurité sociale n'est pas conjoncturel mais structurel. Il est lié d'une part au fait que les maladies sont en grande partie provoquées par la pollution physicochimique d'origine industrielle ou agricole, et que les traitements actuels appliqués à un nombre croissant de malades sont de plus en plus coûteux et insuffisamment efficaces[3]. D'autre

1. P. Guibert et A. Mergier, *Le Descenseur social. Enquête sur les milieux populaires*, Fondation Jean-Jaurès/Plon, Paris, 2006.

2. La part des revenus du capital est passée de 8 % à 14 % du PIB de 1978 à 2002, et le pouvoir d'achat des revenus monétaires a augmenté de 20 % de 1998 à 2002. Le PIB a progressé de plus de 3 points en 2002, de plus de 2 points en 2003 et de 4 points en 2004.

3. D. Belpomme, *Ces maladies créées par l'homme*, *op. cit.*, et *Guérir du cancer ou s'en protéger*, *op. cit.*

part, la croissance du chômage, du nombre de personnes âgées et de la pauvreté doit être prise en charge. Pauvreté, précarité et inégalités sociales ne peuvent pas être dissociées. C'est la raison pour laquelle l'État, pour répondre aux exigences morales de la République et honorer les valeurs d'égalité et de fraternité qui la fondent, se voit dans l'obligation de consacrer une partie croissante de son budget à des dépenses publiques à caractère sanitaire ou social.

La France, lanterne rouge de l'Europe en matière de politique environnementale

Dans ces conditions, comment pouvons-nous espérer que les hommes politiques, pris à la gorge au jour le jour par des problèmes de gestion immédiate et par le ressentiment social croissant, prendront des mesures pour préserver notre avenir, à la hauteur du défi auquel nous sommes confrontés ? Englués dans leurs combats politiciens, ils n'ont plus le temps ni la présence d'esprit nécessaires pour défendre concrètement les intérêts du pays, et en particulier mettre en place une véritable politique environnementale. Bien que l'actuelle ministre de l'Écologie le conteste, notre politique en matière d'environnement est quasi nulle, et notre pays se trouve en queue de peloton de l'Union européenne. Le président de la République Jacques Chirac affirme qu'au niveau planétaire « la maison brûle » et que « nous regardons ailleurs ». Quand on analyse en toute objectivité la politique environnementale de notre pays, on ne peut que le constater : plutôt que d'arrêter l'incendie par des mesures concrètes, on y jette de l'essence. Heureusement qu'un jour cette dernière viendra à manquer et qu'alors nos émissions de GES diminueront sans que nous l'ayons vraiment voulu. Mais tout de même, quelle schizophrénie !

En réalité, en raison de la dette, de leur échec à juguler la pauvreté et la précarité et du mécontentement populaire grandissant, nos hommes politiques ne savent plus quoi faire, face à des problèmes de plus en plus nombreux et d'une ampleur inégalée. Apparemment, ils ferment donc les yeux sur la réalité – le déséquilibre des comptes de la nation, la pauvreté, la pollution – tout en essayant de « tenir » leur électorat par des mesures populistes, annonçant de-ci de-là l'octroi de subventions. Mais où trouver l'argent pour satisfaire l'engrenage des revendications ?

Affirmer l'intérêt du *principe de précaution*, comme l'a fait le chef de l'État, et l'insérer dans la Constitution, ou se féliciter d'avoir comblé le retard pris dans la transposition en droit français des directives européennes en matière d'environnement, comme l'a fait récemment la ministre de l'Écologie, sont des premiers pas qui vont dans le bon sens, mais qui sont insuffisants. Ce n'est pas en *affirmant* qu'on réglera concrètement nos problèmes. C'est en *agissant*. En en ayant la volonté politique. Ainsi, par exemple, l'Observatoire national sur les effets du réchauffement climatique (ONERC), censé épauler la politique de la France en matière de lutte contre l'effet de serre, comprend en tout et pour tout trois personnes ! Alors que la situation est des plus graves et nécessite la mise en œuvre d'une politique nationale et internationale urgente pour contribuer à atténuer l'effet de serre. Autre observation : le rapport de l'ONERC remis au Premier ministre [1] a-t-il eu le moindre impact sur notre politique ? Aucun.

La mauvaise foi avec laquelle on tente de justifier l'action ou plutôt l'inaction de notre pays en matière de politique environnementale est criante. Au constat unanime selon lequel, comparée à celle de pays du nord de l'Europe tels que le Danemark, la Suède ou la Norvège, notre politique environnementale est très en retard, voici la

1. *Un climat à la dérive : comment s'adapter*, rapport de l'ONERC au Premier ministre et au Parlement, 24 juin 2005.

réponse d'une personnalité proche du gouvernement : « Non ! Nous ne sommes pas en retard, ce sont les autres pays qui sont en avance. » Si la situation n'était pas aussi grave, on pourrait sourire...

Mais la vision purement technocratique de nombreux hommes politiques est désespérante, et l'absence dans leur entourage immédiat de conseillers capables d'une expertise scientifique indépendante, rigoureuse et actualisée en matière de santé et d'environnement, très inquiétante. Au lieu de se tenir informés de ce qui se dit et se décide à Bruxelles, de prendre connaissance de la littérature scientifique internationale et des nombreux rapports de l'OMS, du PNUE, etc., la plupart de ces conseillers s'en tiennent à des considérations socioéconomiques ou politiciennes immédiates, sans regarder plus loin. Notre pays manque singulièrement d'experts. C'est la raison pour laquelle, pour l'organisation, en novembre 2006, du second colloque de l'Appel de Paris à la Maison de l'Unesco et l'élaboration du Mémorandum qui y a été présenté, l'ARTAC a dû collaborer avec de nombreuses personnalités scientifiques étrangères.

Un programme de salut public en faveur de la santé durable

Tous les décideurs sont d'accord pour affirmer qu'il ne pourra y avoir de politique environnementale crédible sans prise en compte des considérations socioéconomiques. C'est là toute la difficulté. Mais tout le monde n'est pas d'accord sur les solutions à mettre en œuvre.

Compte tenu de ce qui précède, quelques orientations générales sont néanmoins possibles, permettant de promouvoir une stratégie de redressement, privilégiant la fin par rapport aux moyens, autrement dit, mettant les objectifs économiques au service d'un projet écologique, lequel reste bien sûr à définir.

Pour ce qui est de l'économique, il faut rompre avec le passé, privilégier l'offre plutôt que la demande, c'est-à-dire investir dans des activités technologiques et économiques innovantes, efficaces et durables au lieu d'inciter les citoyens à surconsommer. En effet, comment prétendre mettre en œuvre concrètement un programme écologique, quel qu'il soit, si les objectifs sont ailleurs, les finances déséquilibrées et les caisses de l'État vides ? Une volonté politique forte est nécessaire pour réformer le système économique et le mettre progressivement au service d'un tel programme, et non l'inverse.

Réconcilier écologie et économie est à l'évidence le but à atteindre, mais il faut choisir la priorité. En l'état, l'une et l'autre sont inconciliables. Faire primer l'économique sur l'écologique, comme c'est le cas aujourd'hui, revient en fait à réduire l'écologie à des vœux pieux. En matière de politique environnementale, notre société est pourvue de bonnes intentions, mais malheureusement rien ne vient, ou si peu... Le point crucial ici est de convaincre les décideurs politiques que *l'écologique doit primer l'économique* et que notre pays a tout intérêt à effectuer le plus rapidement possible un tel renversement, tant du point de vue économique que sur le plan social, en raison des investissements technologiques et des emplois créés [1].

Pour redresser la situation, un projet politique fondamentalement axé sur la protection de la santé et de l'environnement, plus précisément sur le concept de « santé durable », est nécessaire. Ce projet ne peut être réalisé sans un rééquilibrage des comptes de la nation, basé sur le remboursement progressif de la dette publique et sur l'investissement – en d'autres termes, sur le financement de l'offre plutôt que de la demande [2]. La création de très

1. Voir le rapport Stern, note 2 p. 162.

2. Il s'agit de la production de biens et de services centrés sur la protection de la santé et de l'environnement – sur la santé durable –, et non de celle de biens et de services participant à la surconsommation actuelle.

nombreux emplois en découlera, au niveau tant de l'industrie que des services. L'industrie, tout comme la recherche, doit réorienter radicalement ses objectifs en direction des problèmes d'énergie, de la protection de l'environnement et de la lutte contre l'effet de serre.

Santé durable et réforme de l'État

Sans projet politique, sans idéal proposés, sans objectifs consensuels, on ne peut se mobiliser. L'histoire est là pour nous en convaincre. Après la dernière guerre mondiale, bien que ruinée, la France s'est redressée parce qu'elle avait un projet – sa reconstruction. Aujourd'hui, elle peut encore le faire si, ayant pris conscience de la gravité de la situation, nous faisons de l'environnement et de la santé deux priorités nationales pour épargner les générations futures. Ce qui implique la mise en place d'un véritable programme de salut public : la définition d'une réelle politique environnementale à tous les niveaux, ministériels et régionaux ; la création d'une cellule de coordination environnementale placée directement sous la tutelle du Premier ministre, ayant pouvoir sur l'ensemble des ministères, en particulier sur ceux de l'Agriculture, de l'Industrie, de l'Aménagement du territoire, de la Santé, de la Recherche et de l'Éducation ; la mise sur pied d'un ministère d'État de l'Environnement et la transformation de l'actuel ministère de la Santé en un ministère d'État de la Santé durable, ainsi que l'instauration d'une collaboration étroite entre les deux ministères. L'harmonisation des politiques de santé et de l'environnement doit en effet aller bien au-delà de la politique de santé actuelle qui, faute d'une analyse objective des liens entre santé et environnement, tourne complètement à vide. Elle doit aussi aller bien au-delà du Plan santé-environnement, qui n'a pas encore eu d'application concrète [1].

1. Contrairement à ce qu'affirme le ministère de la Santé et de l'aveu même des experts ayant participé à la définition de ce plan, celui-ci s'avère être un échec complet dans sa mise en œuvre.

Le rétablissement des finances publiques

Une fois le projet défini, il convient de se donner les moyens de sa mise en œuvre. La priorité est ici de remettre de l'ordre dans les finances publiques. Sans finances saines, pas de « Pacte écologique » possible[1]. Pierre Mendès France ne disait-il pas que « les comptes en désordre sont la marque des nations qui s'abandonnent » ? Les propositions des économistes vont globalement toutes dans le même sens : la France doit rétablir ses finances. Au sortir de la Seconde Guerre mondiale, notre pays, exsangue, bénéficia du plan Marshall[2]. Aujourd'hui la situation est complètement différente. La France ne peut compter que sur elle-même.

Selon l'analyse de Patrick Artus et Marie-Paule Virard, la dette pourrait être réduite de 2 points par rapport au PIB de 2005, et on pourrait stimuler l'offre de 4 points en investissant dans la recherche, les PME innovantes et les politiques actives sur le marché du travail, tout en revalorisant l'université[3]. Au total, cela reviendrait à réduire de 6 points de PIB les dépenses publiques, ce qui pour ces économistes semble être à notre portée.

La réorientation de l'industrie et la recherche

Il est surprenant de constater que l'économie de notre pays se laisse tirer par la croissance mondiale, sans tenir compte des graves problèmes énergétiques, sanitaires et environnementaux ayant émergé ces dernières années, et

1. N. Hulot, *Pour un pacte écologique*, Calmann-Lévy, Paris, 2006.

2. Le plan Marshall a été un plan d'assistance américain pour la reconstruction et le redressement financier de l'Europe. Étalé sur quatre ans, ce plan proposé en 1947 fut finalement accepté en 1948 par 16 pays d'Europe. La France toucha 2,8 milliards de dollars de l'époque.

3. P. Artus et M.-P. Virard, *Comment nous avons ruiné nos enfants*, *op. cit.*

sans investir en conséquence à moyen et à long terme. De plus, la plupart des économistes fondent leurs prévisions sur les conditions actuelles du marché, en considérant certes la nouvelle donne géopolitique, mais sans intégrer dans leurs estimations la raréfaction des matières premières et du pétrole en particulier – par conséquent les prix croissants de l'énergie – ni les aléas climatiques et sanitaires à venir. Faute de vision prospective globale à long terme, leurs conseils aux hommes politiques, aux pouvoirs publics et aux industriels participent de la « stratégie de l'autruche » qui prévaut aujourd'hui. Pour les chefs d'entreprise, tout se passe en effet comme s'ils approuvaient la vision à court terme des hommes politiques. Il s'agit pour les uns de faire le maximum de profit à court terme, pour les autres d'être réélus, mais dans les deux cas sans envisager l'avenir et même en refusant de le voir. Cette attitude est bien sûr suicidaire pour la société. Comment justifier le retard technologique pris par notre pays en matière d'économies d'énergie, d'énergies renouvelables, de chimie verte, de mise sur le marché de produits propres, de lutte contre la pollution, de protection de la nature, de lutte contre le réchauffement climatique ? Le marché du XXIe siècle, on le dit, sera celui de l'environnement. S'ils veulent survivre et prospérer, les industriels auraient tout intérêt à investir dans ce domaine.

L'ouverture réelle et concrète à l'Europe

Il ne peut y avoir de projet écologique ni de véritable politique de santé environnementale dans notre pays qui ne tienne compte du droit européen, en particulier des règlements et directives [1]. C'est la raison pour laquelle le

1. Les *règlements* européens doivent être appliqués directement, tels quels et de façon obligatoire par tous les États membres, alors que les *directives* européennes ne le sont qu'après transposition en droit national. Dans ce cas, les États membres sont à la fois juges et parties. Ils doivent mettre en œuvre la législation et veiller à son application.

Mémorandum de l'Appel de Paris est basé sur la législation de l'Union. Notre pays devrait être beaucoup plus présent qu'il ne l'est aujourd'hui dans les commissions de travail européennes. Il doit participer plus activement à l'élaboration de la législation communautaire. En outre, l'État doit veiller au respect des règlements européens et transposer en droit français les directives européennes dans les délais impartis. La France, dans ce domaine, est trop souvent en retard, comme si elle rechignait à mettre en œuvre les décisions de Bruxelles. Or on ne peut à la fois clamer l'appartenance de notre pays à l'Europe et élaborer des plans ou programmes purement franco-français.

Des mesures concrètes déduites du Mémorandum de l'Appel de Paris

Fixer des orientations politiques est essentiel mais insuffisant. Il faut des mesures concrètes, scientifiquement fondées, techniquement réalisables et politiquement acceptables. C'est ce que propose, dans le domaine de la santé et de l'environnement, le Mémorandum de l'Appel de Paris à l'intention des autorités européennes, sous la forme de 164 mesures et recommandations élaborées par 68 experts internationaux[1] (annexe 3). C'est à partir de ces mesures que peut être défini à l'échelon de notre pays le programme d'union nationale dont il est question ici. Ces mesures portent sur les domaines technologique mais aussi fiscal, social, économique, car en matière de santé environnementale l'expertise ne peut se cantonner à la

1. Mémorandum de l'Appel de Paris, *op. cit.* Après la proclamation de l'Appel de Paris, l'ARTAC a organisé 3 ateliers d'expertise scientifique coordonnés par Adeline Gadenne concernant la politique de santé (atelier 1), la perte de biodiversité (atelier 2) et les problèmes d'énergie et d'effet de serre (atelier 3), avec pour axe primordial d'analyse les relations entre santé et environnement.

santé proprement dite. Pour contribuer à la mise en œuvre d'une politique sanitaire crédible et efficace basée sur la prévention et la précaution, elle doit étendre son champ d'investigation à l'ensemble des problèmes sociétaux.

Santé

La santé est prioritaire, et d'abord et avant tout celle des enfants. Comme le souligne le Mémorandum de l'Appel de Paris, la protection de l'enfance et donc des femmes enceintes doit être la priorité des priorités. C'est le concept de *santé durable* qu'il faut mettre en exergue.

Toute politique de santé publique qui ne serait pas couplée intimement à une politique environnementale concrète et efficace est condamnée à l'échec. Or l'efficacité d'une telle politique environnementale dépend de la réorientation des objectifs de l'ensemble des autres secteurs d'activité humaine.

Le problème général est de concevoir concrètement la production industrielle et agricole dans le cadre d'un respect rigoureux et incontournable de l'environnement. Il s'agit ici d'un changement total d'état d'esprit, devant conduire à la *révision des normes toxicologiques en fonction de ces nouveaux impératifs*[1], à la *remise en question des procédures de mise sur le marché des produits*[2], à la *reconsi-*

1. Mémorandum de l'Appel de Paris, *op. cit.*, chapitre 2 : « Révision des normes toxicologiques et principes généraux d'interdiction de mise sur le marché ». R21 : Adaptation des normes toxicologiques à l'embryon et aux enfants ; R22 : Toxicité cumulative et effets synergiques des substances chimiques.

2. Mémorandum de l'Appel de Paris, *op. cit.*, notamment : R6 : Autorisations de mise sur le marché. Nécessité d'une expertise scientifique indépendante ; R33 : Renforcement des critères de mise sur le marché des pesticides. Révision de la directive 91/414/CEE ; M44 : Retrait de mise sur le marché des substances CMR ; M136 : Interdiction de mise sur le marché des produits contenant du mercure ; M96 : Interdiction de mise sur le marché des matériaux, mobiliers et produits d'intérieur émettant des substances volatiles toxiques.

dération des pratiques agricoles intensives et agroalimentaires courantes[1], à la *révision des normes d'implantation des usines* et à la *limitation de leurs effets toxiques dans le cadre d'un aménagement du territoire revu et corrigé*. Tout cela pour éviter, ou du moins réduire, la pollution de l'air, de l'eau et des sols, qui est à l'origine des maladies. Ainsi le Mémorandum de l'Appel de Paris a-t-il proposé une série de recommandations et de mesures concrètes, toutes applicables dans l'immédiat sans modification majeure de notre mode de vie, axées sur le concept de santé durable.

Il faut donc revoir totalement les objectifs et conditions de mise en œuvre du Plan cancer, ne pas se contenter de la lutte contre les addictions, bien qu'il soit nécessaire de la poursuivre concrètement, renforcer l'actuel Plan santé-environnement et initier une véritable politique de prévention et de précaution.

Simultanément, les pratiques médicales doivent être reconsidérées afin de devenir moins dépensières et plus efficaces. Une énorme travail reste à faire dans ce domaine en matière de formation et d'information des médecins, notamment dans un objectif d'indépendance vis-à-vis de l'industrie pharmaceutique. À cet égard, il apparaît essentiel de créer la nouvelle discipline médicale appelée *médecine environnementale*[2] pour une prise en charge des malades de l'environnement dans de meilleures conditions. Les universités et plus particulièrement les facultés de médecine ont certainement ici un rôle déterminant à jouer.

1. Mémorandum de l'Appel de Paris, *op. cit.*, notamment : M111 : Règlement sur les bonnes pratiques agricoles ; M112 : Inventaire concernant l'utilisation des pesticides dans l'Union ; M114 : Plan de réduction programmée de l'utilisation des pesticides ; M117 : Soutien accru de l'agriculture biologique dans les zones de captage de l'eau et autres zones humides ; R-M119 : Révision de la Politique agricole commune ; M122 : Subventions à l'agriculture biologique.

2. Mémorandum de l'Appel de Paris, *op. cit.*, M162 : Création d'une nouvelle spécialité médicale : la médecine environnementale.

Santé et recherche sont aussi intimement liées. Les missions thématiques de l'INSERM sont certainement à redéfinir dans le cadre d'une stratégie de recherche orientée non plus seulement vers la génétique, mais aussi vers l'environnement[1].

De même doit-on revoir totalement la politique de *santé au travail* et redonner toute sa valeur à la prévention et à la précaution sur les lieux de travail grâce à une révision du Code du travail, à une redéfinition de la fonction, des prérogatives et des compétences des médecins du travail, et recourir plus fréquemment et de façon plus rigoureuse aux inspections concernant les conditions environnementales d'exercice professionnel aux postes de travail[2].

Économie

Les mesures proposées dans le domaine économique résultent des impératifs de prévention et de précaution en matière de santé. Elles sont donc axées sur les conséquences sanitaires découlant du système économique tel qu'il existe, qui consiste à mettre sur le marché des produits et à gérer et traiter les déchets qu'ils génèrent.

Il convient de soutenir et non pas d'affaiblir la mise en œuvre du règlement européen REACH[3]. Tel qu'il vient d'être voté par le Parlement européen et s'il constitue bien une première étape, ce règlement s'avère en réalité insuffisant. Les États de l'Union européenne, et en particulier la France, doivent comprendre que toute politique de prévention efficace ne peut passer que par un renforcement de REACH pour assurer la santé durable de leurs

1. Mémorandum de l'Appel de Paris, *op. cit.*, R-M157 : L'échec du 6e programme-cadre en matière de recherche sanitaire. Nécessité d'inclure la santé environnementale et la prévention dans le 7e programme-cadre.

2. Mémorandum de l'Appel de Paris, *op. cit.*, R-M155 : Réforme de la santé au travail.

3. Registration, Evaluation, Authorization of CHemicals.

concitoyens[1]. Le *principe de substitution* des substances CMR par d'autres qui ne le sont pas doit devenir obligatoire. Et il le deviendra, n'en doutons pas, probablement plus tôt qu'on ne le pense compte tenu des pressions médicales de plus en plus fortes dans ce sens. En outre, l'industrie doit comprendre que, dans le cadre de la compétition internationale, son intérêt est de mettre sur le marché des produits propres, non toxiques pour la santé ni pour l'environnement.

En matière de TVA, il faut détaxer la mise sur le marché de produits propres au lieu de taxer les produits toxiques[2]. En matière de chimie, l'industrie doit s'orienter de toute urgence vers la *chimie verte*[3] et bénéficier pour cela d'une aide de l'État, si ce n'est de l'Europe. De même, il convient d'être beaucoup plus rigoureux qu'on ne l'est aujourd'hui pour la mise sur le marché des produits non inclus dans le règlement européen REACH : *les pesticides, les additifs alimentaires et les cosmétiques doivent impérativement se conformer à une procédure de mise sur le marché comparable à celle des médicaments*[4], car les portes d'entrée et les effets de ces produits sur l'organisme sont en tout point semblables à ceux des produits destinés à devenir des médicaments.

Au-delà de la mise sur le marché des produits, à l'autre bout de la chaîne, il y a la gestion et le traitement des

1. Mémorandum de l'Appel de Paris, *op. cit.*, R42 : Renforcement du règlement REACH.

2. Mémorandum de l'Appel de Paris, *op. cit.*, M48 : Incitations fiscales pour la mise sur le marché de produits propres.

3. Mémorandum de l'Appel de Paris, *op. cit.*, R47 : Aide à la reconversion des industries chimiques ; R49 : Développement de la chimie verte ; R-M164 : Recherche et développement technologiques.

4. Mémorandum de l'Appel de Paris, *op. cit.*, R-M62 : Produits cosmétiques ; R-M69 : Additifs alimentaires. Révision de la directive 89/107/CEE sous la forme d'un règlement ; R-M73 : Résidus en pesticides dans les aliments. Nouvelles procédures d'autorisation de mise sur le marché des pesticides.

déchets. L'incinération des déchets et la coïncinération se révèlent en l'état extrêmement dangereuses, notamment lorsqu'elles concernent des matériels électriques ou électroniques ou des déchets médicaux. En outre, ces approches ne sont pas rentables du point de vue énergétique. *Il est impératif d'établir de toute urgence un moratoire pour la construction de nouveaux incinérateurs et pour la délivrance d'autorisations de coïncinération*[1]. D'autant plus que, comme l'a expérimenté Dany Dietman[2] sur le terrain, des solutions alternatives existent. En effet, seul un tel moratoire est susceptible de généraliser le tri sélectif, la réutilisation des composants, le recyclage des matières secondaires et le stockage sécurisé des déchets résiduels[3]. Ce secteur d'activité peut être très rentable pour l'industrie, de même qu'il peut être créateur de nombreux emplois.

Énergie, transport

Dans ce domaine, le chantier est énorme. La réorientation de l'industrie doit se faire vers la mise au point de nouvelles technologies. En matière d'énergie, afin d'atténuer la troisième rupture qui s'annonce, les objectifs prioritaires sont l'électrification des transports en commun, la

1. Mémorandum de l'Appel de Paris, *op. cit.*, M145 : Interdiction de la construction de tout nouvel incinérateur et de toute nouvelle autorisation de coïncinération.

2. D. Dietman, *La Terre est trop belle pour mourir*, L'Harmattan, Paris, 2006.

3. Mémorandum de l'Appel de Paris, *op. cit.*, R-M144 : Valorisation des déchets par le tri sélectif et le recyclage. Révision de la directive 2000/76/CE ; M146 : Interdiction d'incinération et de coïncinération des déchets dangereux ; R-M147 : Traitement spécifique et valorisation des déchets dangereux ; R-M148 : Mise en décharge des déchets et stockage sécurisé ; R-M149 : Localisation de la gestion et du traitement des déchets urbains et industriels ; R-M150 : Création d'une Agence européenne de gestion et de traitement des déchets ; R-M151 : Création d'un Institut européen de recherche sur la gestion et le traitement des déchets.

construction de tramways et de métros dans les villes et la suppression de tous les trains fonctionnant au gasoil. *L'essentiel est d'engager une stratégie du renoncement dans l'utilisation des énergies qui demain coûteront très cher* en raison de leur rareté croissante – en premier lieu le pétrole et le gaz – et de limiter les émissions de gaz à effet de serre. Une réduction des investissements en matière de transport aérien (aéroports, avions gros porteurs) est donc à envisager. De même en matière de trafic routier, même si la technologie doit permettre à l'avenir des transports plus économiques. La reconsidération des moyens d'acheminement terrestre du fret est essentielle. Plutôt que par camion, elle ne devra se faire demain que par train électrique. Parallèlement, il convient de développer les économies d'énergie à tous les niveaux : pour l'éclairage, le chauffage, les consommations courantes, les transports. De très grands efforts sont à accomplir, non seulement à l'échelon des particuliers, mais aussi à celui des pouvoirs publics et des industriels. Tout ce qui consomme directement ou indirectement de l'énergie est à bannir : construction de bâtiments dont certaines pièces sont aveugles, utilisation inconsidérée de la climatisation ou, à l'inverse, du chauffage, illumination sans restriction des villes et des édifices publics, gaspillage de papier, de matières plastiques, multiplication des emballages, des produits jetables, à usage unique... Il nous faut complètement réformer notre société de gaspillage.

Simultanément, *nous devons promouvoir les énergies renouvelables*, essentiellement l'éolien et le solaire – car dans notre pays l'hydroélectrique, qui n'est pas sans risque écologique, a déjà été fortement développé. L'éolien et le solaire sont complémentaires. S'ils présentent tous deux l'inconvénient d'être cantonnés à certaines régions du territoire et de produire de l'énergie électrique en relativement faible quantité, ils ont cependant un énorme avantage : celui de pouvoir être utilisés de façon décentralisée, ce qui convient particulièrement à l'habitat et aux usages courants. Un programme de mise à niveau s'impose donc dans notre pays.

La réalisation d'économies et le développement des énergies renouvelables seront-ils suffisants pour assurer notre survie énergétique dans le contexte d'une raréfaction du pétrole et du gaz ? Les scientifiques spécialistes de la question que j'ai interrogés ne le pensent pas. L'une des solutions envisagées est de recourir à des centrales thermiques au charbon, comme le fait aujourd'hui l'Allemagne et comme risquent de le faire demain l'Inde et la Chine. Il faut absolument s'y refuser car elles aggraveront l'effet de serre. C'est la raison pour laquelle je pense que la meilleure des solutions – malgré les critiques de certains écologistes – consiste à renouveler notre parc nucléaire, mais dans la transparence citoyenne la plus complète et en assurant la sécurisation des déchets dans des conditions appropriées. Le nucléaire est connoté négativement dans l'esprit de nos concitoyens, parce qu'il est associé à différents accidents, dont celui de Tchernobyl – en fait ces accidents sont rares et peuvent être évités –, mais surtout parce qu'on leur a menti sur les chiffres et que la gestion des crises par les gouvernements a le plus souvent été irresponsable. Personne ne peut le nier. Du point de vue sanitaire, le nucléaire apparaît néanmoins beaucoup moins dangereux que la pollution chimique[1]. À condition de prendre des mesures de sécurité suffisantes et en particulier de protéger les centrales contre d'éventuelles attaques terroristes.

Agriculture

Une réforme en profondeur de la Politique agricole commune (PAC) est indispensable. Elle doit être fondée sur une moindre utilisation des intrants, un retour aux

1. Les déchets radioactifs correspondent en fait à des produits qui pourraient assurer à l'humanité un apport énergétique pour un millénaire. Voir le chapitre 5.

pratiques traditionnelles associant productions végétales et animales, une protection de l'environnement rural, une gestion améliorée des eaux et des forêts, une protection de la flore et de la faune et un développement de l'*agriculture biologique*[1]. Cette réforme est d'autant plus nécessaire que la surproduction actuelle encourage les exportations en direction des pays en développement, contribuant ainsi à la destruction de leurs productions vivrières, à l'exode rural et finalement à l'appauvrissement de leur population.

Les recherches en agrobiologie et agroécologie doivent également être intensifiées, dans les domaines de la protection des semences, des espèces rares, de l'érosion des sols et des intrants chimiques. Là aussi, un très vaste chantier s'ouvre devant nous, à condition de le vouloir, autrement dit qu'une politique volontariste, au-delà des intérêts et des conflits corporatistes, se mette en place de toute urgence. Les agriculteurs et leurs syndicats doivent comprendre que c'est eux-mêmes et surtout leurs enfants qui sont les victimes de l'agriculture et de l'élevage intensifs.

Emploi, formation, éducation

Les formations professionnelles, l'éducation nationale doivent être entièrement révisées. Je ne m'attache pas ici

---

1. Mémorandum de l'Appel de Paris, *op. cit.*, mesures et recommandations 108 à 127, notamment : R-M108 : Réduction de l'utilisation agricole des nitrates ; M109 : Interdiction d'utiliser des fertilisants riches en cadmium ; M111 : Règlement sur les bonnes pratiques agricoles ; M117 : Soutien accru de l'agriculture biologique dans les zones de captage de l'eau et autres zones humides ; R-M119 : Révision de la Politique agricole commune ; M120 : Taxation des intrants chimiques ; M122 : Subventions à l'agriculture biologique ; M125 : Interdiction d'exportation des produits agricoles pour la production desquels les agriculteurs ont été subventionnés ; M127 : Interdiction des cultures d'OGM en plein champ, taxation des OGM importés à destination de l'alimentation animale et répression des fraudes.

aux réformes des structures mêmes, mais au contenu de l'enseignement dispensé et aux objectifs à atteindre, à savoir un niveau culturel général de base et la possibilité pour un maximum de jeunes de trouver un emploi. Les chiffres sont sans appel. Au sortir de l'école, un jeune Français sur 10 est proche de l'illettrisme ; au sortir du second cycle, 160 000, soit 8 % de l'ensemble, sont sans diplôme, dont un tiers sans qualification, alors que les dépenses d'éducation en France sont supérieures de 30 % à la moyenne de l'Organisation de coopération et de développement économiques. À qui la faute ? En partie au manque d'efficacité du système, mais pas seulement, car d'autres facteurs sociétaux, en particulier sociaux, interviennent[1]. C'est dire la nécessité de revaloriser et de réorganiser l'enseignement à ses différents niveaux (BEP, CAP, bac, etc.), mais aussi d'inclure cette réforme dans un contexte sociétal plus favorable. La prise de conscience écologique, en raison de son caractère transdisciplinaire et moral, peut y conduire.

Les nouveaux métiers de l'environnement sont une mine d'emplois à explorer et à développer, que ce soit dans le domaine de l'énergie ou dans ceux des nouvelles technologies de dépollution, de la chimie verte, du tri sélectif et du recyclage des déchets, de la santé durable, du BTP, de l'entretien du patrimoine national... Or un point essentiel est que, à côté d'emplois qualifiés et même hautement qualifiés, il peut y avoir place aussi pour des emplois moins qualifiés si la motivation de nos concitoyens est au rendez-vous. Pour cela, il faut orienter les jeunes et les personnes sans emploi vers l'écologie, créer des formations vraiment adaptées aux besoins, revaloriser l'apprentissage, l'artisanat sous toutes ses formes, et reconsidérer les métiers de service dans les villes comme

1. Par exemple, 10,7 % des enfants d'ouvriers non qualifiés obtiennent un niveau bac + 3, contre 52 % des enfants de cadres supérieurs.

dans les campagnes. On a trop déprécié les formations techniques débouchant sur l'artisanat, les pratiques agricoles au sens large, l'entretien des villes et des campagnes, la protection des eaux, des forêts et de la nature en général. Ces métiers doivent impérativement être revalorisés en tenant compte des connaissances scientifiques acquises.

L'écologie doit être enseignée dès le plus jeune âge [1], dès la maternelle, dès le premier livre de lecture, mais aussi dans le primaire puis dans le secondaire et les universités. De nouveaux diplômes sont à créer. La revalorisation de l'enseignement supérieur est tout aussi prioritaire. Au cours des trente dernières années, nos universités se sont considérablement appauvries [2]. L'enseignement de la médecine doit être entièrement révisé, tourné beaucoup plus qu'il ne l'est actuellement vers la prévention et largement ouvert à l'environnement plutôt qu'à la génétique. En outre, apprendre aux jeunes médecins à moins prescrire et à mieux prescrire est une nécessité incontournable.

Les grandes écoles, axées essentiellement sur les mathématiques et de façon générale sur les sciences dures et appliquées dans les domaines de la finance, du commerce, de l'administration ou de l'ingénierie, sont en l'état totalement incapables de répondre à la demande sanitaire et écologique. Le contenu de leur enseignement doit être aussi fondamentalement repensé et ouvert aux grands problèmes biologiques, sanitaires, énergétiques et environnementaux qui vont émailler notre siècle.

Une profonde réforme de l'enseignement supérieur passant par la création de campus universitaires dignes de ce nom autour du développement des nouvelles énergies et des technologies de l'environnement, en partenariat

1. Mémorandum de l'Appel de Paris, *op. cit.*, R-M161 : Enseignement de l'écologie et de l'hygiène.

2. C'est ce que souligne le président de l'université Paris-IV, Jean-Robert Pitte, dans *Jeunes, on vous ment !*, Fayard, Paris, 2006.

avec l'industrie, est à promouvoir dès maintenant afin de préparer les élites de demain à affronter les problèmes d'effet de serre, de changements climatiques, et à concourir au redressement du pays. Les présidents d'université ont ici un rôle majeur à jouer, en incitant leurs institutions à s'orienter de toute urgence vers l'écologie.

Recherche

Les filières de recherche doivent suivre la même orientation ou réorientation, c'est-à-dire aider à réduire la pollution et à améliorer la santé [1]. La recherche publique doit être profondément valorisée et rester indépendante, à l'abri de tout lobbying. Pour cela, elle doit être financée majoritairement, si ce n'est exclusivement, par des fonds publics, ce qui n'empêche pas de veiller à ce qu'elle soit productive. C'est l'intérêt de la recherche privée que d'avoir à côté d'elle une recherche publique forte, indépendante et dynamique, capable de lui ouvrir la voie dans de nombreux domaines. Un pays qui n'investit pas de façon prioritaire dans la recherche est un pays condamné à décliner.

Tel est le programme d'union nationale conçu à partir de l'expertise scientifique rigoureuse et indépendante découlant de l'Appel de Paris et de son Mémorandum. L'encadré qui suit le résume sous la forme de 12 mesures concrètes applicables à notre pays dans le domaine de la santé et de l'environnement. Un tel programme transcende les clivages politiques. Sa mise en œuvre est possible, à condition d'en avoir la volonté, avant qu'il ne soit trop tard.

---

1. Mémorandum de l'Appel de Paris, *op. cit.*, mesures et recommandations 157 à 164, notamment : R-M157 : L'échec du 6e programme-cadre en matière de recherche sanitaire. Nécessité d'inclure la santé environnementale et la prévention dans le 7e programme-cadre ; R-M158 : Orientation générale des recherches ; R-M159 : Recherches médicales ; R-M160 : Recherches sur le cancer.

12 recommandations et mesures pour assurer une santé durable

1. Faire de l'enfance une priorité absolue de santé publique.
2. Réviser les normes toxicologiques réglementaires en les adaptant à l'enfant et aux femmes enceintes (au fœtus et à l'embryon), car ils sont les plus vulnérables de la société.
3. Appliquer concrètement le règlement européen REACH et concourir à son renforcement.
4. Réduire la TVA pour les produits mis sur le marché lorsqu'ils sont respectueux de la santé et de l'environnement.
5. Instituer une procédure réglementaire de mise sur le marché des produits phytosanitaires (pesticides), additifs alimentaires et cosmétiques comparable à celle qui est en vigueur pour les médicaments.
6. Concourir à la réforme de la Politique agricole commune (PAC) et, simultanément, interdire les OGM alimentaires et renforcer le développement de l'agriculture biologique tout en établissant une réduction programmée de l'utilisation des pesticides.
7. Instaurer d'urgence un moratoire pour l'implantation d'incinérateurs et l'attribution des autorisations de coïncinération, tout en développant concrètement le tri sélectif, la réutilisation des composants, le recyclage des matières secondaires et le stockage sécurisé des déchets.
8. Réviser totalement les objectifs et les modalités de mise en œuvre du Plan cancer, renforcer le Plan santé-environnement et articuler les deux plans dans le cadre d'une politique de santé entièrement restructurée en fonction du concept de santé durable.
9. Instaurer l'enseignement de l'écologie et de l'hygiène dès le plus jeune âge et réviser les programmes de recherche médicale en les orientant vers la prévention des maladies environnementales et non pas seulement vers la génétique et les traitements.

10. Revaloriser les universités. Revaloriser la recherche publique, en la rendant plus compétitive et en l'orientant vers la protection de la nature, le développement des énergies renouvelables et la lutte contre l'effet de serre.
11. Réformer l'État, en plaçant l'environnement et la santé au cœur des priorités nationales, et pour cela : créer une cellule de coordination environnementale placée directement sous la tutelle du Premier ministre ; créer un ministère d'État de l'Environnement ; transformer l'actuel ministère de la Santé en ministère de la Santé durable ; dynamiser les nombreuses agences existantes en leur imposant de travailler en symbiose et de façon complémentaire.
12. Transposer les directives européennes en droit français dans les délais réglementaires, veiller à la stricte application des directives et règlements européens et ouvrir concrètement la politique de santé et de recherche du pays à l'Europe en formant des experts de haut niveau en santé et environnement.

Épilogue

Lettre ouverte aux femmes et aux hommes politiques de France

Mesdames, Messieurs,

C'est en tant que scientifique, médecin et citoyen que je m'adresse à vous.

Le millier de scientifiques ayant signé l'Appel de Paris (annexe 2) et les 68 experts internationaux ayant contribué au Mémorandum de l'Appel de Paris (annexe 3) vous interpellent et vous avertissent : aujourd'hui, en raison de la contamination des nouveau-nés par une multitude de substances chimiques cancérigènes, mutagènes et reprotoxiques (CMR), la santé future de nos enfants est très gravement compromise.

Mais au-delà de ce que nous observons du point de vue de la médecine et de la santé, nous vous alertons solennellement une fois encore sur l'urgence de la situation : la pollution chimique associée à la destruction progressive de notre environnement condamne l'humanité à disparaître, de même que disparaissent chaque jour de nombreuses espèces animales, comme l'ont observé les naturalistes américains signataires de la déclaration de Wingspread (annexe 1).

Ce n'est pas de l'alarmisme, comme pourraient le faire croire un certain nombre de détracteurs insuffisamment informés. Ce n'est pas non plus une opinion personnelle.

C'est un avertissement historique de la communauté scientifique.

Il vous faut comprendre qu'environnement et santé sont indissociablement liés, que ce sont principalement les activités humaines, en particulier la pollution chimique, qui créent les maladies : les épidémies ou pandémies infectieuses, les cancers, les malformations congénitales, la stérilité, les allergies, l'autisme, les maladies de Parkinson ou d'Alzheimer, et même l'obésité et le diabète ! Il vous faut également comprendre pourquoi il convient de promouvoir le concept de *santé durable* et non pas seulement celui de développement durable, et pourquoi il y a urgence à ce que vous preniez des décisions politiques concrètes.

Nous sommes conscients des difficultés socioéconomiques propres à notre pays : la dette et la pauvreté croissante en témoignent. Comme vous, nous pensons que toute politique environnementale doit tenir compte de ces difficultés. Mais ne pas mettre en œuvre une telle politique dès maintenant, de façon réelle, concrète et efficace, ne peut conduire qu'au déclin social, sanitaire et économique de notre pays, et, au-delà, de l'Europe et du monde.

Les arguments sont maintenant très nombreux : l'écologique doit primer l'économique, tout simplement parce que sans respect de l'environnement toute vie est impossible.

Le Mémorandum de l'Appel de Paris propose 164 mesures permettant la protection de la santé, immédiatement applicables en Europe et cela sans nuire à l'emploi ni à l'économie, bien au contraire.

C'est sur la base de ces 164 mesures que nous avons formulé un « programme d'union nationale » de santé durable en 12 points, car la santé et l'environnement se situent bien au-delà des clivages politiques.

Quelle que soit votre couleur politique, il y a urgence à agir pour réduire la pollution chimique, éviter la crise de l'énergie qui s'annonce et déjouer le piège de l'effet de serre avant qu'il ne se referme sur l'humanité et la condamne définitivement.

L'urgence à mettre en œuvre une politique environnementale à la hauteur du défi historique qui nous échoit est d'autant plus justifiée que celle-ci ne peut être que source de très nombreux emplois et, à terme, la seule solution économiquement rentable.

Une frange croissante de nos concitoyens a désormais pris conscience de la situation critique dans laquelle se trouve aujourd'hui notre pays, de la gravité des maladies qui les atteignent et atteignent leurs enfants et de l'extrême gravité de la rupture civilisationnelle planétaire qui s'annonce en raison des problèmes d'énergie et des modifications climatiques.

Le peuple de France vous a confié et vous confiera son destin. À vous d'agir de façon urgente et concrète, car si tel n'était pas le cas, il ne vous le pardonnerait pas.

Pr Dominique Belpomme,
Président de la Société européenne de santé environnementale,
pour le comité de soutien de l'Appel de Paris.

Remerciements

Si j'assume pleinement la responsabilité du contenu de ce livre, l'ensemble est en fait le résultat du travail collectif mené au cours de l'année écoulée au sein de l'ARTAC.

Ce livre doit beaucoup au noyau dur de l'association. Marie-Laure Sangharé, déléguée générale de l'ARTAC, qui a eu le très grand mérite de revoir l'ensemble du manuscrit. Adeline Gadenne, chargée de la communication scientifique, qui a organisé les ateliers de travail ayant permis l'élaboration du Mémorandum de l'Appel de Paris, duquel découlent bon nombre des considérations scientifiques et des mesures proposées dans ce livre. En outre, Adeline a revu plusieurs chapitres. Philippe Irigaray, docteur ès sciences en biochimie et coordonnateur des recherches engagées dans le cadre d'une collaboration avec le CNRS, qui, malgré le très lourd travail que cela représentait, a pris sur son temps personnel pour revoir l'ensemble des données scientifiques, en vérifier la validité et approfondir les liens de coopération avec les experts internationaux ayant contribué au Mémorandum. Qu'il soit remercié très vivement. Ont également contribué au Mémorandum, et donc indirectement à ce livre, Julie Gouverneur et Hélène Soyer, qui ont apporté leur expertise d'ingénieur dans les domaines de l'environnement et des biotechnologies, et Mélanie Bénazet, qui a apporté son expertise juridique en matière de droit communautaire. Merci aussi à Charlotte Bougon, qui a assuré la frappe d'une grande partie du texte, et aux nombreux bénévoles ainsi qu'aux malades et à leur famille qui sans relâche soutiennent l'ARTAC. Enfin, je remercie Henri Trubert, des éditions Fayard, pour les conseils judicieux qu'il m'a donnés, et Élise Roy, pour la révision éditoriale du texte. Les droits d'auteur seront intégralement reversés à l'ARTAC.

Annexe 1

Déclaration de Wingspread

Faisant suite à la déclaration de Wingspread de 1991, d'autres déclarations internationales ont été faites, dont celle de Prague en 2005 (www.edenresearch.info/declaration.html), la confirmant pleinement. Compte tenu de son importance, nous reproduisons intégralement la traduction française de la déclaration de Wingspread telle qu'elle a été publiée en 1991 aux États-Unis.

Altération du développement sexuel induite par les produits chimiques : le sort commun des animaux et des hommes

De nombreux composés libérés dans l'environnement par les activités humaines sont capables de dérégler le système endocrinien des animaux, y compris l'homme. Les conséquences de tels dérèglements peuvent être graves, en raison du rôle de premier plan que les hormones jouent dans le développement de l'organisme. Face à la contamination croissante et omniprésente de notre environnement par des composés susceptibles de produire de tels effets, un groupe de spécialistes de toutes disciplines s'est réuni à Winsgpread (Wisconsin, États-Unis), du 26 au 28 juillet 1991, afin de faire le point sur les connaissances à ce sujet. Les participants provenaient de diverses disciplines : anthropologie, immunologie, mammologie, médecine, psychiatrie, psychoneuroendocrinologie, physiologie de la reproduction, toxicologie, gestion de la faune, biologie des tumeurs, zoologie et droit.

Les objectifs de cette rencontre étaient :

1. de mettre en commun les découvertes de chacun et d'évaluer l'ampleur du problème ; 2. de tirer des conclusions fiables des données existantes ; 3. de proposer un programme de recherches, afin de dissiper les incertitudes qui subsistent.

Déclaration commune

La déclaration suivante est le fruit d'un consensus entre les participants.

1. Nous savons avec certitude que :

– un grand nombre de produits chimiques de synthèse libérés dans la nature, ainsi que quelques composés naturels, sont capables de dérégler le système endocrinien des animaux, y compris l'homme. Il s'agit notamment des composés organochlorés qui, du fait de leur persistance, s'accumulent dans les chaînes alimentaires. Ceux-ci comprennent certains pesticides (fongicides, herbicides et insecticides) et produits chimiques ainsi que d'autres produits synthétiques et certains métaux ;

– de nombreuses populations d'animaux sauvages sont d'ores et déjà affectées par ces composés. Les effets incluent le mauvais fonctionnement de la thyroïde chez les oiseaux et les poissons ; une baisse de fertilité chez les oiseaux, les poissons, les coquillages et les mammifères ; une diminution des éclosions chez les oiseaux, les poissons et les tortues ; des anomalies du métabolisme chez les oiseaux, les poissons et les mammifères ; la féminisation des mâles chez les poissons, les oiseaux et les mammifères ; des anomalies de comportement chez les oiseaux ; la masculinisation des femelles chez les poissons et les oiseaux ; des déficits immunitaires chez les oiseaux et les mammifères ;

– les effets varient selon les espèces et les composés. Toutefois, on peut faire quatre remarques : (a) les composés concernés peuvent avoir des effets très différents sur l'embryon et sur l'adulte ; (b) les effets se manifestent surtout sur la génération suivante et non chez les parents exposés ; (c) la période d'exposition au cours du développement de l'organisme est cruciale, déterminant l'ampleur et la nature des effets ; (d) la période d'exposition la plus critique correspond à la vie embryonnaire, mais les effets peuvent ne pas se manifester avant l'âge adulte ;

– les études en laboratoire confirment les développements sexuels anormaux observés dans la nature et permettent de comprendre les mécanismes biologiques mis en jeu ;

– les humains sont également affectés par ces composés. Le distilbène, un médicament de synthèse, et beaucoup de composés [similaires] ont des effets œstrogéniques. Les femmes dont les mères ont ingéré du distilbène sont particulièrement touchées par le cancer du vagin, par diverses malformations de l'appareil reproducteur, par des grossesses anormales et des modifications de la réponse immunitaire. Les hommes et les femmes exposés pendant leur vie prénatale présentent des anomalies congénitales de l'appareil reproducteur et une baisse de fertilité. Les effets observés chez les victimes du distilbène sont semblables à ce qu'on observe chez les animaux contaminés, dans la nature et en laboratoire. Cela suggère que les humains partagent les même risques.

2. Nous estimons extrêmement probable que :

– certaines anomalies du développement constatées aujourd'hui chez les humains concernent des enfants adultes de personnes ayant été exposées à des perturbateurs hormonaux présents dans notre environnement. Les concentrations de plusieurs perturbateurs des hormones sexuelles mesurées dans la population américaine actuelle correspondent aux doses qui provoquent des effets chez les animaux sauvages ;

– à moins que la contamination de l'environnement par les perturbateurs hormonaux soit rapidement contrôlée et réduite, des dysfonctionnements généralisés à l'échelle de la population sont possibles. Les dangers potentiels, tant pour les animaux que pour l'homme, sont nombreux en raison de la probabilité d'une exposition répétée ou constante à de nombreux produits chimiques, connus pour dérégler le système endocrinien ;

– en approfondissant la question, de nombreux parallèles nouveaux devraient surgir entre les études portant sur la faune sauvage, celles effectuées en laboratoire et celles concernant l'homme.

3. Les modèles actuels prévoient que :

– les mécanismes d'action de ces composés sont variables, mais d'une manière générale : (a) ils imitent les hormones naturelles en se liant à leurs récepteurs ; (b) ils inhibent les hormones en les empêchant de se lier à leurs récepteurs ; (c) ils réagissent directement ou indirectement avec les hormones elles-mêmes ; (d) soit en perturbant leur synthèse ; (e) soit en modifiant le nombre de récepteurs dans les organes ;

– les hormones mâles et femelles peuvent altérer le développement cérébral, qu'elles soient exogènes (source externe) ou endogènes (source interne) ;

– toute perturbation du système endocrinien d'un organisme en formation peut altérer son développement ; ces effets sont habituellement irréversibles. Ainsi, de nombreux caractères liés au sexe sont déterminés par les hormones pendant une courte période de temps au début du développement et peuvent alors être influencés par de faibles variations de l'équilibre hormonal. Les faits suggèrent que ces effets sont irréversibles ;

– les effets constatés sur la reproduction des animaux sauvages devraient préoccuper les humains qui exploitent les mêmes sources de nourriture, le poisson contaminé par exemple. Le poisson est une source majeure de contamination chez les oiseaux. Les mécanismes de dérèglement hormonal par les organochlorés chez les oiseaux sont les mieux connus à ce jour. Ils nous aident à comprendre comment l'homme pourrait partager le sort des animaux, car le développement du système endocrinien des oiseaux est très semblable à celui des mammifères.

4. Nos prévisions comportent de nombreuses incertitudes parce que :

– la nature et l'ampleur des effets sur l'homme sont mal connues. Nous possédons peu d'informations sur la contamination des humains, en particulier sur les concentrations de polluants chez l'embryon. Cela est dû au manque d'effets réellement mesurables et d'études portant sur plusieurs générations et simulant la contamination ambiante ;

– alors que nous possédons de nombreuses données sur la diminution de l'aptitude des animaux à se reproduire, les données sur les modifications du comportement sont moins étayées. Mais les faits sont suffisamment pressants pour qu'on cherche à combler rapidement ces lacunes ;

– le pouvoir de nombreux composés œstrogéniques, comparé à celui des œstrogènes naturels, est inconnu. Ce point est important, car les concentrations sanguines en certains composés dépassent celles des œstrogènes du corps.

5. Nous estimons que :

– les tests de toxicité devraient être élargis pour prendre en compte une éventuelle activité hormonale ;

– il existe déjà des méthodes pour analyser les effets œstrogéniques ou androgéniques des composés à effet hormonal direct. La réglementation devrait étendre ces analyses à tous les nouveaux composés ou produits secondaires. Si les tests sont positifs, des effets fonctionnels devraient être recherchés au moyen d'études sur plusieurs générations et ne pas porter seulement sur les malformations congénitales. Ces procédures devraient s'appliquer aussi aux produits persistants libérés dans le passé ;

– il est urgent de donner la priorité aux effets reproducteurs ou fonctionnels lorsqu'on évalue les risques pour la santé. La recherche d'effets cancérigènes ne suffit pas ;

– il est nécessaire de réaliser un inventaire complet des composés chimiques lorsqu'ils sont mis en vente et libérés dans l'environnement. Ces informations doivent être plus facilement accessibles. Elles nous permettront de réduire la contamination. Plutôt qu'établir des normes de pollution séparées pour l'air, l'eau et le sol, il est nécessaire d'envisager les écosystèmes dans leur ensemble ;

– l'interdiction de la production et de l'emploi des produits chimiques persistants n'a pas résolu le problème de la contamination. De nouvelles approches sont nécessaires pour réduire celle-ci et pour empêcher de nouvelles contaminations par des produits nouveaux aux caractéristiques similaires ;

– l'impact sur les animaux sauvages et les animaux de laboratoire est si profond et si insidieux qu'il est nécessaire de lancer un vaste programme de recherche sur l'homme ;

– il faut remédier au manque d'information des communautés scientifiques et médicales concernant les perturbateurs hormonaux dans l'environnement, leurs effets fonctionnels et la notion d'exposition se transmettant d'une génération à l'autre. Les déficits fonctionnels ne se manifestant pas à la naissance et parfois pas avant l'âge adulte, ils passent souvent inaperçus des médecins, des parents et des organismes de contrôle et la cause n'est jamais identifiée.

6. Pour améliorer notre aptitude à prévoir :

– il faut entreprendre des recherches fondamentales supplémentaires sur le développement des organes sensibles aux hormones. Par exemple, nous devons connaître la quantité d'une hormone donnée, requise pour provoquer une réponse normale. Nous avons besoin de marqueurs biologiques du développement normal pour chaque espèce, chaque organe et chaque étape du développement. Avec ces renseignements, nous pourrons déterminer les concentrations qui provoquent des altérations pathologiques ;

– des collaborations interdisciplinaires sont nécessaires pour établir des modèles animaux, dans la nature ou en laboratoire, afin d'extrapoler les risques encourus par les humains ;

– il faut sélectionner une espèce « sentinelle » à chaque niveau de la chaîne alimentaire, espèce qui nous permettra d'étudier les déficits fonctionnels. Cela nous permettra également de mieux comprendre la circulation des contaminants dans les écosystèmes ;

– des phénomènes mesurables (marqueurs biologiques) dus à l'exposition à des perturbateurs hormonaux doivent être trouvés, aux niveaux de la molécule, de la cellule, de l'organisme et de la population. Les marqueurs moléculaires et cellulaires sont très importants pour une prise en compte précoce du dérèglement. Il est important de déterminer les concentrations normales d'isoenzymes et d'hormones ;

– pour évaluer l'exposition des mammifères, il est nécessaire de connaître les concentrations de produits chimiques dans l'organisme et dans l'ovule fécondé, afin d'extrapoler la dose de ces produits chez l'embryon, le fœtus, le nouveau-né et l'adulte. Il faut également évaluer le danger en répétant en laboratoire les faits observés dans la nature. À la suite de cela, il faudra déterminer en laboratoire les effets de doses différentes. Ces doses seront ensuite comparées à la contamination mesurée dans les populations sauvages ;

– il faut entreprendre de nouvelles études de terrain, afin d'expliquer l'afflux annuel dans des régions polluées d'espèces migratrices, dont les populations semblent stables, malgré la vulnérabilité relative de leurs petits ;

– pour de nombreuses raisons, il faudrait réétudier les victimes du distilbène. D'abord, l'emploi du distilbène correspond à une époque où on relâchait de grandes quantités de produits chimiques, en l'absence de toute norme légale. Les résultats des études sur le distilbène ont donc peut-être été influencés par la contamination générale par d'autres perturbateurs endocriniens. Deuxièmement, l'exposition à une hormone pendant la vie fœtale peut augmenter la sensibilité de l'organisme à cette hormone, plus tard dans la vie. De ce fait, les premières victimes du distilbène atteignent seulement l'âge où divers cancers pourraient commencer à se manifester, en conséquence d'une exposition ultérieure à des substances œstrogéniques (cancers du vagin, de l'endomètre, du sein et de la prostate). Il est important d'établir un seuil de risque. Même les doses les plus faibles connues ont produit des cancers du vagin. Le distilbène pourrait fournir le modèle le plus extrême pour rechercher les effets de substances œstrogéniques moins puissantes. Ainsi, les marqueurs biologiques déterminés chez les victimes de cet œstrogène synthétique permettront d'étudier les effets résultant de la contamination ambiante ;

– les effets des perturbateurs endocriniens sur l'homme, qui vit plus longtemps que la plupart des animaux, sont peut-être plus difficiles à percevoir. C'est pourquoi nous avons besoin de méthodes de dépistage précoce, afin de déterminer si l'aptitude reproductrice de l'homme est en train de décliner. Ce dépistage précoce est aussi important pour l'individu que pour la population, car la stérilité est un problème inquiétant qui a des impacts psychologiques et économiques. Il existe maintenant des méthodes de détermination des taux de fertilité chez l'homme. Il faudrait élaborer de nouvelles méthodes impliquant la mesure de l'activité enzymatique du foie, le comptage des spermatozoïdes, l'analyse des anomalies de développement et l'examen des lésions histopathologiques. Ces analyses devraient être complétées par des marqueurs biologiques plus nombreux et plus fiables du développement social et comportemental de l'individu, par les antécédents familiaux des patients et de leurs enfants et par l'analyse chimique des tissus et produits liés à la reproduction, notamment le lait.

Liste des participants

Dr Howard A. Bern
Professeur émérite de biologie et endocrinologue, Département de biologie et laboratoire de recherche sur le cancer, Université de Californie, Berkeley, États-Unis.
Dr Phyllis Blair
Professeur d'immunologie, Département de biologie moléculaire et cellulaire, Université de Californie, Berkeley, États-Unis.
Dr Sophie Brasseur
Biologiste marine, Département d'écologie des estuaires, Institut de recherche pour la gestion de la nature, Texel, Pays-Bas.
Dr Theo Colborn
Senior Fellow, Fonds mondial pour la nature (WWF) et Fondation W. Alton Jones, Washington, États-Unis.
Dr Gerald R. Cunha
Biologiste du développement, Université de Californie, San Francisco, États-Unis.
Dr William Davis
Écologiste, Agence américaine de protection de l'environnement, Laboratoire de recherche de l'environnement, île de Sabine, Floride, États-Unis.
Dr Klaus D. Döhler
Directeur de recherche, Développement et production, Pharma Bissendorf Peptide SA, Hanovre, Allemagne.
Glen Fox
Évaluateur des contaminants, Centre national de recherche sur la faune sauvage, Québec, Canada.
Dr Michael Fry
Faculté de recherche, Département d'ornithologie, Université de Californie, Davis, États-Unis.
Dr Earl Gray
Directeur du Département de toxicologie, du développement et de la reproduction, Branche de toxicologie de la reproduction, Division de biologie du développement, Laboratoire de recherche sur les effets sur la santé, Agence américaine de protection de l'environnement, Triangle Park, Caroline du Nord, États-Unis.
Dr Richard Green
Professeur de psychiatrie, Département de psychiatrie, École de médecine, Université de Californie, Los Angeles, États-Unis.

Dr Melissa Hines
Assistante de psychiatrie, Département de psychiatrie, École de médecine, Université de Californie, Los Angeles, États-Unis.
Timothy J. Kubiak
Spécialiste des contaminants de l'environnement, Département de l'Intérieur, Service américain de la pêche et de la faune sauvage, East Lansing, Michigan, États-Unis.
Dr John McLachlan
Directeur de la division de recherche intramurale, Chef du laboratoire de toxicologie, de la reproduction et du développement, Institut national des sciences de la santé liée à l'environnement, Institut national de la santé, Triangle Park, Caroline du Nord, États-Unis.
Dr John Peterson Myers
Directeur de la Fondation W. Alton Jones, Charlottesville, Virginie, États-Unis.
Dr Richard E. Perterson
Professeur de toxicologie et de pharmacologie, École de pharmacie, Université du Wisconsin, Madison, États-Unis.
Dr P.J.H. Reijnders
Directeur de la division de mammologie marine, Département d'écologie des estuaires, Institut de recherche pour la gestion de la nature, Texel, Pays-Bas.
Dr Ana Soto
Professeur associé, Département d'anatomie et de biologie cellulaire, École de médecine de l'université Tufts, Boston, États-Unis.
Dr Glen Van der Kraak
Professeur assistant, Faculté des sciences biologiques, Département de zoologie, Université de Guelph, Ontario, Canada.
Dr Frederick vom Saal
Professeur à la Faculté des arts et des sciences, Division des sciences biologiques, Université du Missouri, Columbia, États-Unis.
Dr Patricia Whitten
Professeur assistant, Département d'anthropologie, Université Emory, Atlanta, Géorgie, États-Unis.

Annexe 2

Appel de Paris. Déclaration internationale sur les dangers sanitaires de la pollution chimique

Le 7 mai 2004 à l'Unesco se sont réunis, dans une même volonté, scientifiques internationaux de renom, médecins, représentants des associations de protection de l'environnement et de malades lors du colloque « Cancer, environnement et société » organisé par l'ARTAC. De cette union entre scientifiques et organisations non gouvernementales est né l'Appel de Paris, déclaration historique et incontournable sur les dangers sanitaires de la pollution chimique.

L'Appel de Paris a recueilli l'adhésion et l'appui de personnalités éminentes telles que les deux Prix Nobel de médecine français, les Prs François Jacob et Jean Dausset, de nombreux membres des Académies des sciences et de médecine, parmi lesquels les Prs Anatole Abragham, Jean Bernard, Pierre Chambon, Jean-Pierre Changeux, Yves Coppens, François Gros, Lucien Israël, Luc Montagnier, Jean-Pierre Vernant, et d'autres personnalités telles qu'Albert Jacquard, Jean-Marie Pelt, Hubert Reeves, Nicolas Hulot, Corinne Lepage et Dominique Voynet[1].

L'Appel de Paris est un document de référence pour les instances européennes. Aujourd'hui, plusieurs centaines de scientifiques internationaux, plus d'un millier d'ONG et près

1. Voir la liste des personnalités signataires sur http://www.artac.info/static.php?op=personnalitesfr.txt&npds=1.

de 200 000 citoyens ont apporté leur signature à l'Appel. Il est signé par le Conseil national de l'ordre des médecins ainsi que par l'ensemble des conseils nationaux de l'ordre des médecins et associations médicales représentatifs des 25 États membres de l'Union européenne, regroupés au sein du Comité permanent des médecins européens représentant 2 millions de médecins européens.

L'objectif est de récolter, à l'échelle européenne, un million de signatures pour avoir du poids dans le processus décisionnel européen.

PRÉAMBULE

Rappelant que, selon la *Constitution de l'Organisation Mondiale de la Santé* (OMS) du 7 avril 1948, la santé est un « état de complet bien-être physique, mental et social et ne consiste pas seulement en une absence de maladie ou d'infirmité »,

Rappelant l'attachement aux principes universels des Droits de l'Homme affirmés par la *Déclaration universelle des Droits de l'Homme* du 10 décembre 1948 et les deux pactes internationaux des Nations Unies relatifs aux droits économiques, sociaux et culturels, et en particulier son article 12.1, qui reconnaît le droit pour toute personne de jouir du meilleur état de santé physique et mentale qu'elle soit capable d'atteindre,

Rappelant que la Conférence des Nations Unies sur l'environnement a affirmé dans la *Déclaration de Stockholm* du 16 juin 1972 que l'homme a un droit fondamental à la liberté, à l'égalité et à des conditions de vie satisfaisantes dans un environnement dont la qualité lui permette de vivre dans la dignité et le bien-être et que le droit à la vie même fait partie des droits fondamentaux,

Rappelant que la *Déclaration de La Haye* sur l'environnement du 11 mars 1989, signée par 24 pays, a confirmé qu'il ne s'agit pas seulement du devoir fondamental de préserver l'écosystème, mais aussi du droit de vivre dignement, dans un environnement global viable, et de l'obligation induite pour la communauté des nations vis-à-vis des générations présentes et futures d'entreprendre tout ce qui peut être fait pour préserver la qualité de l'atmosphère,

Rappelant que la *Convention relative aux droits de l'enfant* du 20 novembre 1989 impose aux États parties dans son article 6 de reconnaître que « tout enfant a un droit inhérent à la vie » et d'assurer « dans toute la mesure possible la survie et le développement de l'enfant », et dans son article 24 de reconnaître « le droit de l'enfant de jouir du meilleur état de santé possible », et de prendre « les mesures appropriées pour [...] lutter contre la maladie [...] compte tenu des dangers et des risques de pollution du milieu naturel »,

Rappelant que la *Charte européenne sur l'Environnement et la Santé* adoptée à Francfort le 8 décembre 1989 affirme que chaque personne est en droit de bénéficier d'un environnement permettant la réalisation du niveau le plus élevé possible de santé et de bien-être,

Rappelant que la *Résolution 45/94 de l'Assemblée générale des Nations Unies* du 14 décembre 1990 sur la nécessité d'assurer un environnement salubre pour chacun déclare que chacun a le droit de vivre dans un environnement propre à assurer sa santé et son bien-être,

Rappelant que la *Convention sur la diversité biologique* du 5 juin 1992 note dans son préambule que « lorsqu'il existe une menace de réduction sensible ou de perte de la diversité biologique, l'absence de certitudes scientifiques totales ne doit pas être invoquée comme raison pour différer les mesures qui permettraient d'en éviter le danger ou d'en atténuer les effets »,

Rappelant que la *Déclaration de Rio de Janeiro* sur l'environnement et le développement du 13 juin 1992 a précisé, dans son premier principe, que les êtres humains sont au centre des préoccupations concernant le développement durable et qu'ils ont droit à une vie saine et productive en harmonie avec la nature et, dans son principe 15, que « pour protéger l'environnement, des **mesures de précaution** doivent être largement appliquées par les États selon leurs capacités. En cas de dommages graves ou irréversibles, l'absence de certitude scientifique absolue ne doit pas servir de prétexte pour remettre à plus tard l'adoption de mesures effectives visant à prévenir la dégradation de l'environnement »,

Rappelant que les États parties à la *Convention OSPAR* pour la protection de l'Atlantique Nord-Est du 22 septembre 1992 doivent selon l'article 2 de l'Annexe 5 prendre « les mesures nécessaires à la protection de la zone maritime contre les effets préjudiciables des activités humaines, de manière à sauvegarder la santé de l'homme » avec un objectif de cessation des rejets, émissions et pertes de substances dangereuses dans l'environnement marin d'ici à l'an 2020,

Rappelant que le *Traité instituant la Communauté européenne* précise dans son article 174 relatif à l'environnement que la politique de la Communauté dans le domaine de l'environnement contribue à la poursuite des objets suivants : la préservation, la production et l'amélioration de la qualité de l'environnement, la protection de la santé des personnes, l'utilisation prudente et rationnelle des ressources naturelles, la promotion sur le plan international des mesures destinées à faire face aux problèmes régionaux ou planétaires de l'environnement. Dans le § 2, cet article précise que la politique de la Communauté dans le domaine de l'environnement est fondée sur les **principes de précaution et d'action préventive**, sur le **principe de la correction**, par priorité à la source, des atteintes à l'environnement et sur le **principe du pollueur-payeur**,

Rappelant que le *protocole de Carthagène* sur la prévention des risques biotechnologiques relatif à la convention sur la diversité biologique du 29 janvier 2000 réaffirme dans son préambule et son article premier **l'approche de précaution** consacrée par le principe 15 de la déclaration de Rio en considération des risques pour la santé humaine,

Rappelant que la *Convention de Stockholm* du 22 mai 2001 reconnaît que « les polluants organiques persistants possèdent des propriétés toxiques, résistent à la dégradation, s'accumulent dans les organismes vivants et sont propagés par l'air, l'eau et les espèces migratrices » et précise dans son article 1 que l'objectif est de « protéger la santé humaine et l'environnement des polluants organiques persistants »,

Rappelant que la *Déclaration de Johannesburg* sur le développement durable du 4 septembre 2002 a fustigé l'appauvrissement de la diversité biologique, la désertification, les effets préjudiciables du changement climatique, la fréquence accrue des catastrophes naturelles dévastatrices, la pollution de l'air, de l'eau et du milieu marin,

CONSIDÉRATIONS SCIENTIFIQUES

§ 1. Considérant que la situation sanitaire se dégrade partout dans le monde ; que cette dégradation, bien que de nature différente, concerne aussi bien les pays pauvres que les pays riches ;

§ 2. Considérant que se développent des maladies chroniques recensées par l'OMS, en particulier des cancers ; que l'incidence globale des cancers augmente partout dans le monde ; qu'en ce qui concerne les pays fortement industrialisés, l'incidence des cancers est globalement croissante depuis 1950 ; que les cancers touchent toutes les tranches d'âge, aussi bien les personnes âgées que les personnes jeunes ; que la pollution chimique, dont l'amplitude exacte est encore inestimée, pourrait y contribuer pour une part importante ;

§ 3. Considérant que l'exposition à certaines substances ou produits chimiques provoque une augmentation du nombre de certaines malformations congénitales ;

§ 4. Considérant que la stérilité, en particulier masculine, qu'elle soit ou non la conséquence de malformations congénitales ou liée à une diminution de la qualité et/ou de la concentration en spermatozoïdes dans le sperme humain est en augmentation, notamment dans les régions fortement industrialisées ; qu'aujourd'hui dans certains pays d'Europe, 15 % des couples sont stériles ; que la pollution chimique peut être une des causes de stérilité ;

§ 5. Constatant que l'Homme est exposé aujourd'hui à une pollution chimique diffuse occasionnée par de multiples substances ou produits chimiques ; que cette pollution a des effets sur la santé de l'Homme ; que ces effets sont très souvent la conséquence d'une régulation insuffisante de la mise sur le marché des produits chimiques et d'une gestion insuffisamment maîtrisée des activités économiques de production, consommation et élimination de ces produits ;

§ 6. Constatant que ces substances ou produits sont de plus en plus nombreux : Hydrocarbures Aromatiques Polycycliques (HAP), dérivés organo-halogénés dont les dioxines et les PCB, amiante, métaux toxiques dont ceux qualifiés de métaux lourds comme le plomb, le mercure et le cadmium, pesticides, additifs alimentaires et autres, etc. ; que certains de ces produits ne sont pas ou sont peu biodégradables et persistent dans l'environnement ; qu'un grand nombre de ces produits contaminent l'atmosphère, l'eau, le sol, et la chaîne alimentaire ; que l'Homme est exposé en permanence à des substances ou produits toxiques persistants, lesquels incluent les Polluants Organiques Persistants (POPs) ; que certaines de ces substances ou produits s'accumulent dans les organismes vivants, y compris dans le corps humain ;

§ 7. Considérant que la plupart de ces substances ou produits sont actuellement mis sur le marché sans avoir fait l'objet au préalable et de façon suffisante de tests toxicologiques et d'estimation des risques pour l'homme ;

§ 8. Considérant que ces nombreuses substances ou produits chimiques contaminent de façon diffuse l'environnement ; qu'elles peuvent interagir les unes avec les autres et exercer des effets toxiques additionnels et/ou synergiques dans les organismes vivants ; qu'il est dès lors devenu extrêmement difficile d'établir au plan épidémiologique la preuve absolue d'un lien direct entre l'exposition à l'un(e) et/ou l'autre de ces substances ou produits et le développement des maladies ;

§ 9. Considérant qu'au plan toxicologique, un certain nombre de ces substances ou produits chimiques sont des *perturbateurs hormonaux*, qu'ils peuvent être *cancérogènes, mutagènes ou reprotoxiques* (CMR) chez l'homme, ce qui signifie qu'ils sont susceptibles d'induire des cancers, des malformations congénitales et/ou des stérilités ; que certaines de ces substances ou produits peuvent être en outre *allergisants*, induisant des maladies respiratoires, telles que l'asthme ; que certains d'entre eux sont *neurotoxiques*, induisant des maladies dégénératives du système nerveux chez l'adulte et une baisse de quotient intellectuel chez l'enfant ; que certains sont *immunotoxiques*, induisant des déficits immunitaires, en particulier chez l'enfant, et que ces déficits immunitaires sont générateurs d'infections, en particulier virales ; que les pesticides sont répandus volontairement en grande quantité dans l'environnement alors qu'un grand nombre d'entre eux sont des polluants chimiques toxiques pour l'animal et/ou pour l'homme et l'environnement ;

§ 10. Considérant que les enfants sont les plus vulnérables et les plus exposés à la contamination par ces polluants ; qu'un grand nombre de ces substances ou produits toxiques traversent la barrière placentaire et contaminent l'embryon ; qu'ils se concentrent dans le tissu graisseux et se retrouvent dans le lait des mères qui allaitent ; qu'en conséquence le corps de l'enfant présente le risque d'être contaminé dès la naissance ; que, de surcroît, l'enfant peut ingérer ces substances ou produits et/ou inhaler un air pollué par eux, en particulier dans l'habitat ;

§ 11. Considérant que ces substances ou produits polluants peuvent induire chez l'enfant des maladies dont celles citées au § 9 ; qu'en particulier, un enfant sur sept en Europe est asthmatique, que l'asthme est aggravé par la pollution des villes et des habitations ; que l'incidence des cancers pédiatriques est croissante depuis ces 20 dernières années dans certains pays industrialisés ; qu'il résulte de ces considérations que **l'enfant est aujourd'hui en danger** ;

§ 12. Considérant que l'Homme est un mammifère consubstantiel à la flore et à la faune environnantes ; qu'il est à l'origine de la disparition de plusieurs milliers d'espèces chaque année ; que toute destruction ou pollution irréversible de la flore et de la faune met en péril sa propre existence ;

§ 13. Considérant que la *déclaration de Wingspread* du 28 juillet 1991 signée par 22 scientifiques nord-américains établit un lien entre la disparition d'espèces animales, sauvages ou domestiques et la contamination de l'environnement par certains de ces produits chimiques ; que l'Homme est exposé aux mêmes produits que les espèces animales sauvages ou domestiques ; que ces produits ont provoqué chez ces espèces animales des maladies (malformations congénitales, stérilités) ayant entraîné leur disparition et que ces maladies sont comparables à celles observées aujourd'hui chez l'Homme ;

§ 14. Considérant que la pollution chimique sous toutes ses formes est devenue l'une des causes des fléaux humains actuels, tels que cancers, stérilités, maladies congénitales, etc. ; que la médecine contemporaine ne parvient pas à les enrayer ; que, malgré le progrès des recherches médicales, elle risque de ne pas pouvoir les éradiquer ;

§ 15. Considérant, en outre, que la pollution par émission des gaz à effet de serre provoque sans conteste une **aggravation du réchauffement planétaire** et une **déstabilisation**

climatique ; que selon les prévisions scientifiques les moins pessimistes, en 2100, la température moyenne de la Terre risque d'augmenter de trois degrés centigrades ; que cette augmentation de température sera susceptible de favoriser la prolifération des virus, bactéries, parasites et vecteurs de ces agents infectieux ; que par conséquent, l'extension de leur niche écologique de l'hémisphère Sud à l'hémisphère Nord sera susceptible d'entraîner l'extension des maladies qu'ils induisent, et la réapparition dans les pays du Nord de maladies infectieuses et/ou parasitaires partiellement jugulées au siècle dernier, voire l'apparition de nouvelles maladies ;

DÉCLARATION

Nous, scientifiques, médecins, juristes, humanistes, citoyens, convaincus de l'urgence et de la gravité de la situation, déclarons que,

Article 1 : **Le développement de nombreuses maladies actuelles est consécutif à la dégradation de l'environnement.**

Article 2 : **La pollution chimique constitue une menace grave pour l'enfant et pour la survie de l'Homme.**

Article 3 : **Notre santé, celle de nos enfants et celle des générations futures étant en péril, *c'est l'espèce humaine qui est elle-même en danger.***

Nous appelons les décideurs politiques nationaux, les instances européennes, les organismes internationaux, en particulier l'Organisation des Nations Unies (ONU), à prendre toutes les mesures nécessaires en conséquence, et en particulier :

Mesure 1 : interdire l'utilisation des produits dont le caractère cancérogène, mutagène ou reprotoxique (CMR) est *certain* ou *probable* chez l'Homme tel qu'il est défini par les instances ou organismes scientifiques internationaux compétents, et leur appliquer le principe de substitution ; exceptionnellement, lorsque la mise en œuvre de ce principe est impossible et que l'utilisation d'un produit concerné est jugée indispensable, restreindre son utilisation au strict minimum par des mesures de contingentement ciblé extrêmement rigoureuses.

Mesure 2 : appliquer le principe de précaution vis-à-vis de tous produits chimiques pour lesquels, en raison de leur caractère toxique autre que celui défini dans la mesure 1 (voir § 9 et § 13), ou de leur caractère persistant, bioaccumulable et toxique (PBT), ou très persistant et très bioaccumulable (vPvB), tels que définis internationalement, il existe un danger présumé grave et/ou irréversible pour la santé animale et/ou humaine, et de façon générale pour l'environnement, sans attendre la preuve formelle d'un lien épidémiologique, afin de prévenir et d'éviter des dommages sanitaires ou écologiques graves et/ou irréversibles.

Mesure 3 : promouvoir l'adoption de normes toxicologiques ou de valeurs seuils internationales pour la protection des personnes, basées sur une évaluation des risques encourus par les individus les plus vulnérables, c'est-à-dire les enfants, voire l'embryon.

Mesure 4 : en application du principe de précaution, adopter des plans à échéance programmée et objectifs de résultat chiffrés, afin d'obtenir la suppression ou la réduction strictement réglementée de l'émission de substances polluantes toxiques et de l'utilisation de produits chimiques mis sur le marché, tels que les pesticides sur le modèle de réduction d'utilisation de la Suède, du Danemark ou de la Norvège.

Mesure 5 : en raison des menaces graves qui pèsent sur l'humanité, inciter les États à obliger toute personne publique ou privée à assumer la responsabilité des effets de ses actes ou de ses carences à agir, et lorsque cette responsabilité n'est pas du ressort d'un État, faire relever celle-ci d'une juridiction internationale.

Mesure 6 : s'agissant du réchauffement planétaire et de la déstabilisation climatique, cette responsabilité implique l'obligation pour les États de mettre en œuvre des mesures fortes pour réduire les émissions de gaz à effet de serre sans attendre la mise en application effective du protocole de Kyoto.

Mesure 7 : concernant l'Europe, renforcer le programme REACH (Registration, Evaluation and Authorization of Chemicals) de régulation de la mise sur le marché des produits chimiques de façon, notamment, à assurer la substitution des plus dangereux pour l'homme par des alternatives moins dangereuses, et concernant le monde, adopter une réglementation internationale de régulation de la mise sur le marché des produits chimiques sur le modèle du programme REACH dans une version renforcée.

Annexe 3

Mémorandum de l'Appel de Paris. 164 mesures élaborées par 68 experts internationaux

Afin de préserver la santé des enfants et celle des générations futures, il est indispensable que l'Union européenne et l'ensemble des États membres mettent la préservation de la santé et de l'environnement au cœur de toute politique publique.

Le concept de développement durable, axé sur la préservation des ressources terrestres pour satisfaire les besoins des générations futures, est insuffisant. Il faut lui adjoindre le concept de *santé durable*, qui a pour objectif de préserver la santé des générations futures et, pour cela, de mettre le développement économique au service de la santé des citoyens et non, comme c'est le cas aujourd'hui, les citoyens et leur santé au service du développement économique.

Dans le Mémorandum de l'Appel de Paris, 68 experts internationaux proposent 164 recommandations et mesures à mettre en œuvre dans le domaine de la santé environnementale, afin d'éviter ou d'atténuer les crises de santé publique que traversent aujourd'hui et que risquent de traverser demain l'ensemble des États membres de l'Union.

Ces recommandations et mesures concernent les maladies principalement liées à la pollution chimique : cancers, stérilité, malformations congénitales, obésité, maladies du système nerveux, allergies...

Ces recommandations et mesures proposent :

(1) Le retrait du marché des substances chimiques cancérigènes, mutagènes et reprotoxiques (CMR), comme le formaldéhyde, certains phtalates (DEHP), le bisphénol A, le cadmium et le mercure, ainsi que leurs dérivés respectifs, etc. Ces mesures impliquent le renforcement du projet de règlement européen REACH,

(2) Le retrait du marché des produits organobromés, en raison de la très grande réactivité du brome avec l'ozone et donc de la possibilité d'aggraver la disparition de la couche d'ozone stratosphérique,

(3) L'autorisation de mise sur le marché des pesticides, additifs alimentaires et cosmétiques selon une procédure réglementaire comparable à celle utilisée pour les médicaments,

(4) La réduction programmée de l'utilisation des pesticides, le développement de l'agriculture biologique, et donc une réforme de la Politique agricole commune,

(5) La valorisation des déchets par le tri sélectif et le recyclage en remplacement de l'incinération et de la coïncinération,

(6) La création d'une agence européenne et d'un institut de recherche pour l'amélioration de la gestion et du traitement des déchets,

(7) La nécessité d'orienter le 7e programme-cadre de la communauté européenne pour la recherche et le développement technologique en direction de l'écologie et de la prévention des maladies environnementales, et non pas seulement en direction de la génétique et des traitements,

(8) L'enseignement de l'écologie et de l'hygiène dès le plus jeune âge,

(9) La création d'une nouvelle discipline médicale : la médecine environnementale.

Ces mesures sont toutes réalisables en pratique, à condition d'en avoir la volonté politique. L'Europe doit favoriser la reconversion de l'industrie et du secteur agricole par des incitations législatives et financières ciblées, visant à stimuler la recherche et le développement (R&D), notamment dans le domaine de la chimie verte. La prise en compte des problèmes environnementaux doit conduire l'Europe à créer de nouveaux emplois et à devenir le fer de lance d'une véritable industrie propre au niveau mondial.

Sommaire du Mémorandum de l'Appel de Paris

Titre I : Le concept de santé durable

Chapitre 1 : Conditionnalité de la santé à un environnement sain

Chapitre 2 : Conditionnalité du développement durable à la santé

Chapitre 3 : Concilier développement durable et santé

Chapitre 4 : Fondements scientifiques du concept de santé durable

Titre II : Recommandations et mesures d'ordre général

Chapitre 1 : Politique environnementale et sanitaire de l'Europe

R1 : Intégration de la protection de la santé dans les politiques publiques.

R2 : Élargissement du concept de développement durable à la santé.

R3 : Principes régissant le concept de santé durable.

R4 : Révision du Traité constitutionnel européen. Priorité donnée à la protection de l'environnement et à la santé durable.

Chapitre 2 : Législation européenne

R5 : Simplification législative et clarification du droit communautaire. Nécessité d'une véritable politique de santé environnementale.

R6 : Autorisations de mise sur le marché. Nécessité d'une expertise scientifique indépendante.

R7 : Champs d'activités non couverts par la législation européenne.

Chapitre 3 : Transposition des directives en droit national, contrôles et inspections

R8 : Transposition des directives. Nécessité de sanctions renforcées.

R9 : Application des règlements, directives et décisions. Nécessité de moyens de contrôle renforcés.

Chapitre 4 : Accès à l'information et participation des peuples aux décisions

R10 : Renforcement de la transparence et de l'information dans l'élaboration des mesures et la prise de décision par les Autorités européennes.

R-M11 : Discussions paritaires entre représentants de l'industrie et ONG.

M12 : Reconnaissance officielle des ONG.

M13 : Subventions allouées aux ONG.

Chapitre 5 : Implication des villes, communes et agglomérations de communes à la mise en œuvre des politiques de santé durable dans les États membres de l'Union

R-M14 : Nouvelle Charte européenne des municipalités pour la protection de l'environnement et la santé durable. Le rôle essentiel des maires.

Chapitre 6 : Droit de la santé environnementale : sanctions et condamnations

R15 : Renforcement des sanctions à l'égard des États membres. Insertion de mesures pénales dans le droit communautaire.

R-M16 : Extension du principe du pollueur-payeur à la santé pour assurer la réparation des dommages sanitaires. Sanctions pénales en cas de dommages corporels graves et irréversibles.

R-M17 : Application uniforme du droit sur tous les territoires relevant des États membres.

R18 : Sanctions à l'encontre des sociétés ne respectant pas les interdictions de mise sur le marché des produits.

R-M19 : Renforcement de la compétence des juridictions internationales et sanctions pénales en matière de santé et d'environnement en cas de pollutions transfrontières graves et irréversibles.

A. Internalisation de la pollution

B. Insuffisance juridique du principe du pollueur-payeur

Titre III : Protection de l'enfance

Chapitre 1 : Protection des femmes enceintes et des enfants

R20 : Vulnérabilité de l'enfance.

A. Arguments scientifiques

B. Arguments sanitaires et socioéconomiques

Chapitre 2 : Révision des normes toxicologiques et principes généraux d'interdiction de mise sur le marché

R21 : Adaptation des normes toxicologiques à l'embryon et aux enfants.

R22 : Toxicité cumulative et effets synergiques des substances chimiques.

M23 : Retrait du marché des substances CMR.

M24 : Retrait du marché des substances chimiques passant la barrière placentaire.

M25 : Estimation des doses-seuils des substances chimiques non CMR.

Chapitre 3 : Substances chimiques dangereuses

M26 : Dosage du mercure dans les poissons et fruits de mer.

M27 : Interdiction des produits médicaux et des cosmétiques contenant du mercure.

M28 : Interdiction du mercure dans les maternités, crèches, hôpitaux et écoles.

M29 : Aldéhydes et pollution de l'air intérieur. Interdiction d'utiliser le formaldéhyde.

M30 : Interdiction d'utiliser les aldéhydes reconnus toxiques, en particulier le formaldéhyde dans les produits pharmaceutiques et cosmétiques.

M31 : Phtalates et plastiques médicaux. Interdiction d'utiliser le DEHP.

Chapitre 4 : Pesticides, additifs alimentaires et alimentation

R32 : Politique familiale et réduction de la pollution par les substances reprotoxiques.

R33 : Renforcement des critères de mise sur le marché des pesticides. Révision de la directive 91/414/CEE.

M34 : Alimentation des nouveau-nés par des produits en provenance de l'agriculture biologique.

M35 : Nouveau-nés et additifs alimentaires.

Chapitre 5 : Obésité, cancers, allergies

R-M36 : Surpoids et obésité chez l'enfant.

M37 : Alimentation biologique en cantine scolaire.

M38 : Cancers des enfants. Implantation des écoles, collèges et lycées.

R39 : Cancers des enfants et lignes à haute tension.

R40 : Téléphones portables et sans fil.

R41 : Lutte contre les allergies.

Titre IV : Mise sur le marché des substances chimiques

Chapitre 1 : Principe de substitution et règlement REACH

R42 : Renforcement du règlement REACH.

R43 : Obligation de substitution en cas d'alternative moins dangereuse.

M44 : Retrait de mise sur le marché des substances CMR.

R-M45 : Réglementation des substances CMR non retirées du marché car ne présentant pas d'alternatives et estimées être indispensables.

R46 : Traçabilité et étiquetage des substances dangereuses.

Chapitre 2 : Reconversion de l'industrie et chimie verte

R47 : Aide à la reconversion des industries chimiques.

M48 : Incitations fiscales pour la mise sur le marché de produits propres.

R49 : Développement de la chimie verte.

Chapitre 3 : Substances toxiques dangereuses à retirer prioritairement du marché

M50 : Aldéhydes.

M51 : Phtalates.

M52 : Éthers de glycol.

M53 : Bisphénol A.

M54 : Mercure.

M55 : Brome et ses dérivés.

Chapitre 4 : Réglementation des produits toxiques

M56 : Peintures et vernis.

M57 : Peintures au plomb.

R-M58 : Traitement des bois intérieurs.

R-M59 : Retardateurs de flamme bromés.

R-M60 : Équipements électriques et électroniques.

R-M61 : Interdiction des produits bromés.

R-M62 : Produits cosmétiques.

R63 : Produits d'usage courant.

R-M64 : Taxation des produits et emballages mis sur le marché.

Chapitre 5 : Réglementation des produits alimentaires

R-M65 : Qualité nutritionnelle des aliments.

R-M66 : Emballages des denrées alimentaires.

R67 : Publicité et étiquetage des denrées alimentaires.

R68 : Allégations nutritionnelles.

R-M69 : Additifs alimentaires. Révision de la directive 89/107/CEE sous la forme d'un règlement.

R-M70 : Produits phytopharmaceutiques, pesticides. Révision de la directive 91/414/CEE sous la forme d'un règlement.

R-M71 : Interdiction de mise sur le marché et d'utilisation de l'imidaclopride et du fipronil.

M72 : Réparation des préjudices liés à l'imidaclopride et au fipronil.

R-M73 : Résidus en pesticides dans les aliments. Nouvelles procédures d'autorisation de mise sur le marché des pesticides.

M74 : Applicabilité des nouvelles procédures de mise sur le marché des pesticides.

M75 : Sanctions concernant l'utilisation de pesticides interdits ou le dépassement des normes autorisées.

Titre V : Pollution de l'air, des eaux et des sols

Chapitre 1 : Considérations générales sur la pollution de l'air

Chapitre 2 : Pollution de l'air extérieur

2.1 Poussières atmosphériques

R-M76 : Particules PM 2,5 et PM 10. Inadéquation de la proposition de directive CAFE.

2.2 Trafic routier, aérien, maritime

M77 : Électrification des transports en commun.

R-M78 : Réduction du trafic routier dans les villes.

R-M79 : Normes de pollution pour les gaz d'échappement des moteurs.

R-M80 : Normes réglementant l'émission des particules par les moteurs diesel.

M81 : Réduction de la teneur en soufre dans les carburants.

M82 : Réduction de la teneur en benzène de l'essence.

R-M83 : Carburants des engins, fonctionnement en espace confiné.

R-M84 : Contrôle des moteurs diesel.

2.3 Pollution industrielle

R-M85 : Mise en conformité des installations industrielles.

R-M86 : Révision de la directive 96/61/CE sous la forme d'un règlement.

R-M87 : Pollution industrielle par les poussières, le dioxyde de soufre et les oxydes d'azote.

R-M88 : Pollution transfrontalière. Valeurs limites d'émission (VLE) des polluants dans l'air ambiant. Insuffisance du projet de directive CAFE.

R-M89 : Plafonds nationaux d'émission des polluants atmosphériques.

Chapitre 3 : Destruction de l'ozone stratosphérique par les produits chlorés ou bromés volatils

R-M90 : Produits chlorés et bromés. Émission de chlore et de brome dans l'atmosphère.

Chapitre 4 : Pollution de l'air intérieur

R-M91 : Droit à un air intérieur sain.

M92 : Tabagisme passif.

R-M93 : Pollution de l'air intérieur.

R-M94 : Prélèvements sur sites, ambulances vertes et laboratoires d'analyse spécialisés.

R-M95 : Traçabilité et étiquetage des matériaux, mobiliers et produits d'intérieur.

M96 : Interdiction de mise sur le marché des matériaux, mobiliers et produits d'intérieur émettant des substances volatiles toxiques.

M97 : Réglementation complémentaire concernant l'amiante.

M98 : Conditions de désamiantage. Interdiction du désamiantage par des pays tiers.

M99 : Ramonage des chaudières contenant de l'amiante et confinement des plaques dures en amiante.

R-M100 : Indemnisation des victimes de l'amiante et condamnations pénales.

R-M101 : Fibres de substitution à l'amiante.

R-M102 : Mise en garde sanitaire concernant la pollution par les nanoparticules émises à partir des nanomatériaux utilisés par les nanotechnologies.

R-M103 : Radon.

R-M104 : Mesure du radon dans l'eau.

R-M105 : Renouvellement de l'air intérieur et isolation thermique.

Chapitre 5 : Généralités sur la pollution de l'eau et des sols

R-M106 : Pollution de l'eau. Renforcement de la directive cadre 2000/60/CE.

R-M107 : Pollution des sols.

Chapitre 6 : Usage des nitrates et des pesticides, et réforme de la Politique agricole commune

R-M108 : Réduction de l'utilisation agricole des nitrates. Renforcement de la directive 91/676/CEE sous la forme d'un règlement.

M109 : Interdiction d'utiliser des fertilisants riches en cadmium.

M110 : Inspections, contrôles et sanctions concernant l'utilisation agricole des pesticides.

M111 : Règlement sur les bonnes pratiques agricoles.

M112 : Inventaire concernant l'utilisation des pesticides dans l'Union.

M113 : Interdiction des pulvérisations de pesticides par des moyens non maîtrisés.

M114 : Plan de réduction programmée de l'utilisation des pesticides.

M115 : Certification des revendeurs et utilisateurs de pesticides.

M116 : Interdiction d'utilisation des pesticides dans les zones de captage de l'eau et autres zones humides.

M117 : Soutien accru de l'agriculture biologique dans les zones de captage de l'eau et autres zones humides.

M118 : Interdiction d'utiliser des pesticides dans les espaces publics.

R-M119 : Révision de la Politique agricole commune.

M120 : Taxation des intrants chimiques.

M121 : Subventions à la restauration collective.

M122 : Subventions à l'agriculture biologique.

R-M123 : Renforcement de l'agriculture biologique. Révision de la proposition de règlement prévue en remplacement du règlement (CEE) n° 2092/91.

M124 : Interdiction d'exporter à des pays tiers les pesticides interdits de mise sur le marché en Europe.

M125 : Interdiction d'exportation des produits agricoles pour la production desquels les agriculteurs ont été subventionnés.

M126 : Labels de qualité : réglementation de l'utilisation des pesticides.

M127 : Interdiction des cultures d'OGM en plein champ, taxation des OGM importés à destination de l'alimentation animale et répression des fraudes.

Chapitre 7 : Analyses et traitement des boues d'épuration

R-M128 : Réduction de l'utilisation des boues d'épuration en agriculture. Révision de la directive 86/278/CEE.

M129 : Renforcement des conditions d'interdiction d'épandage des sols par les boues d'épuration.

M130 : Interdiction d'incinération et de coïncinération des boues d'épuration.

R-M131 : Traitement des boues d'épuration.

Chapitre 8 : Pollution par le mercure

M132 : Valeurs limites d'émission de mercure.

M133 : Extension des valeurs limites d'émission (VLE) de mercure à toutes les installations de combustion du charbon. Révision des directives 96/61/CE et 2001/80/CE.

M134 : Extension des valeurs limites d'émission de mercure à tous les secteurs de l'industrie.

M135 : Industries du chlore et de la soude : démantèlement progressif des cellules à électrolyse au mercure.

M136 : Interdiction de mise sur le marché des produits contenant du mercure. Révision de la directive 76/769/CEE.

M137 : Interdiction d'importation et d'exportation du mercure.

M138 : Traçage des produits lors des échanges commerciaux.

M139 : Interdiction d'utiliser le mercure pour l'orpaillage.

Chapitre 9 : Gestion et traitement des déchets

R-M140 : Gestion des déchets – Stratégie générale.

R-M141 : Réduction de la production des déchets à la source. Durée de vie des produits mis sur le marché.

M142 : Coût inhérent à la gestion et au traitement des déchets.

R-M143 : Classement des déchets en vue de leur valorisation par le tri sélectif et le recyclage.

R-M144 : Valorisation des déchets par le tri sélectif et le recyclage. Révision de la directive 2000/76/CE.

M145 : Interdiction de la construction de tout nouvel incinérateur et de toute nouvelle autorisation de coïncinération.

M146 : Interdiction d'incinération et de coïncinération des déchets dangereux.

R-M147 : Traitement spécifique et valorisation des déchets dangereux.

R-M148 : Mise en décharge des déchets et stockage sécurisé.

R-M149 : Localisation de la gestion et du traitement des déchets urbains et industriels.

R-M150 : Création d'une Agence européenne de gestion et de traitement des déchets.

R-M151 : Création d'un Institut européen de recherche sur la gestion et le traitement des déchets.

Titre VI : Information, éducation, formation, travail, équité sociale

R-M152 : Information. Renforcement de la démocratie participative.

R-M153 : Éducation. Enseignement de l'écologie et de l'hygiène.

R-M154 : Formation professionnelle.

R-M155 : Réforme de la santé au travail.

R-M156 : Équité sociale – Correction des injustices.

Titre VII : Enseignement, recherche et développement technologique

R-M157 : L'échec du 6e programme-cadre en matière de recherche sanitaire. Nécessité d'inclure la santé environnementale et la prévention dans le 7e programme-cadre.

R-M158 : Orientation générale des recherches.

R-M159 : Recherches médicales.

R-M160 : Recherches sur le cancer.

R-M161 : Enseignement de l'écologie et de l'hygiène.

M162 : Création d'une nouvelle spécialité médicale : la médecine environnementale.

M163 : Reconnaissance de l'allergologie en tant que spécialité médicale.

R-M164 : Recherche et développement technologiques.

Pour plus d'informations : www.artac.info

Table des matières

Avertissement de l'auteur 11
Prologue 13

Chapitre 1 : Le paradigme environnementaliste 19
Chapitre 2 : L'Appel de Paris 27
Chapitre 3 : L'écologie sanitaire 37
Chapitre 4 : La santé environnementale 57
Chapitre 5 : Le masque invisible 79
Chapitre 6 : Ces maladies créées par l'homme 105
Chapitre 7 : L'échec du Plan cancer 141
Chapitre 8 : Dans dix ans, il sera trop tard 161
Chapitre 9 : État d'urgence : demain, nous disparaîtrons si nous ne faisons rien 193
Chapitre 10 : La troisième rupture 205
Chapitre 11 : Un programme d'union nationale 239

Épilogue : Lettre ouverte aux femmes et aux hommes politiques de France 267
Remerciements 271
Annexe 1 : Déclaration de Wingspread 273
Annexe 2 : Appel de Paris. Déclaration internationale sur les dangers sanitaires de la pollution chimique 283
Annexe 3 : Mémorandum de l'Appel de Paris. 164 mesures élaborées par 68 experts internationaux 293

Imprimé en France
FROC031300160919
22144FR00019B/480/P

9 782213 625980